D1173440

L'ERREUR

SUSI FOX

L'ERREUR

Traduit de l'anglais (Australie)
par Héloïse Esquié

Titre original :
Mine

Fleuve Éditions, une marque d'Univers Poche,
est un éditeur qui s'engage pour
la préservation de son environnement
et qui utilise du papier fabriqué à partir
de bois provenant de forêts gérées
de manière responsable

Copyright © Susi Fox, 2018
Publication originale par Penguin Random House Australia Pty Ltd, 2018
© 2019, Fleuve Éditions, département d'Univers Poche,
pour la traduction française
ISBN : 978-2-265-11802-7

Dépôt légal : janvier 2019

À celles et ceux qui comprennent

« Au-delà du bien et du mal,
il existe un champ.
C'est là que je te retrouverai. »

Rûmî

AVANT

Je pensais que j'adorerais être mère.

Je me trompais.

Je n'aime pas ça du tout ; pas même un seul instant. Je sais que je ne suis pas douée pour ça. Ma vie telle que je la connaissais s'est terminée le jour où j'ai accouché. Être mère est la tâche la plus difficile qui m'ait jamais été donnée.

Tout cela, c'est une grosse erreur.

Je ne veux pas continuer.

Je ne peux pas continuer.

Je vais réparer ce que j'ai fait. Je vais tout réparer, pour toi et pour moi.

Et, s'il te plaît, je t'en supplie : pardonne-moi pour ce que je m'apprête à faire.

JOUR 1, AUBE DU SAMEDI

Une mince bande de lumière jaune tombe sur le sol à côté du lit. Mon cerveau est plein de friture, ma langue un tampon de paille de fer dans ma bouche. Sous le drap soigneusement bordé, mes jambes ne sont que fourmillements. Du bout des pieds, je presse contre le coton et tente de me libérer.

Il est difficile d'inhaler l'air chaud, dense. La fenêtre à ma droite est hors d'atteinte. Les rideaux rayés sont tirés l'un contre l'autre, laissant seulement deviner une pâle ligne de ciel constellé d'arbres entre leurs plis. Un moniteur installé près du lit émet des bips et clignote, rouge. Des rails de protection en métal sont levés de chaque côté du matelas, de mes pieds à mon torse. Une blouse d'hôpital blanche me recouvre la poitrine.

Mark doit bien être là, à mes côtés, non ? Je me redresse sur un coude et fouille la chambre des yeux. Personne. Il n'y a pas de chaise. Pas de berceau, non plus.

Berceau. La prise de conscience me saisit. *Le bébé.*

J'écarte le drap et remonte la blouse jusqu'à mon cou. Une compresse épaisse est scotchée au-dessus de mon os pubien. Mon ventre est moins gonflé qu'avant, plus gélatineux. Je suis vide.

Je me laisse de nouveau aller contre le matelas, respirant avec peine. Les instants précédant mon endormissement me reviennent en un éclair : un masque sur mon visage, la pression du caoutchouc sur mes joues, l'odeur de plastique un peu rance. Les yeux précis de l'anesthésiste. Mark, qui me regardait, battant des paupières au ralenti. Puis le froid sur le dos de ma main, qui me piquait comme une ortie.

Je porte mes doigts à mes yeux. Ma vision redevient claire. Un liquide transparent coule goutte à goutte dans ma veine à travers un tuyau. Je tire sur le sparadrap fixé solidement à ma peau.

Il y a une sonnette sur la table de chevet. Je passe mon bras par-dessus le rail, renversant un gobelet d'eau par terre dans ma hâte. Le liquide fait une flaque sur le sol, formant une tache irrégulière. J'attrape le cordon du bouton d'appel et le tire sur mes genoux. J'y enfonce mes deux pouces et une sonnerie puissante résonne dans le couloir devant ma chambre. J'entends le grincement d'un chariot de repas. Un bébé qui pleure dans une autre chambre.

Mais personne ne vient.

J'appuie encore et encore sur le bouton, et j'entends la sonnerie chaque fois devant ma porte. Toujours personne pour répondre.

Une lumière rouge clignote sur le bouton. Une couleur soudain trop familière. Du sang. Est-ce que j'ai saigné hier soir ? Pourquoi ne puis-je m'en souvenir ? Et il y a un problème bien plus grave à présent. Où est mon bébé ?

« Excusez-moi. » Je crie en direction du couloir. « Il y a quelqu'un ? »

Je m'efforce de calmer ma respiration et d'examiner les lieux. Tout dans cet endroit est déstabilisant. Il y a un fil de toile d'araignée qui s'étire le long du plafond, une fissure dans le plâtre au-dessus de la plinthe à côté de la porte, une tache d'un marron terne sur le drap. Je ne devrais pas être là. Ce n'est pas le Royal, avec ses salles d'accouchement chaleureuses et ses chambres propres, aérées. Là, les sages-femmes sont attentives et prévenantes. De la musique apaisante est diffusée en sourdine dans tous les couloirs. Le Royal, c'est là que j'étais censée accoucher de notre petite fille.

Ça, c'est l'hôpital du bout de la rue, celui qui a une *réputation*. Celui que je tenais à éviter à tout prix dans cette ville assez grande pour que je puisse avoir le choix, assez petite pour que j'en connaisse tous les obstétriciens. En tant que médecin légiste de la région, c'est moi qui rédige les autopsies des bébés qui ne survivent pas. J'ai vu le travail de chaque spécialiste. J'en sais plus que quiconque sur tout ce qui peut mal tourner.

Une vague de nausée s'empare brusquement de moi. *Ça*, ce n'est pas arrivé à mon bébé. Pas après tout cela. Ce n'est pas possible. Non.

La porte s'ouvre vers l'intérieur, j'aperçois la silhouette d'une femme aux épaules larges, éclairée par les lumières du couloir derrière.

« Aidez-moi. S'il vous plaît, je dis.

— Oh, mais c'est mon travail. »

La silhouette s'avance sous les luminaires encastrés au plafond : une sage-femme en tablier bleu marine. *Ursula*, dit le badge épinglé à sa taille.

« Je vous présente mes excuses. Nous avons été terriblement occupés », dit-elle. Elle laisse tomber un amas de dossiers au pied de mon lit, ramasse le premier et l'examine à travers des lunettes accrochées à son cou par une fine chaînette. « Saskia Martin.

— Ce n'est pas moi. » Mon cœur bondit dans ma poitrine. « Où est mon bébé ? »

Ursula m'inspecte par-dessus la monture de ses lunettes, puis pose le dossier sur mon lit et prend le suivant. « Ah. Vous êtes Sasha Moloney ? »

Je hoche la tête, soulagée.

« L'hématome rétroplacentaire, c'est vous, alors. »

Des grumeaux bordeaux sur fond d'asphalte s'élèvent, fumants, devant mes yeux. La puanteur métallique des caillots, délogés de derrière le placenta, arrachant mon bébé à l'intérieur de mon utérus avant qu'il soit temps pour elle d'émerger. Donc le saignement a bien eu lieu, ce n'était pas seulement mon imagination.

« Oh ! là là ! Vous avez perdu beaucoup de sang. »

Je ne demande pas le volume. « Mon bébé. Dites-moi, je vous en prie ? »

Elle parcourt le dossier.

« Vous avez trente-sept ans.

— Oui, c'est ça.

— Et c'est votre premier enfant.

— Exact. »

Du couloir montent à présent les cris de bébés qui gémissent en chœur. Enfin, Ursula relève les yeux du dossier.

« Vous avez eu une césarienne en urgence à trente-cinq semaines. Votre petit garçon a été envoyé en néonat. Félicitations. »

Garçon ? Je reprends vivement mon souffle. « Je croyais que j'attendais une fille. »

Ursula tourne les pages du dossier, pose le doigt sur la page.

« Ah non, c'est un garçon. »

Il me faut un moment pour la comprendre. Pas une fille, mais un fils. C'est tout à fait inattendu. Mais il y a une petite chance que les ultrasons – et mon intuition maternelle – aient été fautifs.

« Vous êtes sûre ?

— Absolument sûre. Il y a écrit *garçon*, là. » Elle serre les mâchoires. « Oh…, marmonne-t-elle. Humm… »

Oh, non. N'importe quel bébé, n'importe quel sexe fera l'affaire, à condition qu'il aille bien. Je vous en prie, je vous en prie, faites que tout aille bien pour mon bébé…

15

Ursula se plonge dans les notes, puis m'inspecte de nouveau par la partie inférieure de ses verres à double foyer.

« Apparemment, il va bien. Les dossiers sont tellement difficiles à lire, de nos jours. Il y a tant de bébés. Et tant de mères à soigner. Nous vous emmènerons le voir dès que possible. »

Le soulagement inonde mon corps. Mon bébé est en vie. Je suis mère. Et quelque part dans cet hôpital est couché mon fils nouveau-né. Mon cœur est toujours un tambour qui bat sous mes côtes.

« Je peux le voir maintenant, s'il vous plaît ?

— Bientôt, j'espère. Nous sommes vraiment débordés. » Elle pousse un soupir théâtral. « Je suis sûre que vous comprenez. » Elle regarde de nouveau le dossier. « Vous êtes médecin, je me trompe ? »

Je me demande si elle ne serait pas en train de jouer à une espèce de jeu pervers. Mais peut-être ne sait-elle simplement pas où donner de la tête. J'ai entendu ce qui se raconte sur cet établissement : il est constamment victime de coupures budgétaires, en manque de personnel, et les médecins et les infirmières croulent sous leur charge de travail.

J'acquiesce. « Oui, enfin, médecin légiste… Mais vous pouvez me dire comment il est, au moins ? »

Une fois de plus, Ursula parcourt les notes à la hâte. « Ce n'est pas parfaitement clair d'après ces notes. » Elle referme doucement le dossier.

Je froisse le drap dans mes paumes.

« J'ai besoin de le voir. J'ai besoin de le voir immédiatement.

— Je comprends », dit Ursula, plaçant le dossier sur ma table de chevet. « Bien sûr, que vous voulez le voir. Je reviens avec une chaise roulante dès que possible.

— Mark va m'emmener. Mon mari. Où est-il ?

— Il doit être avec votre bébé. Je suis sûre que vous le verrez quand on va vous emmener là-haut. » Elle prend mon portable dans le tiroir supérieur de la table de chevet et me le tend. « Vous n'avez qu'à l'appeler. Dites-lui de venir demander une chaise roulante à l'accueil. »

Une sonnette retentit, stridente, dans une chambre voisine. Ursula fronce les sourcils et sort.

Je trouve le numéro de Mark et appuie fort le téléphone contre mon oreille. Ça sonne, mais pas de réponse. Je rappelle. Cette fois je laisse un message, d'une voix que je reconnais à peine, le suppliant de venir me chercher sur-le-champ pour m'emmener à l'étage. Je lui dis que j'ai besoin de lui. Que j'ai besoin de voir comment va le bébé.

J'ai travaillé dans des hôpitaux pendant des années. Je connais le système, ses défauts et ses manquements. A priori, je devrais me sentir plus à l'aise ici. Mais être une patiente, ce n'est pas pareil que d'être un médecin. Cette fois-ci, c'est moi qui suis observée, et non moi qui observe ; c'est moi qui suis disséquée, examinée, jugée. Je peux repérer l'incompétence en filigrane. Et, pire que tout, je sais combien l'erreur est facile.

Des infirmières gloussent dans le couloir devant ma chambre. Des gémissements étouffés de nouveau-nés se font entendre. Mon utérus semble se resserrer en moi. Je commence à récupérer les sensations dans mes jambes à mesure que les picotements se dissipent. Mes muscles se détendent à cause du reste des opiacés et je halète dans l'atmosphère chaude, collante, me répétant de rester présente, de rester consciente, que ce n'est pas le moment de dormir, mais la chambre se met à tanguer sous moi, et je sombre dans un vortex tourbillonnant tandis que les murs s'écroulent sur eux-mêmes et que la pièce se désintègre dans un fondu au noir.

JOUR 1, SAMEDI, PETIT DÉJEUNER

Je suis réveillée par le cliquetis d'un plateau. Il y a une odeur écœurante de soufre dans la pièce, avec un soupçon d'eau de Javel. J'ouvre les yeux à grand-peine. Des œufs brouillés jaune pâle sur une tranche de pain blanc détrempé. Flanqués de bacon âcre, constellé de charbon. Une femme se tient debout au-dessus de moi. Son nom apparaît en clignotant dans mon esprit : *Ursula.*

Puis : *Le bébé. Le petit garçon.*

Mes membres se raidissent alors que je me souviens que je suis mère désormais ; que je suis seule. Et mon fils aussi. Et où est Mark ?

« S'il vous plaît… Mon bébé va bien ? »

Je n'aurais jamais dû m'endormir. C'est mon premier manquement en tant que mère. Correction : le deuxième. Le premier a été mon incapacité à le garder dans mon ventre jusqu'à quarante semaines.

« J'ai appelé la nursery pendant que vous dormiez. Il est stable. Mais il est tout petit. Je suis sûre que vous vous en doutiez. » Elle désigne ma poitrine ; mon lait n'est pas encore monté. « Ce qu'il lui faut, maintenant, c'est votre colostrum. »

Du colostrum. La première montée de lait. Elle est bourrée d'anticorps, de graisses, de nutriments vitaux. Je veux qu'il l'ait, sur-le-champ.

« Une fois qu'on aura prélevé ça, je pourrai le voir ? »
Quand je le verrai, je saurai comment il va. Comment je
vais, aussi.

« Ça s'est un peu calmé dans le service. Je suis sûre qu'on
va pouvoir arranger une visite. Vous pourrez voir votre mari
à la nursery. »

Mark. Il devrait être capable de me calmer, de m'aider
à oublier les images de bébés prématurés morts qui valsent
dans mon esprit, ceux que j'ai disséqués dans des autopsies
au fil des années.

« Mon bébé va s'en sortir, n'est-ce pas ? » Je me rappelle
son âge gestationnel. « Enfin, trente-cinq semaines, ça va,
non ? »

Ursula soulève ma blouse. « Normalement, tout ira bien. »
Elle place son pouce et son index de chaque côté de mon
mamelon, le poussant d'abord contre ma paroi thoracique,
puis l'écrasant entre ses doigts comme si elle pressait un
citron. Je tressaille, mais ne dis rien.

« Vous comprenez qu'il nous faut stimuler vos seins,
afin de provoquer une montée de lait ? Vous savez que les
pompes à lait ne peuvent pas encore fonctionner ? »

J'acquiesce d'un hochement de tête.

« Bien, alors. » Ursula presse plus fort. « Vous avez choisi
un nom pour lui ? »

L'enfant à l'échographie avait le nez retroussé, une moue
boudeuse et le menton fuyant. J'étais ravie de découvrir que
nous allions avoir une fille. Après tout, j'avais gardé les pou-
pées de mon enfance, mes exemplaires de *Anne… La maison
aux pignons verts*, et ma collection de livres d'Enid Blyton
dans un carton sous notre lit, pour notre future fille. Mark
était plutôt content, lui aussi, même si je savais qu'au fond
de lui, il aurait préféré un fils. Il doit être aux anges, maintenant que nous avons un garçon.

« Nous avions choisi Gabrielle pour une fille. Donc Gabriel, je suppose. »

Ursula hausse les sourcils. « À votre tour d'essayer. » Elle dégage mon bras des tubes de l'intraveineuse reliés à un sachet de solution saline. Puis je pompe mon sein, enfonçant mes doigts vers mes côtes, puis les ramenant l'un contre l'autre ainsi qu'elle me l'a montré, écrasant le mamelon aussi fort que je le peux jusqu'à ce qu'il ait la couleur d'une fraise écrasée. Rien ne sort, même lorsque ma main se raidit sous l'effet d'une crampe.

« Laissez-moi faire », dit Ursula.

J'ai toujours admiré le tissu mammaire sous le microscope ; il y a quelque chose dans les ramifications de ses canaux, comme si un arbre poussait à l'intérieur. Chez les femmes qui allaitent, les conduits sont remplis de poches onctueuses de lait, teintées de rose saumon par la coloration. J'avais imaginé que mes canaux lactifères se rempliraient d'eux-mêmes. Je n'avais pas du tout anticipé la nécessité d'exprimer le lait afin de le faire jaillir par la force brute.

Ursula tord et écrabouille mes seins, essayant d'en extraire ne serait-ce qu'une seule goutte. Je me concentre sur les cris des bébés qui nous parviennent à travers les murs, par la porte ouverte, par le moindre centimètre carré de cette chambre, jusqu'à ce qu'enfin une perle nacrée jaune apparaisse au sommet de mon mamelon, luisante comme un diamant.

« Il va en avoir besoin », dit Ursula, l'aspirant dans une seringue. « Bien joué. »

Je ne sais pas trop si elle s'adresse à moi ou à elle-même. Mon sein m'élance. J'agite mes orteils sous le drap frais, puis, du bout de mes doigts qui fourmillent, je suis les contours de mes cuisses jusqu'à mon abdomen distendu. Il y a une nouvelle légèreté dans mes membres, une aisance de mouvement qui m'avait désertée ces derniers mois. Mon ventre, cependant, me semble vide après les coups de pied incessants.

« Je peux aller à la nursery, maintenant ?

— Une chose à la fois. Je reviens dès que j'ai apporté ça au bébé.

— Vous ne savez pas où est Mark ? »

Sans cesser de pomper mon sein, Ursula montre d'un geste du menton un vase posé sur l'étagère face au lit. « Il a envoyé ça. Il a dit de ne pas vous réveiller. Il est en haut avec votre bébé. »

Douze roses rouge sang. Le fleuriste a dû se tromper dans les couleurs. Mark sait bien que mes préférées, ce sont les roses blanches. La taie d'oreiller en coton me glace la nuque lorsque j'y enfonce la tête.

Ursula lève la seringue vers le plafond couleur crème à la peinture écaillée, examinant son contenu jaune paille. « Ça devrait suffire pour l'instant. Leur estomac est seulement de la taille d'une bille, vous savez. Et il nous en faudra davantage dans deux ou trois heures. » Elle remet en place le rail de protection et sort de la chambre.

Oh ! Mon Dieu, non. Ce n'est pas à ça qu'est censé ressembler l'allaitement. Je lève les yeux sur les éclats de peinture au plafond. Rien de tout cela ne faisait partie de mon plan d'accouchement. Je devais accoucher par voie vaginale, paisiblement, avec Mark à côté de moi pour me masser les épaules et me chuchoter des mots d'encouragement à l'oreille. Prendre des analgésiques si j'en avais besoin. Une petite fille en pleine santé. C'était censé bien se passer pour moi, après tout ce qui s'était mal passé avant. J'avais écrit mon plan d'accouchement dans les moindres détails, dans l'euphorie hormonale de la grossesse. Peut-être était-ce là le problème : je n'aurais jamais dû en rédiger un.

Les rails de protection sont des barreaux de prison, qui m'attachent au matelas étroit. Je dois attendre qu'Ursula vienne me chercher pour m'emmener voir mon fils.

JOUR 1, THÉ DU SAMEDI MATIN

Je m'agrippe aux accoudoirs du fauteuil roulant tandis que nous passons devant le bureau des infirmières juste en face de ma chambre. Pourquoi ont-elles mis si longtemps à répondre à mes appels ? Ursula me pousse dans les couloirs tout en longueur, tels des tunnels, avec leurs mains courantes en métal fixées aux murs rose pâle. Au-dessus de nous, des néons tremblotants sont accrochés à des rails qui courent tout le long du plafond. L'odeur de désinfectant, mêlée aux murmures tranquilles, s'élève des chambres adjacentes. Le personnel marche à pas lourds, bruyants, sur le lino. Est-ce à cause de ma chaise roulante que les gens détournent les yeux à notre passage ? Tours, détours, couloir après couloir : on croirait que l'on me transporte au centre de la Terre.

Le fauteuil s'arrête avec un grincement devant un ascenseur et la porte s'ouvre. À l'intérieur, Ursula enfonce du pouce le bouton 5. La cabine est imprégnée d'une puissante odeur d'antiseptique qui laisse penser qu'elle a été nettoyée récemment. Des miroirs réfléchissent mon visage sous tous les angles : cheveux blonds hirsutes et yeux injectés de sang émergeant d'une couverture d'hôpital blanche jetée sur mes épaules, images répétées à l'infini de mon visage marbré de rougeurs. Mes doigts me picotent sur les accoudoirs. L'atmosphère est toujours aussi lourde. Ma poitrine commence à se soulever et à s'abaisser violemment. Est-ce donc là l'effet de la panique ?

L'ascenseur s'arrête avec une secousse. Lorsqu'elle me pousse à travers les portes, j'ai l'impression de sortir moi aussi d'un utérus. Nous avançons dans le couloir et je vois une fougère en plastique à côté d'une rangée de chaises, face à un panneau en liège couvert de photos de bébés souriants. Nous parvenons à une petite annexe. De faibles vagissements se font entendre. Un long lavabo en métal luisant est fixé à l'un des murs, avec une quantité de robinets sans poignées. Sur une porte en verre opaque, juste à côté, une inscription en épaisses lettres noires : *SERVICE DE NÉONATOLOGIE – NURSERY. Lavez-vous les mains avant d'entrer.*

« Attention, n'oubliez pas, dit Ursula. Les infections se répandent vite. Nous avons déjà eu des problèmes parce que des gens avaient négligé de se laver les mains. »

L'eau jaillit automatiquement lorsque je place mes doigts sous le robinet. J'étale du savon liquide mauve dans mes paumes et me sers d'une brosse à ongles pour gratter les traces de sang accumulées à l'intérieur de mes doigts, jusqu'à ce que j'aie débarrassé ma peau de toutes ses taches. Je suis très prudente. Je sais, plus que quiconque, à quel point les infections peuvent être dangereuses.

La porte coulissante s'ouvre avec un raclement et révèle la cacophonie à l'intérieur. Des moniteurs qui bipent, des bébés qui pleurent, des alarmes anti-apnée qui résonnent contre les murs blancs. Une odeur de linge amidonné vient cogner le fond de mes narines. La senteur un peu sucrée des excréments de nouveau-nés. La puanteur des gants en latex. C'est bien trop familier, un mélange d'odeurs qui me renvoie à l'époque où je travaillais en alternance, en tant qu'interne, dans un service de néonatologie à Sydney, l'époque où je ne savais pas du tout comment enfoncer des aiguilles dans les veines miniatures des bébés, ou comment glisser des tuyaux dans leurs minuscules poumons. L'époque où je n'avais pas la moindre expérience, où je n'avais jamais été confrontée à la maladie d'un bébé.

Ursula me pousse à l'intérieur, dans une pièce basse de plafond. Mark doit être là. Mon bébé aussi. Mon estomac se noue.

À la droite de la nursery en forme de L, des couveuses – des boîtes en plastique éclairées par des lumières blanches, contenant chacune un bébé minuscule – garnies de câbles et de moniteurs rattachés à des écrans qui clignotent, posés sur les paillasses à côté d'eux, comme dans un décor de Noël absurde. Deux rangées de couveuses sont disposées le long d'un couloir, environ cinq de chaque côté. La petite fenêtre sur le mur du fond est la seule source de lumière naturelle. Des berceaux ouverts, pour les bébés plus grands, moins fragiles, sont agglutinés près du poste des infirmières, dans le bras le plus réduit du service, sur la gauche. Avec deux ailes séparées, j'imagine qu'il est difficile pour le personnel de garder un œil sur tous les bébés à la fois. Je peux seulement espérer qu'on prend bien soin de mon fils.

Un petit groupe d'infirmières m'examine depuis le bureau à côté de la porte tandis que l'on me pousse dans le couloir d'incubateurs sur ma droite. Ici, elles sont surchargées de travail, indifférentes, voire hostiles ; je le vois à leurs yeux étroits, à leurs lèvres pincées. Encore une mère qui nous donne un surcroît de travail. Encore une mère qui a manqué à ses devoirs envers son bébé.

Quant au bâtiment, il est terne, démodé, un peu malpropre. Une antiquité, comparé à l'hôpital de ville innovant où j'ai été interne ; c'est là que j'ai rencontré Damien, le bébé d'il y a des années que je n'ai jamais réussi à oublier. Là-bas, il règne une atmosphère complètement différente, une aura de calme, de modernité et d'efficacité qui imprègne toute son organisation.

Ursula me désigne le bout de la rangée.

« Votre bébé est par là. Un médecin va venir très bientôt, il vous expliquera comment il se porte. »

Est-ce parce qu'elle sait que je suis médecin qu'elle ne se sent pas de me le dire elle-même ?

« Et Mark ?

— Je crois qu'il vient de sortir. Je suis sûre qu'il va revenir d'une minute à l'autre. »

Où a-t-il bien pu aller ? En bas, pour me voir ?

« Vous avez déjà travaillé dans un service de néonat, si j'ai bien compris ? » demande Ursula.

J'acquiesce, même si c'était pour une brève période, et il y a longtemps, durant mon stage de pédiatrie, lorsque j'étais interne. Comme tous les jeunes médecins, j'ai essayé plusieurs spécialités, afin de déterminer laquelle me convenait le mieux. Obstétrique, pédiatrie, urgences, psychiatrie, entre autres. Ursula n'a pas besoin de savoir à quel point mes souvenirs de cette époque-là sont vagues ; à quel point je les ai refoulés.

Il doit y avoir une vingtaine de nourrissons dans la salle. Je ne sais pas du tout où se trouve mon bébé.

« Nous y voilà », dit Ursula, et elle m'arrête à côté d'un berceau sur la gauche, près de la fenêtre. « Votre bébé. »

Mon cœur fait un bond dans ma poitrine. Une partie de moi ne veut pas regarder. Je me concentre sur l'extérieur de la couveuse. C'est un modèle que je ne connais pas : une base gris mat, avec un rail sur les côtés, et un globe de plastique transparent sur le dessus, telle une boule à neige, contenant un autre monde. Un rectangle de carton bleu est fixé par du ruban adhésif à la paroi du berceau devant moi. Il se décolle à un coin.

Nom : ____

Bébé de : Sasha Moloney

Sexe : Masculin

Puis une suite de nombres : son poids, sa date et son heure de naissance.

Je dois me pencher pour le voir derrière le carton. Il y a des fils fixés sur sa poitrine, un tube qui sort de son nez. Il est minuscule – plus petit, même, que l'ours en peluche que je lui ai acheté, qui l'attend à la maison, dans son berceau. Sa poitrine s'enfonce entre ses côtes, son abdomen se contracte violemment à chaque respiration. Il n'a pas l'air à l'aise. Ses bras et ses jambes sont fins comme du petit bois, avec des plis aux genoux et aux coudes, attendant d'être remplis par sa chair ; sa peau paraît translucide et l'on voit le réseau des veines mauves en dessous.

On dirait qu'il en bave. Comme s'il savait qu'il devrait encore se trouver dans mon ventre. Pour sa naissance prématurée – je m'en veux. Moi, sa mère, celle qui était censée assurer sa sécurité, je sais que c'est ma faute. Mais malgré ma culpabilité, rien ne bouge dans ma poitrine, je n'ai pas le cœur qui se serre. Il ne ressemble pas au bébé apparaissant dans mes rêves pendant ma grossesse. Je le regarde comme je regarderais n'importe quel prématuré. Je n'ai pas du tout le sentiment d'être sa mère. Fugitivement, je suis traversée par une idée terrible : et si ce n'était pas mon bébé ? Mais je remets de l'ordre dans mes pensées, repoussant cette idée inconcevable dans les tréfonds de mon esprit.

Ursula est retournée au bureau, elle bavarde avec une autre infirmière. Elles s'arrêtent toutes deux de parler pour me regarder. Je leur adresse un sourire hâtif et me tourne de nouveau vers mon bébé.

J'avais compris que l'amour viendrait dès le premier regard. C'est ce que j'ai entendu décrire par d'autres mères, ce que j'ai lu, ce que j'ai toujours cru. Or c'est étrange, sans doute, mais je trouve ce bébé repoussant. Il a le nez aplati, les yeux enfoncés, gris-bleu – une couleur qui n'est ni celle des yeux de Mark, ni celle des miens –, et les oreilles décollées comme celles d'un singe. Quelques touffes de cheveux bruns dépassent des taches de sang séché sur son crâne conique.

J'attends que le lien maternel s'impose à moi, qu'un sentiment de certitude me gagne, mais les secondes passent et rien ne change. Ce pourrait être le bébé de n'importe qui. Enfermé derrière du plastique, impossible à atteindre, à toucher afin de sentir la texture de sa peau, il n'est guère plus que l'esquisse d'un enfant. Ce n'est pas ce que j'ai passé des mois à préparer. Ce n'est pas du tout le sentiment que j'imaginais que la maternité provoquerait en moi. Je voudrais que Mark soit là. J'ai besoin qu'il me dise que tout ira bien.

Autour de moi, plusieurs mères caressent le dos de leur bébé, roucoulent, poussent des oh et des ah et sourient, en extase. Un père, quelques berceaux plus loin, chatouille le menton de son nouveau-né, qui renifle et gazouille. Je les observe, essayant de comprendre comment ils s'y prennent pour toucher leur enfant. Mais bien sûr : les hublots. Je n'arrive pas à croire que j'aie oublié.

Je lutte avec la fermeture de l'un des deux hublots ronds aménagés sur le côté de la couveuse, pressant le loquet fermement jusqu'à ce qu'il se débloque avec un déclic et que la porte s'ouvre. Voici l'instant dont j'ai rêvé. Peau contre peau avec mon bébé, pour la toute première fois. Je me penche en avant dans mon fauteuil roulant et lève doucement la main vers mon fils.

La plante de son pied est spongieuse, comme de la viande hachée. J'ai un mouvement de recul. Les autres mères sont toujours en train de masser leurs bébés. J'avance de nouveau la main, approche mon pouce de l'arc de son pied, mais il lance sa jambe contre ma main, me repousse. Je retire mon bras du hublot et referme la porte.

J'avais imaginé le corps de mon bébé sur ma poitrine, niché contre mes seins ; on est loin de la vision que j'ai à présent

27

devant moi, celle d'un tas de chair squelettique, décharné, qui a du mal à respirer et n'a même pas conscience de ma présence.

Je me rappelle une de mes patientes, une jeune mère, il y a des années, lorsque j'étais interne. Dans la chambre postnatale qu'elle partageait, elle avait essayé de donner le sein à son nouveau-né, mais le bébé ne cessait de se détourner.

« Il n'y a rien de pire », s'était plainte la femme, regardant son fils étendu sur la couverture, tout en longueur et agité entre ses jambes écartées. « Comment je peux l'aimer, alors qu'il a l'air de ne même pas vouloir me connaître ? »

J'avais fait claquer ma langue. « Ce n'est pas qu'il ne veut pas vous connaître, avais-je dit. Il apprend. L'allaitement c'est une compétence à acquérir, pour vous deux.

— Alors pourquoi c'est tellement dur, bon sang ? »

N'ayant pas d'expérience personnelle des bébés ou de la maternité, je n'avais su lui répondre à l'époque, je m'étais dit que c'était elle qui avait un problème. Je ne savais pas à quel point elle avait raison ; à quel point ça pouvait être difficile.

À côté de moi, la petite fenêtre fournit le seul point de vue de la nursery sur le monde extérieur. La vitre a été teinte en noire pour atténuer l'éclat du soleil. Je peux tout de même voir dehors, mais personne ne peut voir à l'intérieur. La route principale de la ville passe juste en dessous, et les voitures glissent sur le bitume. En face de l'hôpital, un terrain de jeux chatoie, entouré d'une clôture noire. Il y a un bouquet de gommiers dans le coin opposé du parc. Au-delà des arbres, des toits rouges s'étalent tels des brisants constellés de sang au loin, vers les collines où commence le bush.

Le parc, c'est là que je voudrais être maintenant. Loin de cet endroit stérile, bruyant. Loin de ce minuscule bébé qui va peut-être vivre, ou peut-être mourir. Mais personne ne comprendrait mon désir de prendre la fuite. C'est mon enfant. Et il a besoin de moi.

Une sirène hurle dans la rue et un camion de pompiers slalome entre les voies, gyrophare allumé. La mémoire me revient, une suite disjointe d'images brisées : notre voiture faisant une embardée en travers de la route. Une forme noire s'élevant devant le pare-brise. Les lumières bleues, palpitantes, d'un véhicule à l'approche. C'est une ambulance qui m'a emmenée ici. Mark a appelé le numéro d'urgence depuis le bord de la route.

Sur l'écran relié à la couveuse, deux chiffres clignotent, rouges, parmi les touches et les boutons. Oxygène, 29 %. Température, 34 °C. Un moniteur gris est fixé au mur au-dessus de ma tête, avec d'autres chiffres sur son écran. Rythme cardiaque, rythme respiratoire, saturation en oxygène ; tout clignote de bleu, de rouge et de vert criards.

Sous le plastique transparent, le nombril du bébé est rouge cerise, suintant de jaune. Devrais-je appeler une infirmière, signaler le risque d'infection ? Mais le personnel est constitué de professionnels capables. Je devrais en ce moment me concentrer sur le fait d'être mère plutôt que sur ma qualité de médecin.

J'inspecte mon fils de plus près. Ses doigts qui cognent contre les parois du berceau sont potelés, ses paumes épaisses ; des mains disproportionnées par rapport à son corps maigrichon. Cela fait longtemps que je n'ai pas eu affaire à un bébé vivant, qui respire. Ne sont-ils pas tous un peu laids, un peu difficiles à aimer ? Peut-être ai-je juste besoin d'un peu de temps afin d'éprouver quelque chose pour le mien ?

Les sédatifs résiduels détendent mes muscles, transformant mes membres en caoutchouc liquide, alourdissant mes paupières alors même que j'essaie d'ouvrir grands les yeux. Ursula, derrière moi, me presse les épaules et me propose de me ramener en bas. J'essaie de résister – c'est ici que je dois être, pour attendre Mark – mais elle se montre ferme.

« Vous avez besoin de repos », dit-elle.

Elle me pousse de nouveau à travers la porte de la nursery, dans l'ascenseur luisant, puis le long du couloir rose, jusqu'à ma chambre. Elle ferme la porte derrière elle, m'aide à me coucher et me borde étroitement. Les bébés dans les autres chambres se sont tus. Des lumières fluorescentes bourdonnent au-dessus de ma tête. Lorsque Ursula les éteint, j'essaie de lutter contre l'obscurité sans fin, la promesse abrutissante de n'avoir ni à penser, ni à éprouver, alors même que mon corps s'abandonne à l'immobilité. Tandis que le sommeil m'engloutit, j'ai le sentiment que Mark semble être à mon chevet, à gratter le point entre mes épaules que je ne parviens pas tout à fait à atteindre, à me lisser les cheveux, à murmurer qu'il m'aime et que tout ira bien.

JOUR ZÉRO, VENDREDI,
À L'APPROCHE DU CRÉPUSCULE

Je suis enceinte de trente-cinq semaines. Nous rentrons tranquillement à la maison par les petites routes de campagne. Dans le cocon de la voiture, avec le soleil qui perce les nuages à l'horizon et déverse des rais de lumière sur les collines lointaines, je me fais de nouveau la promesse, à moi et à mon enfant à naître : *Je vais être une mère parfaite.*

Mark est sur le siège passager, l'haleine chargée du whisky qu'il a bu au boulot, comme tous les vendredis après-midi. Une mèche de cheveux bouclée retombe sur son front et le col de sa chemise préférée est défait ; il chante d'une voix de fausset, pas très juste, sur Billie Holiday. Lorsque la chanson se termine, il se penche vers moi et presse les lèvres près de mon oreille. Il en a une bonne à me raconter lorsque nous serons rentrés, chuchote-t-il, puis il caresse mon ventre rond du plat de la main. Je souris à part moi et l'écarte doucement du coude.

Sur le côté de la route, près du virage qui se rapproche, une silhouette grise apparaît. Un kangourou, qui bondit dans notre direction. C'est déjà trop tard. J'enfonce la pédale de frein. Il y a un bruit sourd, écœurant, contre le pare-chocs gauche, et la voiture s'arrête dans un sursaut.

Agrippée au volant, je m'efforce de ralentir mon cerveau qui s'emballe. Mon cœur cogne dans ma poitrine. Je ne veux pas voir les dégâts que j'ai causés ; je voudrais pouvoir partir, continuer à rouler, oublier que ça s'est jamais produit. Ce n'est pas moi. Je ne suis pas quelqu'un qui a des accidents ou cause volontairement du mal. Je suis quelqu'un qui s'efforce toujours de faire le bon choix.

« Gare-toi, gare-toi », dit Mark, la voix pâteuse.

Mes doigts tremblent tandis que je range doucement la voiture sur le bas-côté, dans le virage. Je sens que je commence à faire de l'hyperventilation.

Mark ouvre la boîte à gants et en sort le petit kit de secourisme pour animaux que nous gardons à portée de main. Même s'il n'avait pas vingt-cinq ans lorsqu'il est devenu chef, il aime jouer les vétérinaires amateurs à la première occasion. Je l'y ai initié au tout début de notre relation, je lui ai appris les grandes lignes. Jusqu'à maintenant, les formes inanimées au bord des routes poussiéreuses ont toujours été renversées par quelqu'un d'autre.

« Le bébé va bien ? »

Je place ma main sur mon abdomen distendu et hoche la tête. Il me passe le kit. « Dans ce cas, je suppose qu'on devrait aller voir comment se porte ce kangourou. »

Cela fait maintenant des années que nous nous arrêtons pour les animaux blessés. Nos « sauvetages ». Voir Mark dans des moments tels que celui-là me rappelle comment il était il y a toutes ces années, quand nous sommes tombés amoureux. Nous commencions à peine à nous fréquenter lorsque j'ai décrété que je ne voulais pas avoir d'enfants. Ayant grandi sans mère le plus clair de ma vie, j'étais convaincue que je m'y prendrais très mal. Mark a acquiescé sans sourciller. Puis un jour, je l'ai vu soulever un chaton nouveau-né, les yeux encore collés, d'un carton derrière notre abri de jardin. Tandis qu'il le berçait dans sa paume, une bouffée soudaine, glaciale, de certitude s'est répandue de ma poitrine à mes bras, jusqu'au bout de mes doigts. Cet homme était fait pour être père. Je ne lui suffirais jamais. Il voudrait toujours davantage que moi.

Par chance pour Mark – pour nous deux –, quelques années plus tard, je commençais ma formation en pédiatrie. La première naissance à laquelle j'ai assisté était celle d'un bébé qui allait sans doute avoir besoin d'une réanimation. En me faufilant dans la salle, j'ai trouvé la mère en train de pousser, la sueur perlant à peine à son front. Avant que j'aie le temps de préparer le berceau de réanimation, le bébé a glissé d'elle, droit dans les bras de l'obstétricien. Lorsque le nouveau-né a été placé sur la poitrine de sa mère, je les ai vus s'illuminer tous les deux : le visage de la mère était extatique, celui du bébé serein. Il respirait déjà, ses inspirations parfaitement calées sur celles de sa mère. En fin de compte, ma présence était tout à fait inutile.

Au départ, je n'ai pas remarqué que mes ovaires s'étaient mis à tourner en surrégime. Mais à chaque naissance à laquelle j'assistais, à chaque nouveau-né que j'examinais avant de le remettre à sa mère rayonnante, l'idée d'avoir mon propre bébé me semblait de plus en plus envisageable, de moins en moins repoussante. Je pouvais être comme ces femmes. Avec le soutien de Mark, peut-être pourrais-je être une mère suffisamment bonne, moi aussi.

Mark a été ravi, son enthousiasme contagieux. Il a dit qu'il avait toujours su que le meilleur moyen de me faire changer d'avis était de me laisser parvenir à cette conclusion par moi-même. Je ne me suis même pas formalisée de son paternalisme. Nous allions avoir un bébé. Pourquoi déclencher une dispute superflue ? Bientôt, tomber enceinte est devenue une idée fixe. Mark ne s'est certes pas plaint lorsque j'ai mis la ferveur d'une fanatique dans mes tentatives de conception.

Mais ce qui a suivi, c'est huit ans d'infertilité qui nous ont pris de court. Deux fausses couches. Tous les tests connus de la médecine occidentale ont révélé que le problème venait de moi – mes ovocytes, mon endométriose. Le sperme de Mark était impeccable. Nous avons essayé toutes les interventions médicales possibles, à part la FIV, que Mark refusait. Nous avons épuisé notre stock d'espoir. Non seulement j'étais accablée, mais j'avais déçu l'homme que j'aimais en n'étant pas capable de lui donner ce qu'il désirait le plus. Jusqu'à ce qu'enfin, voilà : notre grossesse miracle. Et un mariage qui ne s'était pas tout à fait remis des années d'infertilité, malgré nos visites chez une conseillère conjugale. Peut-être que si l'attente n'avait pas duré tant d'années, je n'aurais pas envisagé de demander à Mark une séparation à l'essai, juste avant de m'apercevoir que j'étais enceinte. Mais rien de cela ne comptait plus. Tout irait mieux entre nous une fois que ce bébé serait né.

Je me glisse hors de la voiture. Le kangourou est étendu sur le flanc, les pattes de travers dans les graviers. Il a une poche : une femelle. Elle reste immobile et me regarde m'avancer avec des yeux paniqués. Sa patte arrière gauche est tordue dans un angle improbable. Du sang jaillit d'une coupure profonde près de son genou et forme une flaque sur le bitume, et ses pattes avant grattent la terre à côté d'elle.

Mark s'accroupit et s'approche davantage, murmurant des mots rassurants. Elle cesse de griffer la terre, sa tête retombe sur le sol et ses yeux deviennent vitreux. Il est trop tard. Le visage de Mark se plisse. Cela fait longtemps que je ne l'ai pas vu effectuer un sauvetage. Ces derniers temps, nous ne sommes pas souvent ensemble dans la voiture. Il remonte les manches de sa chemise jusqu'aux coudes, enfile des gants de plastique, et m'en passe une paire. C'est le moment d'examiner la poche. À genoux sur le gravier, il enfonce la main dans l'orifice duveteux. Elle semble rencontrer quelque chose.

J'espère pour lui que ce n'est pas un embryon, un bébé trop petit pour survivre. Mark déteste être forcé de les tuer, même si c'est ce qu'il y a de plus humain à faire.

Il empoigne la patte et tire le petit à la surface. Il tète toujours sa mère. Mais il fait plus de vingt centimètres de long ; il est assez grand pour qu'on lui laisse une chance de vivre. Je sors les ciseaux chirurgicaux de la trousse tandis que Mark tient le petit. Après avoir pris quelques cours le week-end au refuge animal local, je lui ai appris que les petits s'agrippent de toutes leurs forces aux tétines, continuant de téter longtemps après la mort de leur mère. Si on les arrache, on risque d'abîmer leur mâchoire, rendant leur survie impossible. La seule manière de les sauver, c'est de couper. J'ai tranché les tétines de dizaines d'animaux au fil des années, ainsi que des choses bien pires chez mes patients : cancers, furoncles pleins de pus, plaies grouillantes d'asticots. Mais ce soir, l'idée de découper la parcelle de chair spongieuse me retourne l'estomac. Serrant les dents, je me penche et tire sur la tétine d'une main, puis la tranche d'un coup sec.

Mon doigt me picote.

Du sang dégouline du gant en plastique et coule le long de la courbure de mon poignet. J'arrache le gant et le jette par terre. Merde. Je ne fais pas assez attention. Je me suis coupée.

C'est une entaille profonde, qui traverse la peau jusqu'à la chair. Bordel ! J'enveloppe ma main dans une vieille taie d'oreiller prise dans la trousse, destinée au petit kangourou, et j'essaie d'arrêter le sang.

Le bébé kangourou est dans la paume de Mark, roulé en boule, les mâchoires accrochées à la tétine découpée comme un enfant à une sucette.

Mark me regarde. « Sash, qu'est-ce que tu as fait ?

— C'est juste une petite coupure. »

Il enveloppe le petit dans une serviette et le place contre sa poitrine. « Fais attention, je t'en prie », dit-il avec inquiétude.

Je lui adresse un sourire tendre, appuyant plus fort sur mon doigt. « Pourquoi donc, quand tu t'occupes si bien de moi ? »

Mark se mord la lèvre inférieure. Une fois qu'il a été confirmé que cette grossesse allait vraisemblablement se poursuivre jusqu'à terme, il s'est efforcé de me traiter comme une reine, portant les courses de la voiture à la cuisine, me faisant couler des bains voluptueux, me cuisinant des plats nourrissants à chaque repas. J'ai de la chance, j'imagine. J'essaie tout le temps de me rappeler la chance que j'ai.

Un mince filet de liquide coule à l'intérieur de ma cuisse. « Merde, dis-je. Et maintenant je me suis pissé dessus. »

Roulant la taie d'oreiller en boule pour m'essuyer la jambe, je regarde Mark, m'attendant à lui voir un grand sourire, mais il a les yeux écarquillés comme des globes, le blanc luisant. Lorsque je porte la taie d'oreiller devant mes yeux, je m'aperçois qu'elle est tachée de sang rouge vif, la couleur d'un extincteur d'incendie, ou d'une boîte d'allumettes.

« Ça doit venir de mon doigt. » Il y a une nouvelle giclée. Cette fois j'ai la sensation qu'une masse de gelée s'échappe de moi, dans ma culotte. Ça ne vient pas de mon doigt.

J'examine la route. Il y a maintenant tellement de sang qui s'écoule de moi que de gros caillots brillent, écarlates, sur le gravier, tremblotants comme mes doigts lorsque je me penche vers Mark, cherchant quelque chose à quoi me raccrocher.

« Mark », je l'appelle.

Il est debout, le bébé kangourou dans une main, toujours serré contre sa poitrine, et il tend l'autre main vers moi. Tandis que je m'accroupis sur le bitume, m'égratignant la paume contre les pierres acérées, je cherche à tâtons, de l'autre main, la peau de mon abdomen, mais j'ai beau essayer de toutes mes forces de sentir un coup de pied, la vie à l'intérieur, mon ventre reste ferme, silencieux et d'une immobilité effrayante.

JOUR 1, SAMEDI, FIN DE MATINÉE

Un moniteur de saturation d'oxygène bipe en staccato, au rythme de mon cœur, strident comme une alarme de voiture. J'essaie de ne pas analyser le taux. Cela me frappe plus vite cette fois : où je suis, ce qui m'est arrivé. L'incision en travers de mon ventre, preuve que je suis mère désormais. Mais j'ai dormi de nouveau, alors que je devrais être aux côtés de mon fils. Sa vie vient à peine de commencer, et je le trahis déjà.

Une bribe de mon sommeil provoqué par les médicaments s'impose à ma conscience : le bébé de mes rêves. Cela fait maintenant des mois que je visualise ce que je croyais être une fille. Sa tête, couverte de touffes de cheveux bruns. Des joues de pêche, des yeux bleus, brillants. Elle ne fait jamais un bruit. Pourtant son visage est tellement différent de celui du bébé dans la couveuse, à l'étage. Pour moi, cet enfant est toujours un étranger.

Un vrombissement sourd s'enclenche dans ma tête, le bourdonnement insistant d'un souvenir. Un sujet aux infos sur des bébés intervertis par erreur, dans un hôpital américain. J'ai entendu cette histoire dans une émission de radio il y a des années. À l'époque j'avais été captivée, et j'avais écouté avec horreur et fascination. Les échanges de bébés n'étaient pas si rares, avait dit le journaliste, citant des exemples aux quatre coins du monde.

Un frémissement me parcourt l'échine, ruisselant le long de ma peau comme de l'eau de pluie. Je suis soudain terrifiée. Est-il possible qu'on m'ait donné par erreur un garçon au lieu d'une fille ? Ridicule. Il faut que je me reprenne. Je respire un grand coup, tente de me calmer.

Comme si elle avait senti mon malaise, la charpente large d'Ursula apparaît, jetant une ombre sur mon lit. Elle a du rouge à lèvres marron sur les dents de devant, des cernes profonds. Elle griffonne des notes dans un classeur rouge sans m'accorder un regard tandis que je change de place sur le matelas. Au-dessus de moi, les lumières fluorescentes bourdonnent tel un avertissement.

« Sasha. Je m'appelle Sasha », dis-je.

Elle me jette un regard, les yeux plissés, à travers ses doubles foyers.

« Je sais », dit-elle, mais elle vérifie l'étiquette à mon nom en haut à droite de son dossier. Est-il possible qu'elle, ou quelqu'un comme elle, soit responsable d'une grave erreur ? Dans l'affaire racontée à la radio, c'était la faute d'une sage-femme ; une simple bévue. Rien ne ressemble plus à un bébé qu'un autre bébé. Le personnel est débordé. Les procédures ne sont pas observées. Il est si facile de faire des erreurs.

« Votre lait est avec votre bébé. Vous allez vouloir remonter, maintenant, je suppose. »

J'acquiesce d'un hochement de tête. Apparemment, elle perçoit au moins mon anxiété.

« J'aurais pu jurer que j'allais avoir une fille.

— Ce n'est pas si rare que l'échographie ne soit pas fiable.

— Je sais. » Ce que je ne dis pas : j'avais la *sensation* que mon bébé était une fille.

« Vous êtes déçue ? » Ursula me regarde fixement.

Peut-être que c'est ça, tout simplement : ma paranoïa n'est que de la déception.

« Parce que c'est très courant, que les parents soient déçus par le sexe de l'enfant. On s'en remet, vous verrez. »

Non, je m'en rends compte, ce n'est pas de la déception. Garçon *ou* fille, je n'avais pas de préférence. Ce qui m'inquiète, c'est quelque chose de bien, bien pire.

« Est-ce que quelqu'un est resté avec mon bébé en permanence après sa naissance ? »

Elle me scrute, les sourcils froncés, puis appuie sur un bouton du moniteur qui bipe à côté de mon lit. L'alarme se tait instantanément.

« Bien sûr. Nous ne laissons jamais les bébés tout seuls. » De ma table de nuit en bois, elle sort une petite cuvette couleur bile et y prend une énorme seringue. « On va vous amener le voir dès que vous aurez reçu vos médicaments.

— Quelle piqûre ?

— De la morphine. Votre péridurale va cesser de faire effet d'un instant à l'autre. »

Je ne souffre pas tant que ça, même si la nausée fait des boucles dans mon estomac, telles des montagnes russes. J'ai toujours la tête dans le coton, mais il faut que je garde mon cerveau en état de marche. La dernière chose dont j'ai besoin, c'est un supplément de médicaments.

« Non, merci. »

Son regard noir est-il causé par la colère ou la surprise ? Elle prend une deuxième seringue dans un plat transparent.

« Des antibiotiques, alors. » Elle me gratifie d'un sourire sévère. « C'est la procédure standard dans cet hôpital. Je siégeais au comité qui a introduit ces protocoles quand nous avons eu une épidémie d'infections il y a quelques années. Il ne faudrait pas que vous tombiez malade maintenant, n'est-ce pas ? »

Je n'ai pas d'infection, donc je n'ai nul besoin d'antibiotiques, quoi que dise leur protocole. J'écarte mon bras et le dissimule hors de sa portée, sous le drap de coton blanc.

« Je ne préfère pas. Il faut que j'aille immédiatement à la nursery. »

Elle repose la seringue dans le plat en plastique, avec un cliquetis.

« Excusez-moi un instant, je vais dire un mot au Dr Solomon », dit-elle, sortant de la pièce sans regarder derrière elle.

Mes draps me font l'effet d'une camisole de force. Je les repousse jusqu'à mes chevilles, tire la blouse sur mon cou. Mon ventre est toujours gonflé, autant que lorsque j'étais enceinte. Je n'en reviens pas de n'avoir pas prêté davantage attention aux corps des femmes après leur accouchement. Je suppose que je me concentrais tant sur le bien-être des bébés que les mères semblaient presque se fondre dans leur enfant, jusqu'à ce qu'il n'y ait plus rien de séparé, rien qui reste de leur corps indépendamment de ce lien.

Je parcours du doigt les vergetures, des sillons luisants, jusqu'à la bosse caoutchouteuse de mon utérus, dissimulé par de la peau plissée. Les couches de mon corps que l'obstétricien, le Dr Solomon, a tranchées : des masses jaunes de graisse, tendues de fascia, puis le muscle mauve, épais, de l'utérus qui m'a trahie. Les obstétriciens ne recousent pas toujours toutes les couches ensuite : certaines sont laissées ouvertes, libres de trouver leur façon naturelle de se refermer. Du liquide suinte entre les tissus, parfois en des endroits où il ne devrait pas. Je le sais par les autopsies que j'ai pratiquées sur des femmes post-partum au fil des années. Les images de leurs corps boursouflés, de leurs seins enflés, ne me perturbent pas autant que celles des bébés morts que j'ai disséqués, dont les corps minuscules, dégouttant de fluides bordeaux, hantent toujours mes rêves.

Un éclair rouge au coin de mon regard. Les roses de Mark, sur la commode. J'ai besoin de sa présence. J'ai besoin de son opinion sur tout ça. Tout de suite.

Je me penche pour attraper mon téléphone sur la table de chevet. Il m'échappe, tombe par terre. En m'étirant, j'empoigne la barre du haut du lit et tente de m'asseoir. Une étincelle de chaleur me saisit sous le bandage. J'appuie la paume de ma main sur le pansement épais en essayant de nouveau. Cette fois, j'ai l'impression d'être transpercée par une broche chauffée à blanc. Je me laisse retomber sur le matelas avec un grognement. Je vais avoir besoin d'aide pour sortir de ce lit.

J'appuie sur la sonnette, qui retentit dans le couloir. Un chœur de bébés gémit dans des chambres lointaines, ils hurlent leur désarroi. Où sont leurs mères ? Pourquoi personne ne leur répond ?

Ursula réapparaît dans ma chambre, munie d'une autre bassine − celle-ci en plastique transparent − qu'elle tient devant elle comme un majordome.

« Vous pourriez me passer mon téléphone, s'il vous plaît ? »

Elle le ramasse et me le pose sur les genoux, puis se penche sur le lit, inspectant le creux de mes bras. Son visage est morne, sa voix aussi. Son expression est difficile à déchiffrer.

« Le Dr Solomon m'a demandé de vous faire une prise de sang.

— Je ne veux pas d'analyses de sang.

— Il insiste. Rappelez-vous, vous en avez perdu beaucoup. » Elle soutient mon regard, avec un mince sourire. Je suis la première à détourner les yeux.

Mes doigts deviennent pâles, puis bleus, puis indigo, bloqués comme une rivière sous le garrot. Enfin, elle finit d'étiqueter les tubes. Elle lève la seringue, prête à l'enfoncer dans ma peau.

Je fixe la lumière au-dessus de mon lit, une lueur compacte, tel un sabre laser. Je ne m'attends pas à ressentir quoi que ce soit − bon Dieu, j'ai subi suffisamment d'analyses de sang pendant les années d'infertilité pour lancer mon propre labo – mais elle touche un nerf et un choc électrique court le long de mon bras, causant une secousse dans ma main, ce qui déloge l'aiguille du creux de mon coude.

Ursula fait un petit saut en arrière, sans lâcher la seringue.

« Désolée », murmure-t-elle.

La chaleur cogne dans mon bras, et j'ai des picotements douloureux dans la main, tandis qu'un hématome cerclé de bleu se dessine sur ma peau.

« Mince ! »

C'est Mark. Il porte la chemise à manches longues vert olive que je lui ai achetée à New York il y a plusieurs hivers, et il a les joues rouges. Il s'approche du chevet de mon lit.

« Sash, est-ce que ça va ? »

Ursula glisse la seringue dans la boîte à aiguilles presque pleine puis referme le couvercle avec un bruit sec.

« J'ai besoin d'aide, dis-je. Je suis tellement contente que tu sois là. »

Mark me prend la main et la retourne de sorte que la chair de l'intérieur de mon coude est visible ; l'hématome gonflé, bleu-noir, est près d'exploser.

« C'est normal, ça ? »

Ursula acquiesce d'un hochement de tête, la bouche serrée en une ligne horizontale ferme.

Après les longues heures passées entre salles d'attente, rendez-vous médicaux et box d'hôpitaux pour essayer de concevoir, Mark et moi savons lire les signaux de nos mains. *Je n'en peux plus, Mark. Sors-moi de là.*

Il me presse la main à son tour, et examine Ursula. *Ça va aller, quoi qu'il arrive.*

« Nous allons devoir recommencer les analyses de sang tout à l'heure », dit Ursula. Elle lance à Mark un regard appuyé avant de se diriger vers la porte et de nous laisser seuls. J'attends que le bruit de ses pas s'estompe dans le couloir.

« Je ne sais pas ce qu'elle a contre moi.

— Ne t'en fais pas, Sash. Notre magnifique fils est là. Un peu en avance, mais il va bien. Et tu vas bien. J'avais tellement peur de te perdre, toi aussi. » Son visage s'est décomposé comme un sac en papier froissé. Il se penche sur moi et me serre fort contre lui, peut-être plus fort qu'il ne le devrait, étant donné mon état. Je passe mes mains dans ses cheveux et respire son shampooing parfumé à l'amande.

« On a eu un garçon, dis-je doucement dans son oreille.

— C'est super, non ? »

Comme je l'avais prévu, il préfère un fils. « Raconte-moi ce qui s'est passé une fois qu'ils m'ont endormie. » Je tapote le matelas à côté de moi.

Il s'assoit, un peu plus loin que je ne lui avais indiqué. Le dessus-de-lit se plisse sous lui. Je prends sa main et la porte à mon visage, et je hume l'odeur familière d'ail sous le savon de l'hôpital.

« Tu as cuisiné ce midi ? »

Il secoue la tête et presse mon pouce chaud avec le sien, qui est froid. Ses ongles sont taillés en demi-lunes bien nettes, il a retiré la crasse du travail de ce week-end dans le potager.

Je passe de nouveau la main dans ses cheveux brun clair, humides sous ma paume. Je m'efforce de prononcer les mots suivants avec délicatesse, sans récrimination ; je ne veux pas gâcher nos retrouvailles.

« Tu étais où ? On s'était mis d'accord : d'après notre plan d'accouchement, si j'avais besoin d'une césarienne, tu resterais avec elle… je veux dire *lui*, après la naissance, jusqu'à ce qu'il soit stable. Tu l'as fait, n'est-ce pas ? »

Il enfonce bien les doigts dans ma paume. Son pouce me fait le même effet que le bout d'une canne : il est solide, fiable. Il me presse toujours la main comme ça pour me confirmer qu'il dit la vérité.

« Je suis resté avec lui, Sash, tout le temps. » De sa main libre, il tripote un fil tiré de mon dessus-de-lit en me racontant par le menu la réanimation, la pose du cathéter, le masque à oxygène bien serré contre le visage de notre bébé dans la nursery.

« Tout le temps ? Mais tu n'étais pas là quand la sage-femme m'a fait monter le voir.

— J'ai dû aller aux toilettes, Sash. »

Je souris pour la première fois depuis l'accouchement. Je fais des histoires pour rien, c'est ridicule. Je fais confiance à l'homme que j'ai épousé. Pourquoi Mark irait-il mentir à ce sujet ?

« Et le bébé kangourou ? Il a survécu ? »

Mark fait oui de la tête et m'embrasse sur la joue. Je m'appuie contre lui ; sa barbe de trois jours me râpe le front. La chaleur de son corps qui traverse ma blouse d'hôpital et gagne ma peau rougie est pareille à la sensation de sa main sur la mienne le soir où nous nous sommes rencontrés. Malgré tout ce que nous avons traversé ces dix dernières années, sa présence m'apaise encore.

« Merci pour les roses », dis-je.

Ses yeux marron se plissent. « Apparemment, la fleuriste était à court de roses blanches. Je me suis dit que ça ne te dérangerait pas. Elles sont jolies quand même, non ? Comme notre beau petit garçon. »

Ma respiration se fige à l'intérieur de moi comme s'il avait tiré sur une sonnette.

« D'après toi, il ressemble à qui ?

— À nous deux. Il a ton nez. » Il désigne mon visage, puis le sien. « Et mes yeux. La forme, en tout cas. Tu ne trouves pas ? »

Les lignes entre Mark et le mur derrière lui deviennent floues. Il a bien dû remarquer qu'il y avait un problème, lui aussi ? J'essaie de me concentrer sur les contours de ses joues, de son menton, de ses lobes d'oreilles, parties d'un tout qui définit le visage de mon mari.

« Je ne sais pas trop », dis-je, hésitante. Il s'écarte avant que je puisse ajouter quoi que ce soit.

« Je savais que tu n'aimerais pas la nourriture de l'hôpital », dit-il, attrapant un sac par terre à côté du lit. Il en sort un récipient en plastique, le secoue et le place sur le plateau à côté de moi. « Je t'ai pris un truc à la cafétéria. Ton plat préféré. J'aurais voulu te préparer quelque chose moi-même, mais je n'ai pas encore eu le temps. »

C'est une salade au prosciutto, au halloumi et aux asperges. Je m'efforce de ne pas laisser transparaître ma déception, même si Mark devrait vraiment savoir que ce n'est pas mon plat préféré. Depuis que je suis tombée enceinte, la texture du halloumi, caoutchouteuse et âcre sur ma langue, me fait m'étrangler. Je pousse le récipient sur le côté.

Mark ne le remarque pas. Il est trop occupé à disposer plusieurs magazines, *Delicious*, *Taste* et *Saveur*, encore sous plastique, sur la petite table à côté du lit. « Je les avais oubliés dans la voiture, hier. Au moins, comme ça, tu auras de la lecture. » Des abonnements à l'année, cadeau de Noël de ses parents, plus pour Mark que pour moi. Ils les achètent depuis des années, depuis que Mark leur a parlé de son projet d'ouvrir son propre café. Des photos sur papier glacé de jarrets d'agneau braisés à la gelée de menthe, de confit de canard avec des haricots cannellini et d'un gâteau au chocolat surmonté d'une ganache dégoulinante. Rien à voir avec les plats que Mark pense servir dans son café : une cuisine bio, simple mais délicieuse. Je ne pense pas que ses parents ont jamais vraiment compris ce qu'il voulait faire.

« Merci », dis-je. Pour l'instant, j'ai faim de ses gnocchis tout simples, où la suavité du beurre se mêle à la légère acidité de la sauge, cuits jusqu'à ce qu'ils fondent dans ma bouche. Nous en avons si souvent préparé ensemble, côte à côte devant notre plan de travail, dans la cuisine, roulant les boules minuscules, pressant nos pouces dans la pâte pour faire le petit creux, léchant nos doigts pleins de farine pour ajuster l'assaisonnement en sel. C'est le plat que j'associe le plus avec nous, avec lui, avec ses espoirs et ses rêves.

Mark me prend de nouveau la main. « Ils vont pouvoir lui enlever sa perfusion demain, s'il supporte le lait maternisé. » Sa bouche est tirée, comme s'il savait ce qui allait suivre.

« *Le lait maternisé ?* » Ma voix se brise.

Mark a traversé la chambre pour aller ouvrir les rideaux, dévoilant les nuages noirs qui viennent cacher le soleil.

« Je ne voulais pas te réveiller, dit-il. Ils l'ont mis au lait maternisé il y a quelques heures par le tuyau qu'il a dans le nez. Il avait besoin d'avoir quelque chose dans le ventre, apparemment.

— Mais on ne voulait pas de lait maternisé, tu te rappelles ? »

Dans le récipient, sur le plateau, le prosciutto commence déjà à se recroqueviller sur les bords.

Mark continue de bafouiller.

« Je ne savais pas quoi faire, Sash. J'étais déchiré. Je n'ai pas vécu tout ce que tu as vécu. Je ne sais pas ce que ça fait. Les infirmières ont dit qu'il avait besoin de lait maternisé et tu n'étais pas là. J'essaie de faire du mieux que je peux, je te le jure. » Il marque une pause, revient près du lit pour me prendre la main et utilise sa méthode infaillible pour me distraire de mes angoisses : le même sourire insolent qu'il m'a adressé dans ce club de jazz il y a toutes ces années. Je ne peux pas m'empêcher de lui sourire à mon tour.

« Sash, s'il te plaît. Je m'inquiète pour toi. »

Durant un bref instant, j'espère qu'il y a *vraiment* eu une erreur. Que les infirmières se sont trompées, que ce bébé n'est pas le nôtre. Et quand je retrouverai enfin mon bébé, je le – ou la – prendrai dans mes bras et sentirai une vague d'amour maternel m'envahir. Nous ferons table rase du passé. J'aurai une nouvelle chance d'être la mère parfaite que je veux désespérément être.

Je comble le silence de questions dont je ne savais même pas que la réponse m'était nécessaire : « Il ressemble à ce que tu avais imaginé ? Tu trouves qu'il a les oreilles de qui ? Et la forme de sa bouche ? Tu as regardé s'il avait les orteils palmés comme toi ? »

Il y a un silence gêné avant que Mark se mette à parler, lentement, de la voix qu'il utilise quand il veut s'assurer que je l'écoute bien.

« Je n'ai pas regardé ses orteils. Il a les lobes d'oreilles attachés, comme moi. Tu sais, comme ceux de mon père, fixés directement à la tête. Comme tu détestes. »

Je prends une profonde inspiration, espérant que Mark ne le remarquera pas. Il n'y aurait qu'une seule chose qui serait pire qu'une erreur sur l'identité du bébé : c'est que la véritable erreur se trouve dans mon imagination, que je persiste à ne rien éprouver du tout pour mon fils.

« Il a ta peau, ta peau pâle. Je reconnaîtrais son visage n'importe où, Sash. Allons lui rendre visite ensemble. Ça t'aidera à te sentir mieux.

— Je me sens très bien. Je suis juste fatiguée.

— Eh bien, allons-y maintenant, alors », insiste Mark.

Apparemment, je n'ai plus le choix.

TREIZE ANS PLUS TÔT

MARK

La vie avec Sash a commencé de façon inattendue. Tous les copains, à part Adam et moi, s'étaient désistés de la soirée entre mecs que nous avions prévue depuis des mois. Dans la pénombre du club de jazz, un voile de fumée âcre planait au-dessus de ma tête. J'ai vidé les dernières gouttes de ma bière, chaude et éventée, tandis que le quartet quittait la scène pour une brève pause. Adam avait entamé la conversation avec une brune près des toilettes. J'étais seul, coincé à une table dans le fond, et je commençais à regretter de ne pas être resté chez moi comme les autres.

Je me suis approché du bar. À côté de moi, une femme a avancé un tabouret. Ses cheveux blonds étaient coupés très court, et elle avait un visage mince de lutin, avec un menton pointu. A priori, ce n'était pas mon type, mais c'était une femme que les autres hommes auraient trouvée belle.

« Tu passes une bonne soirée ?

— Oui, oui. » Elle a désigné Adam et la brune, désormais enlacés sur un canapé contre le mur d'en face. « Je crois que nos amis s'entendent fort bien. »

Elle avait raison. Adam et la brune anonyme se suçaient

le cou. Apparemment, ils s'apprêtaient à passer une nuit du tonnerre.

« Tu veux une bière ? » Elle s'est montrée directe dès le début. Lorsque j'ai fait oui de la tête, elle a appelé le barman et m'a commandé une lager. Elle a choisi ma marque préférée. « Il traite bien les femmes, ton ami, j'espère.

— Bien sûr.

— C'est juste que Bec a accumulé les plans foireux. » Le groupe a recommencé à jouer, noyant ce qu'elle a dit ensuite. J'ai siroté ma bière, les coudes posés sur le bar, essayant d'avoir l'air de suivre les subtilités du solo. Elle a haussé la voix par-dessus le saxophone.

« Tu fais quoi dans la vie ?

— Je suis apprenti chef cuisinier. Mais mon rêve, c'est d'ouvrir mon propre café. » Je ne l'avais jamais dit à voix haute, mais il y avait chez cette femme quelque chose qui exigeait de l'ambition. Du courage. Une vision.

« Ah, c'est vraiment super. Raconte-moi. »

J'ai réfléchi à toute vitesse. « Je prospecte les sites susceptibles d'accueillir un café-restaurant bio. C'est mon rêve depuis toujours d'en lancer un.

— J'adore la nourriture bio. »

J'ai esquissé un grand sourire. « Et toi ? Tu fais quoi ?

— Rien de spécial.

— Rien de spécial, ça a l'air génial. »

Ses joues, ses yeux se sont illuminés. Avant la fin de la chanson, sa main était en coupe sur mon oreille, son haleine chaude dans mon cou. « La musique est trop forte à mon goût. Tu veux pas sortir d'ici ? Je n'aime même pas le jazz. »

Je ne suis toujours pas certain à 100 % de ce qui, en elle, m'a décidé à dire oui sans hésitation. Peut-être la chaleur qui émanait de sa peau, peut-être l'éclat de ses boucles d'oreilles en argent dans la lumière blafarde, ou le sourire qui dansait librement sur son visage.

Nous avons fini devant la baie, sur la mince bande entre le sentier et l'eau. Elle marchait à côté de moi, près des vagues qui léchaient le sable, et nous avancions à pas feutrés le long du littoral.

« Tu as l'air un peu éteint. Je ne sais pas, comme si tu étais triste. »

J'ai essayé de ne rien laisser transparaître sur mon visage, et j'ai donné un petit coup de pied dans le sable.

« Mon frère est mort récemment.

— Ton frère ? Je suis vraiment navrée.

— Mon frère jumeau. »

Elle s'est arrêtée, regardant le scintillement des lumières de l'autre côté de la baie, et s'est assise sur le sable.

« C'est terrible. Je suis désolée. Il était comment ? »

Je me suis laissé tomber près d'elle, et me suis retrouvé à tout lui raconter sur Simon. Le cancer dans son sang. Son stoïcisme, avec des aiguilles plantées dans la moindre parcelle de son corps. Les cheveux par poignées sur l'oreiller, coincés dans la bonde de la douche. Les médecins qui insistaient pour faire juste un autre examen, juste un traitement supplémentaire, jusqu'à ce qu'ils n'aient plus rien à promettre. Elle a écouté, hoché la tête, toujours parfaitement à propos. Elle paraissait comprendre. J'étais certain que Simon l'aurait approuvée.

Puis elle m'a parlé de sa mère. Ce n'était pas toute l'histoire, je le sais maintenant, mais c'était suffisant pour comprendre que Sash avait souffert et qu'elle en était ressortie plus légère, vivante et rayonnante ; sa peau était chaude lorsqu'elle m'a pris la main.

C'est là que tout a commencé, je suppose, avec les étoiles qui tombaient sur nous telle une couverture, sa tête posée sur mes genoux, avec l'eau qui léchait le sable.

JOUR 1, SAMEDI,
HEURE DU DÉJEUNER

Une ligne, de la couleur d'une plaie bien nette, est cousue dans la couverture en laine blanche posée sur mes genoux. Je la pince tandis que Mark me pousse à travers la porte automatique de la nursery. Le bourdonnement des conversations s'estompe et se tait. Les nouveaux parents et leurs familles se tournent pour me regarder, moi, la mère la plus récente en ces lieux. Les infirmières m'observent également, un sourire figé aux lèvres.

Près de leur poste nous passons devant une porte où est accrochée une plaque : *Salle de réanimation*, que je n'avais pas remarquée la dernière fois. J'espère que je n'aurai jamais besoin de pénétrer dans cet espace. Les bébés braillent dans toute la nursery, leurs cris s'élèvent, discordants, sans harmonie. Il règne une odeur sucrée, écœurante, qui vient de la salle où est préparé le lait maternisé, je m'en aperçois lorsque nous passons devant la porte. J'espère que je serai tout de même en mesure de le nourrir au sein. Mais bon, ce pourrait bien être encore une de ces choses qui échappent à ma volonté.

Tandis que nous approchons du bout du couloir de couveuses, Mark me pousse sur la droite, au lieu d'aller à gauche.

« Ce n'est pas le bon côté, dis-je.

— Ils l'ont déplacé depuis que tu es venue. Un autre bébé avait besoin de sa couveuse, à cause des lampes. » Il arrête brusquement le fauteuil roulant.

L'étiquette fixée à la couveuse est inchangée, avec mon nom et un espace vierge pour celui du bébé. Je scrute à travers le plastique. Je ne sais pas trop ce que j'attends jusqu'à ce que je sente ma poitrine se dégonfler. C'est le même bébé que ce matin.

De l'autre côté du couloir étroit, l'ancienne couveuse de notre bébé est éclairée de bleu électrique. Il y a un autre bébé à l'intérieur. La lumière phosphorescente rayonne à travers le plastique, jetant des ombres bleues qui ondoient sur les murs de la nursery, comme si nous étions au fond de l'océan, trop profond pour voir le ciel.

Une petite femme mince à la peau de porcelaine est assise très droite près de la couveuse bleue. Elle a un tas de laine rouge posé sur les genoux, des aiguilles à tricoter grises à la main. Ses pieds délicats sont glissés dans des sandales sous sa blouse d'hôpital. Elle chante une berceuse, pour elle-même, tandis qu'elle attrape une maille après l'autre. *My Bonnie lies over the ocean*. Il y a un profond pli d'inquiétude entre ses sourcils, mais ses yeux, petits et enfoncés tels ceux d'un oiseau, s'illuminent lorsqu'elle m'aperçoit.

Je lui souris, mais mon sourire forcé se décompose alors que je m'aperçois que je ne suis pas la seule à trouver que c'est trop, tout ça. Elle me sourit à son tour, révélant un espace large, innocent, entre ses deux dents de devant. Puis elle baisse les yeux sur le carré de laine en équilibre sur ses genoux et rassemble les aiguilles qui émettent un faible cliquetis. Une introvertie. Une alliée potentielle, peut-être. Ou une amie.

Le nouvel incubateur de notre bébé est éclairé par une lumière insipide qui jette des ombres épaisses dans les coins. Je me penche pour tourner le bouton et augmenter l'éclairage afin de l'examiner de plus près, mais Mark pose sa main sur la mienne.

« On m'a dit de garder les lumières baissées, Sash. Il ne faut pas le stresser. »

Le bébé pleure déjà, pas le cri de gorge d'un nouveau-né, plutôt le piaillement suraigu d'une mouette. Ses yeux sont étroitement fermés, son visage rouge, comme brûlé par le soleil. Ce n'est pas de monter les lumières quelques instants qui va l'affecter, mais à cet instant, je suis trop bouleversée pour l'expliquer à Mark. Il est persuadé qu'il a raison de suivre à la lettre les instructions des infirmières. Je ravale les larmes qui menacent de se répandre sur mes joues.

Mark ouvre les portes de la couveuse – combien de fois a-t-il déjà fait ce geste ? – et niche ses mains autour du bébé, l'une autour de son crâne, l'autre posée sur son dos, et le berce comme il l'a fait pour le petit kangourou. « Il aime ça », dit Mark, et effectivement, le bébé cesse de gémir, ses pleurs s'apaisent, se muent en reniflements, puis se taisent. Je n'avais pas réalisé que Mark était doué avec les bébés, je ne pensais pas qu'il aurait la moindre idée de quoi faire pour les calmer. Ça devrait être séduisant, ce trait, chez lui. Et pourtant je trouve ça cruel, quelque part, de constater qu'il a déjà davantage de liens avec ce bébé que moi.

Le bébé est couché sur le ventre, la tête tournée vers moi, ballante. Une bouffée de chaleur couve dans ma poitrine, un raz-de-marée de déception. J'avais raison la première fois : il n'a rien à voir avec le bébé de mes rêves, celui des recoins les plus enfouis de mon esprit. L'allongement de sa tête semble s'être atténué depuis le matin, bien que ses cheveux bruns soient encore enduits de vernix. Le bleu sur un hémisphère de son cuir chevelu est devenu plus foncé, de bordeaux à violet. Ses yeux enfoncés, bordés de cils épais et de sourcils bruns, sont dans le vague, immobiles. Un duvet noir recouvre la peau olivâtre de ses épaules. C'est plus un singe qu'un être humain.

« Il est mignon, hein ? dit Mark.

— Il est plutôt vilain. » À l'instant où les mots s'échappent de mes lèvres, j'ai conscience d'avoir dit ce qu'il ne fallait pas.

Mark me regarde bouche bée, comme s'il s'apprêtait à me gronder, mais il prend juste une inspiration maîtrisée et se retourne vers l'incubateur.

« Tu es toujours d'accord pour l'appeler Tobias ? Ou Toby ?

— Mais on avait décidé que ce serait Gabrielle. Alors, Gabriel, pour un garçon, non ?

— Je ne sais pas, Sash. Je trouve que ça ne lui va pas, Gabriel. Il m'a l'air solide. Plutôt fort. Tobias, c'est un nom puissant. Viril. C'était le numéro un sur notre liste de noms de garçons, tu te souviens ? Je trouve qu'il a plutôt une tête à s'appeler Tobias. Qu'est-ce que tu en dis ? »

Je hausse les épaules. On pourra toujours changer, je suppose.

« Une fois que c'est décidé, je ne crois pas qu'on le changera, chérie », dit Mark d'un ton léger.

Je sens mon visage rougir : est-ce que j'ai parlé tout haut ?

« Tu n'as qu'à prendre la décision, je marmonne.

— Alors va pour Toby. Peut-être qu'il est temps que tu le prennes dans tes bras. »

Il va chercher une infirmière pour nous aider, me jette un regard par-dessus son épaule et me gratifie d'un de ses fameux sourires en s'éloignant.

Mark a laissé les portes de la couveuse ouvertes. Je glisse les doigts dans les hublots jusqu'à ce que mes deux mains reposent sur le bébé. Il a la peau froide et moite, comme une grenouille. Son dos se cambre et il émet un gémissement sourd. Je passe la main sur son crâne visqueux, frottant le vernix du bout des doigts, puis je force ma paume à s'arrêter sur sa cage thoracique, par-derrière. De l'autre main, je dégage ses pieds pour voir s'ils sont palmés. Si ce n'est pas le cas, ça tendrait à indiquer qu'il n'est pas le fils de Mark. Tout à coup, avant que je puisse écarter ses orteils, sa respiration se met à siffler, comme si c'était un serpent à sonnette. Je retire les mains prestement et referme bruyamment les portes.

« C'est tout juste s'ils ont l'air humains, pas vrai ? »

C'est la femme à côté de l'incubateur à l'éclairage bleu, de l'autre côté du couloir, le visage illuminé d'un sourire affable. Au-dessus d'elle, les lumières dansent sur le mur de la nursery.

« Et ils sont tellement fragiles. On dirait que le simple fait de les toucher pourrait suffire à leur fendre la peau. »

Enfin quelqu'un qui a l'air de comprendre. Quelqu'un avec qui je pourrais communiquer. Quelqu'un qui peut répondre à la question qui gonfle en moi comme une inondation.

« C'est exactement ça », dis-je. Je n'ajoute pas que le fait qu'il soit prématuré, du moins, doit être ma faute.

Elle pose son ouvrage sur ses genoux. « Je m'appelle Brigitte. Mon fils s'appelle Jeremy. Il est né ce matin, à trente-sept semaines. Quatre livres, neuf onces.

— Ça fait combien en kilos ?

— Euh, je ne sais pas. Je sais par contre qu'il va lui falloir longtemps pour remplir ça. » Elle désigne le carré de laine tricotée sur ses genoux. « J'avais prévu de le terminer avant sa naissance. Je pensais qu'il serait plus gros. Au moins, maintenant, j'ai plus de temps pour le fignoler. »

Je ne sais pas tricoter, même pas coudre. J'aurais vraiment dû apprendre ; c'est un truc de mère. Brigitte ressemble aux parents que j'enviais lorsque je travaillais en pédiatrie, à ces femmes nées pour être mères. Ces femmes qui semblaient toujours tellement à l'aise pour s'occuper de leur progéniture. Qui savaient toujours exactement quoi faire.

« C'est Tobias. » Le nom accroche mes lèvres, je bégaie presque en le prononçant pour la première fois. Je choisis de réciter ses statistiques, celles qui figurent sur l'étiquette à son nom. Apparemment, c'est ainsi que les jeunes mères se présentent. « Césarienne en urgence à trente-cinq semaines, un kilo neuf. »

Ses yeux se font vitreux. Pas de doute, elle me considère comme une ratée, d'avoir eu une césarienne. Je fourre mes doigts dans mes paumes.

« J'ai perdu beaucoup de sang. Des caillots. D'où la césarienne. » Mon seul autre souvenir du moment où j'étais allongée, trempée de sang, c'est la voix de la mère de Bec qui me réconfortait de l'intérieur. *Ma chérie, oh, ma chérie. Respire, respire.* Je voudrais qu'elle soit encore vivante, pour me rassurer en personne.

Brigitte a un mouvement de recul et tressaille en m'entendant décrire l'hémorragie.

« Ouf. Ça a l'air atroce. C'est pour ça que j'ai étudié la naturopathie. Et vous, vous faites quoi ? »

La naturopathie. Il ne vaut mieux pas que j'aborde mes convictions sur la médecine naturelle avec elle. Et elle n'approuvera sans doute pas mon métier.

« Eh bien, je suis médecin légiste. »

Au départ, je présume que le soupir qu'elle pousse est un soupir de dégoût : je connais le sentiment des naturopathes au sujet des médecins. Puis elle reprend avec effusion :

« Ouah, c'est vraiment formidable. Vous pouvez tout voir. Je dois avouer, j'adore toutes ces séries télé. C'est vraiment comme dans *Les Experts* ? Empreintes digitales, tests ADN ?

— Je suis anatomopathologiste, pas pathologiste judiciaire. La plus grande partie de mon travail consiste à observer des taches roses et des points mauves dans un microscope et à écrire des rapports que les gens parcourent à la hâte. Je suis obligée d'écrire les conclusions en majuscules pour qu'elles ne passent pas à la trappe.

— Alors vous aimez votre travail, dans ce cas ? dit-elle avec un grand sourire.

— Je suppose. Ça dépend. Disséquer des bébés morts, ça, ça ne me plaît pas. »

Le premier bébé que j'ai disséqué, une petite fille, avait été retrouvé par sa mère dans son berceau. On soupçonnait un cas de mort subite du nourrisson. Son corps était raide lorsque je l'ai mise sur le plateau d'acier. Elle ressemblait à une poupée en plastique dur, à la vue comme au toucher ; elle n'avait rien du tout d'un vrai bébé. Lorsque j'ai incisé sa peau, ses boyaux se sont répandus, glissant sur l'acier. Je me suis étranglée. J'ai pris la décision de démissionner, sur-le-champ. De plaquer non seulement la médecine légale, mais la médecine en général. Je ne reviendrais jamais.

C'est ma superviseuse qui m'a ramenée des vestiaires à cette salle d'autopsie, au bébé qui m'attendait sur son plateau d'acier. C'était mon devoir, a-t-elle dit, de découvrir la cause de la mort de ce bébé. De donner à ses parents la réponse dont ils avaient un besoin si désespéré. C'était la meilleure chose que je pouvais faire, pour eux et pour elle.

Alors c'est ce que j'ai fait ; ce que je fais encore de temps en temps. Découper la chair des bébés, mince comme du papier à cigarette, fouiller bien profond en eux, dans leurs cavités évidées, à la recherche de quelque chose ou de quelqu'un à blâmer. Je ne prétends pas que c'est agréable. J'évite d'en parler à mes amies lorsqu'elles deviennent mères. Je ne pense pas qu'elles comprendraient.

Brigitte me fixe maintenant avec une expression d'horreur sur le visage, comme si j'avais envisagé tout haut de disséquer son bébé. Avec la chaleur de la nursery et la fatigue qui me brouille le cerveau, je comprends brusquement que j'ai dit ce qu'il ne fallait pas.

« Désolée. Je n'aurais pas dû parler de ça. C'est que je pense aux bébés. » Je lui adresse un faible sourire, qui me fait plutôt l'effet d'une grimace. L'effort me chiffonne les muscles du visage.

Brigitte me regarde d'un air réprobateur, avant de baisser les yeux sur ses mains fines, serrées l'une contre l'autre au creux de ses genoux.

« J'ai perdu ma foi dans la médecine occidentale il y a des années. Je ne faisais confiance qu'aux remèdes naturels. C'est pour ça que je suis devenue naturopathe. Puis, l'an dernier, j'ai révisé mon jugement sur les médecins lorsque le bébé de ma cousine est né à vingt-quatre semaines. On ne pensait pas qu'il allait s'en sortir. Mais, je ne sais comment, grâce à l'hôpital, il a survécu. Et apparemment, à long terme, il va être en bonne santé.

— Pauvres parents », je murmure. Déjà, trente-cinq semaines, c'est assez terrible comme ça.

« Ça a été dur pour eux, confirme-t-elle. Mais le pire est derrière eux, maintenant. Quant à moi, j'ai vraiment hâte que Jeremy sorte d'ici. Vivement que je puisse le ramener à la maison. Un nouveau départ. »

Les lèvres de Brigitte sont bleues, comme cyanosées. J'ai envie d'attraper son poignet, de lui prendre le pouls, de vérifier qu'elle n'est pas en train de se transformer en l'un de mes cadavres, jusqu'au moment où je réalise que ce sont les lumières de l'incubateur qui lui donnent ce teint. Toujours penchée en avant, je murmure la question qui me brûle la poitrine.

« C'est normal, de ne rien éprouver ? »

Les yeux de Brigitte s'adoucissent.

« Pour le bébé ? Sans doute. L'assistante sociale m'a expliqué que c'est plus difficile de créer le lien quand ils sont en couveuse. Je veux dire, je suis assise là, mais je pourrais être n'importe où, pas vrai ? Comment mon bébé le saurait-il ? Je ne peux même pas encore le prendre dans mes bras. C'est difficile de les aimer quand ils sont derrière du plastique. » Elle sourit gentiment.

Peut-être que c'est pour ça que je le trouve vilain. Peut-être que tous les bébés prématurés le sont. Peut-être que toutes les mères pensent la même chose.

« Vous êtes normale, me dit-elle d'un ton rassurant. C'est votre mari qui semble inhabituellement empressé. Il a passé la plus grande partie de la matinée ici. Enfin, j'imagine que vous avez de la chance, hein ? Il est attentionné comme ça avec vous aussi ? »

Je hausse les épaules. Il ne l'a pas toujours été, mais je n'ai pas l'intention de révéler ça à une inconnue, aussi digne de confiance semble-t-elle. « Et vous ? »

Elle pousse un soupir. « John est plutôt une espèce de mari à temps partiel. Il est ingénieur, et il est tout le temps en déplacement. J'ai essayé de l'appeler toute la journée pour lui apprendre la nouvelle. Il bosse dans un trou perdu en ce moment. C'est l'horreur. »

Une main sur mon épaule, lourde comme un haltère. Mark, accompagné d'Ursula.

« Je peux vous aider pour la première fois où vous prenez Toby dans vos bras avant ma pause déjeuner. »

Ursula ouvre complètement la paroi de l'incubateur et ajuste les câbles et les tuyaux. « Vous êtes prête ? » Avant que j'aie le temps de répondre, elle soulève Toby, les tuyaux calés sur son bras tandis qu'elle l'installe dans le creux des miens.

Il est plus léger que je ne m'y attendais. Semblant ne rien peser.

Il reste couché, inerte, dans mes bras. Il émane de lui un effluve métallique ; peut-être les antibiotiques, ou bien son odeur naturelle. Ses yeux sont hermétiquement clos, comme si la senteur industrielle venait de moi.

Je lève le regard sur Mark. Il contemple Toby avec adoration.

Je commence à retirer les épaisseurs de tissu qui l'enveloppent lorsque Ursula me donne une petite tape sur l'épaule.

« Il faut le maintenir au chaud. » Elle replace la couverture sur lui, puis consulte la montre suspendue à sa poche de poitrine par une chaîne en argent. « C'est l'heure de déjeuner. » Elle me tapote le dos. « Bonne chance. »

Pourquoi aurais-je besoin qu'on me souhaite bonne chance ? Dit-elle ça à toutes les mères, ou est-ce un avertissement réservé à moi seule ?

Je regarde de l'autre côté du passage, mais la chaise de Brigitte est vide. Elle n'a pas dit au revoir.

De mon fauteuil roulant à côté de la couveuse de Toby, je vois une femme, par la fenêtre, debout à l'arrêt de bus en face de l'hôpital. Elle a un nourrisson lové dans un porte-bébé sur sa poitrine, son menton repose sur la tête de l'enfant, ses mains l'enveloppent comme des rubans autour d'un paquet-cadeau.

Je redresse Tobias, le place sur mon épaule, puis l'entoure de mes bras, pour donner l'impression que je lui fais un câlin. Le flou dans mon cerveau se dissipe. J'ai la sensation que les médicaments se métabolisent à l'intérieur de moi, les composés chimiques qui se concentrent dans ma sueur et mon urine, prêts à être expulsés. Lentement mais sûrement, je redeviens moi-même.

« Tu sais combien de bébés sont nés aujourd'hui ? je chuchote à Mark.

— Aucune idée. Pourquoi tu demandes ça ? »

Il va bientôt falloir que je lui confie mes inquiétudes, je suppose. C'est la meilleure chose à faire, le seul choix possible. Tenir le bébé dans mes bras comme je le fais maintenant n'a eu pour effet que de justifier mes craintes. Mon manque d'attachement à l'égard de Toby dépasse de beaucoup la réaction maternelle normale. Je fais tout ce qu'il faut, mais je n'en ai pas moins le sentiment que rien ne va comme il faut. Ce n'est pas « normal », comme Brigitte l'a suggéré, et je ne me sens pas non plus déprimée, pas du tout. Je ne peux pas rationaliser ce sentiment à l'égard de ce bébé. La seule explication possible, c'est qu'il y a eu échange. Erreur. Mon véritable bébé doit se trouver dans la nursery, quelque part. Je vais avoir besoin de l'aide de Mark pour examiner les autres bébés, retrouver la trace de notre enfant, le vrai. Je sais qu'il va me soutenir dans cette quête.

L'alarme d'un moniteur se déclenche, stridente, et retentit tout le long du couloir jusqu'au bureau des infirmières. Des lumières rouges s'allument sur l'écran. Tout se passe trop vite et, avant que j'aie le temps de déduire que c'est le moniteur de Toby qui émet l'alarme, un troupeau d'infirmières fait cercle autour de moi. Elles me l'arrachent des bras et le replacent dans l'incubateur. Puis elles se relaient pour écouter sa poitrine avec leurs stéthoscopes, branchant et débranchant des câbles sur le moniteur. Mark se tient près de moi et observe la scène, les yeux écarquillés.

L'alarme s'est arrêtée depuis de longues secondes. Toby a l'air de respirer parfaitement à présent. S'est-il même arrêté un instant ?

« Une apnée. » Ursula referme la paroi de l'incubateur. « Ce n'est pas inhabituel que des bébés si petits arrêtent de respirer pendant une courte période. Ça peut venir de la position, si leur tête est trop penchée en avant, ça bloque les voies aériennes. Leurs voies respiratoires sont très petites. Mais je suis sûre que vous le savez. »

Si seulement j'avais réalisé ce qui se passait, j'aurais pu y remédier moi-même.

« J'ai fait quelque chose qu'il ne fallait pas ? »

Personne ne répond. Les infirmières évitent obstinément mon regard.

Tandis qu'elles se dispersent, Mark me fixe toujours des yeux.

Je jette un regard vers le bureau. Les infirmières, en plein conciliabule, m'observent de loin. S'agit-il là d'un test quelconque de mes aptitudes maternelles ? Une blague cruelle à la jeune mère médecin : voir si elle parvient à se rendre compte qu'on lui a attribué un faux bébé ? Sans doute pas ; cela me paraît trop improbable, même dans ces circonstances. La méprise ne peut pas être intentionnelle. Dans un éclair de lucidité, je revois Ursula en train de se tromper sur mon nom. C'est leur faute. La faute de l'hôpital.

Contre le drap en coton, Toby est allongé, inerte. En le regardant, je n'éprouve rien. En le tenant dans mes bras, je n'ai rien éprouvé non plus. Je croise le regard apeuré de Mark. Il y a des choses qu'il faut que je dise.

« Je sais que tu as noué un lien avec ce bébé. Mais le simple fait que ce ne soit pas mon cas ne signifie pas pour autant que *j'ai* un problème. »

Cela dépasse la prématurité de Toby, tout cela, dépasse ma culpabilité et ma peur, va bien plus loin que la rationalité et l'amour. Je sais que j'ai raison. Que mon bébé, qui m'est apparu dans mes rêves, a besoin qu'on lui fasse confiance, besoin qu'on l'honore et le croie.

« Mark, je sais ce qui ne va pas. » Les mots qui vont tout changer se cristallisent dans mon esprit, tandis que le visage de Toby se confond avec le bébé de l'échographie, le bébé que nous étions destinés à avoir, je le savais, avant même de seulement admettre que j'en voulais un, le bébé auquel je me suis engagée à me consacrer en devenant la femme de Mark.

« Ce n'est pas notre bébé. Mark, écoute-moi. Ce bébé n'est pas notre fils. »

DIX ANS PLUS TÔT

MARK

Comment a été le jour de notre mariage ? Il a été parfait. Enfin presque.

Sash n'était pas de son côté du lit lorsque je me suis réveillé. Elle avait insisté pour dormir chez Bec. La tradition, apparemment. Je ne peux pas dire que j'avais compris. Adam – le compagnon de Bec depuis qu'ils s'étaient rencontrés au club de jazz, et mon témoin – est arrivé vers midi. Nous avons enfilé nos smokings, nous sommes peignés puis installés devant le foot avec une bière. Il m'a balancé quelques vannes, sous prétexte que je m'étais fait passer la corde au cou pour le restant de mes jours, pendant que nous regardions le spectacle d'avant-match. Je l'ai prévenu qu'il risquait bien d'être le suivant sur la liste. Il ne l'a pas ramenée après ça. D'ailleurs, Sash n'était absolument pas difficile à vivre. Elle me laissait toujours faire tout ce que je voulais. En fait, à l'époque, elle m'encourageait constamment à sortir, à vivre un peu, à essayer de m'amuser davantage.

Les limousines ont mis un temps fou à arriver. M'occuper des voitures, c'était ma responsabilité dans le mariage, avait dit Sash. C'était tout ce que j'avais à faire. Treize heures ont sonné. Les joueurs commençaient à s'échauffer à l'écran lorsqu'un texto de Sash est arrivé.

Les voitures sont encore loin ?

Je les avais réservées pour midi et demi. Elles étaient incontestablement en retard.

J'ai appelé la compagnie de location. Pas de réponse. J'ai appelé le numéro de portable sur leur site Internet. Rien.

« Merde, vieux, tu leur as parlé récemment ? » a demandé Adam.

Presque là, j'ai répondu à Sash. L'extrémité des pétales du bouton de rose à ma boutonnière brunissait déjà.

« Vous allez tous les deux devoir prendre un taxi pour aller à votre mariage », a dit Adam en secouant la tête.

J'ai consulté mes mails. La compagnie de location avait envoyé une confirmation de réservation. Deux limousines, pour midi et demi, le samedi 14 février 2002. *2002 ?* C'était l'année suivante. Ils n'auraient quand même pas pris une réservation avec un an d'avance.

J'ai ouvert la porte d'entrée, contemplé la rue vide. Adam, sur le perron, commandait un taxi. Pas l'ombre d'une limousine. Simon n'aurait pas commis une erreur comme celle-là. Qu'aurait-il fait à ma place ? Je suis retourné à l'intérieur pour réfléchir.

Papa avait une vieille Chevrolet bleue dans le garage. Elle rouillait par endroits, mais il la sortait encore de temps à autre. Il avait proposé d'emmener Sash faire un tour lorsque nous leur avions rendu visite pour la première fois. Elle avait refusé poliment ; les voitures anciennes, ce n'était pas vraiment son truc, avait-elle dit. La voiture était peut-être vieille, et petite. Mais il fallait que j'appelle papa, même s'il était déjà parti pour l'église. C'était ce que je pouvais espérer de mieux, cette voiture.

Sash était magnifique lorsqu'elle a remonté l'allée de l'église. Son sourire était éblouissant, ses cheveux tressés étincelants. Je ne crois pas l'avoir jamais vue aussi belle. Devant l'autel, elle s'est tournée pour me regarder et a pris mes mains dans les siennes, elle les a pressées étroitement. Puis elle m'a encore fait son sourire radieux. Je savais qu'elle m'avait déjà pardonné de m'être planté avec les limousines, de l'avoir vue avant le début de la cérémonie, de l'avoir emmenée à l'église avec plus d'une demi-heure de retard.

Avec la lumière du soleil qui dansait sur son visage, filtrée par les vitraux, j'ai eu le plus grand mal à me concentrer pendant la cérémonie. J'ai même bafouillé pendant les vœux. Nous les avions rédigés la semaine d'avant. Sash avait fait le plus gros du travail, mais j'étais heureux de me conformer aux sentiments qu'elle exprimait. Quelque chose sur la franchise. Quelque chose sur l'amour. Cela n'avait pas vraiment d'importance, ce que nous disions, de toute façon. Tout ce qui comptait, c'était que nous nous aimions. Que nous ne voulions pas partager le restant de nos vies avec quelqu'un d'autre. Que nous serions ensemble *jusqu'à ce que la mort nous sépare*.

Avec le recul, je suppose que j'aurais sans doute dû en dire plus : toutes les raisons pour lesquelles j'aimais Sash. Sa compassion, sa prévenance. Sa passion pour tout ce qu'elle entreprenait. Son intégrité, jusqu'à l'excès. Elle était quelqu'un sur qui je pouvais compter, quelqu'un en qui je pouvais avoir confiance ; qui croyait en moi et en mes rêves fous, avec qui je voulais fonder une famille. J'avais terriblement hâte de commencer notre vie commune, d'être tout ce que voudrait Sash, de lui donner tout ce dont elle pourrait jamais avoir besoin.

Après que les formalités ont été terminées et que nous sommes sortis de l'église sous le soleil aveuglant, Sash s'est penchée vers moi, une main en coupe sur mon oreille. « Super, ce que tu as fait pour la voiture, a-t-elle dit. C'est une des choses que j'aime le plus chez toi, Mark. Tu ne renonces jamais. Tu trouves toujours un moyen de contourner les problèmes. Et tu ne me laisses jamais tomber. »

JOUR 1, SAMEDI,
HEURE DU DÉJEUNER

Je repousse d'un geste la couverture de laine de mes genoux jusqu'à mes chevilles. C'est un soulagement de l'avoir enfin dit.

La bouche de Mark se ferme brusquement. Il se penche sur moi, vérifiant qu'aucun membre du personnel ou visiteur ne m'a entendue.

« Pas notre bébé ? siffle-t-il. Ce n'est pas drôle, Sash. C'est censé être une blague ? Comme le 1er avril où tu m'as convaincu qu'il y avait un serpent dans les toilettes. C'est une blague. Pas vrai ? *Pas vrai ?* »

Le bébé est endormi devant nous, reposant sur le flanc tel un bateau échoué. Je regarde d'un œil hébété sa peau translucide.

« Il n'est pas à nous », dis-je de nouveau de mon ton le plus serein, celui que j'emploierais avec un patient agité ou bouleversé. C'est cette même voix que j'ai prise lorsque j'ai parlé avec les parents de Damien en cette nuit fatidique, il y a onze ans, lorsque j'étais encore en formation de pédiatrie. Assis sur les genoux de sa mère dans le service des urgences, Damien avait les joues rouges, souillées de larmes. Ses membres potelés s'agitaient violemment contre moi, comme ceux d'un animal sauvage, tandis que je l'examinais.

J'avais été rassurée par son énergie et ses tests normaux. Sa température s'était stabilisée avec le traitement. Il m'avait même répondu par un minuscule sourire lorsque j'avais fait une grimace.

« Il va bien pour l'instant », je me rappelle leur avoir dit de ma voix la plus placide. « Je sais que vous êtes inquiets. Pourquoi vous ne l'emmenez pas à la maison ? Vous verrez comment ça se passe cette nuit. Vous pouvez toujours le ramener demain matin si vous n'êtes pas rassurés. D'accord ? »

Son père a acquiescé d'un hochement de tête, buvant le moindre de mes mots. Sa mère berçait Damien dans ses bras. Je croyais qu'ils se tracassaient exagérément pour cette fièvre, comme tant d'autres parents que j'avais vus auparavant. Je pensais que les rassurer était mon devoir. Comment aurais-je pu savoir que tout n'irait pas bien pour lui, mais pas du tout ?

Je cherche les yeux de Mark et le force à soutenir mon regard.

« Mark, je suis tout à fait sérieuse. » Je désigne l'enfant qui dort devant nous. « Ce n'est pas notre bébé.

— Bon Dieu ! » Il écarquille les yeux. « Comment... je veux dire... merde, Sash. Tu es sûre ? Parce que ça pourrait être très compliqué. Il ne faut pas plaisanter avec une chose pareille.

— Je ne plaisante pas. Tu dois me croire. Je suis sûre de ce que je dis. » Ma voix la plus calme, une fois de plus.

« Mais bon sang, comment ça aurait bien pu arriver ?

— Je ne sais pas trop. Assez facilement, je suppose. Il suffit que quelqu'un soit un peu tête en l'air. » Des spécimens anatomiques sont pris pour d'autres, mal étiquetés, perdus dans le système, ça arrive tout le temps au boulot. Des rapports d'autopsie, aussi. « Et je sais que ça s'est déjà produit, aux États-Unis. Et dans plein d'autres endroits.

Et aujourd'hui ça nous arrive à nous. » Ma poitrine se fait plus légère maintenant que j'ai dit ce que j'avais à dire.

Il scrute mon visage.

« Et tu en es certaine ? »

Je fais oui de la tête et m'agrippe à ses mains.

« Il n'est pas à nous. À présent, il faut qu'on retrouve notre vrai bébé. »

Il me rend ma pression. *Ne t'en fais pas. Je te crois.*

Sa main dans la mienne est chaude et lisse, comme cette première nuit où nous nous sommes rencontrés, assis sur la plage au clair de lune, du sable frais sur les mollets. Après qu'il m'avait parlé de son frère, Simon, je lui avais raconté la dernière fois que je me rappelais avoir vu ma mère. Il n'avait pas ri ou paru incrédule. Non, il m'avait écouté décrire les cheveux de ma mère, leurs reflets dorés à la lueur du perron. Elle s'était retournée et avait mis son doigt sur ses lèvres, comme pour m'astreindre au silence avant de disparaître dans la nuit.

Mark est parti, traversant la nursery d'un pas décidé avant que j'aie le temps d'ajouter quelque chose. Essayant de garder mon calme, je me recroqueville sur le fauteuil roulant et retire mon téléphone enfoui dans la poche de ma robe de chambre. Pas de messages. Je suppose que Mark n'a pas encore eu le temps d'envoyer le texto de faire-part de naissance que nous avons rédigé ensemble il y a une semaine pour nos amis et nos familles.

Les infirmières ne me regardent pas. Je ne vois pas où est allé Mark ; sans doute cherche-t-il une sage-femme. Lentement, je tape les mots *échange de bébés* dans le moteur de recherche, d'un doigt hésitant. Je manque laisser tomber le téléphone lorsque la page se charge. Quatorze millions de résultats ?

Bouche bée, je parcours les titres. Cela confirme ce que j'ai dit à Mark, sauf que c'est plus courant que je ne l'aurais cru. France. Brésil. Pologne. Afrique du Sud. Canada. Tous les États d'Australie. Des affaires très médiatisées, devant les tribunaux du monde entier. Presque toujours accidentelles. Les mères savaient souvent tout de suite, et lorsque les autorités les croyaient, leurs bébés leur étaient aussitôt restitués. Pourtant, dans certains cas, il avait fallu des heures pour reconnaître et rectifier les erreurs. En attendant, on avait laissé des femmes nourrir les mauvais bébés. Et, parfois, on n'avait pas cru les femmes pendant des années. Voire on ne les avait pas crues du tout.

Cela fait déjà plusieurs heures que notre bébé est né. Au moins, elle n'aura pas été nourrie par la mauvaise femme. On lui aura peut-être donné son lait, mais elle n'aura pas pu le prendre au sein. Elle est trop jeune pour avoir tété le lait d'une autre femme.

Je consulte d'autres pages en quête de quelque chose d'utile, n'importe quoi. Les administrateurs des hôpitaux sont cités dans les articles : ils présentent des excuses sincères, promettent de corriger le système. Des extraits de dialogues échangés au cours des procès, des citations des enfants eux-mêmes, devenus adultes. Rien des mères. Pourquoi ne s'expriment-elles pas ?

Peut-être devrais-je alerter les médias, des avocats ? Non. Mieux vaut éviter de faire des vagues. Mark est plus que capable de régler ça. Il est dans le même bateau, il a cru en moi envers et contre tout, même quand j'étais persuadée que je ne pourrais plus continuer. Et les médecins sont raisonnables. Ils croient les autres médecins. Je dois avoir confiance. Les choses vont rentrer dans l'ordre, on va nous rendre notre bébé d'un instant à l'autre.

Un frisson me parcourt l'échine. Je tire la couverture sur mes genoux. Je compte sur des excuses sincères, bien sûr, une fois que j'aurai enfin mon beau bébé dans les bras. Mais l'hôpital devrait se féliciter que ce soit arrivé à quelqu'un qui comprend parfaitement la faillibilité humaine. La facilité avec laquelle les erreurs se produisent. Même si cela ne m'arrive pratiquement jamais, à moi.

Après au moins une demi-heure, Mark n'est toujours pas revenu. Sans doute est-il sur les traces de notre bébé. Mais je ne peux pas me contenter de rester assise là, impuissante. J'ai besoin de faire quelque chose, de trouver une preuve, moi aussi. Après tout, je reconnaîtrai mon bébé instantanément, je suis la mieux placée pour le chercher.

Lorsque je me hisse sur mes pieds, une brûlure violente dans mes entrailles manque me plier en deux. J'aurais sans doute dû accepter au moins une petite dose de morphine. Je commence à passer d'une couveuse à l'autre, d'un pas saccadé. Il y en a dix en tout, alignées le long des deux murs ; je les ai comptées trois fois pour m'en assurer. La fille dans la première à côté de celle de Toby a un crâne duveteux et un petit nez trapu. La deuxième, des doigts potelés et des orteils recourbés. J'aperçois Mark, en grande conversation avec Ursula dans le bureau. J'accélère, regardant en passant à travers le Plexiglas de chaque couveuse, me concentrant davantage sur les bébés avec une étiquette nominative rose. Il y a tant d'enfants, qui ont tous besoin d'amour. Je suis surprise que leurs parents ne soient pas à leurs côtés. Lorsque je trouverai mon bébé, je le sais, je ne quitterai pas son chevet un seul instant. Je continue à remonter la rangée.

Jambes minces, peau mate. Oreilles décollées, menton pointu.

Je tourne au coin de la nursery en L, agrippant mon ventre douloureux en titubant entre les huit berceaux ouverts dans l'aile plus petite.

Yeux noirs, visage rougeaud. Cheveux bruns, taille rebondie.

Berceau suivant, puis le suivant, puis le suivant. Finalement, je suis au bout de la nursery. Je ne peux avoir manqué aucun des bébés. Alors comment est-il possible qu'aucun d'entre eux ne ressemble au mien ?

Je m'affaisse contre une paillasse, m'accrochant pour rester droite malgré la douleur, c'est maintenant un sabre qui s'enfonce au fond de mes entrailles. Derrière moi, un grincement. Ursula, qui pousse un fauteuil roulant vers moi.

« Vous ne devriez pas vous balader comme ça dans votre état, dit-elle. La plupart des femmes ne peuvent même pas marcher le lendemain de leur césarienne. » Elle m'aide à m'asseoir et me refait traverser la nursery. « Je vais bientôt vous ramener dans votre chambre. Mark m'a parlé. On va régler ça. Avez-vous besoin d'antidouleurs ?

— Je n'ai pas besoin d'antidouleurs. J'ai seulement besoin de mon bébé, je lui réponds, le cœur battant. Tout de suite.

— Bien sûr, dit-elle en me garant devant la couveuse de Toby. En attendant, je vous suggère de passer un peu de temps au chevet de *ce* bébé-là. »

Avant qu'elle ne s'éloigne, une idée me vient, une façon de fournir une preuve irréfutable. Je redresse la tête et tâche de me donner une contenance.

« On peut peser ce bébé, s'il vous plaît ? »

La bouche d'Ursula forme un arc rouge bien net. « Oh, mais il a déjà été pesé aujourd'hui. » Elle indique le tableau au bout de son lit tout en avançant la chaise roulante. « Un kilo neuf. Il fait un bon poids.

— Ça ne prendra même pas une minute.

— Vous ne voudriez pas le déranger pour rien, n'est-ce pas ? Il a besoin de tout son temps pour grandir. »

C'est Ursula qui au départ s'est trompée sur mon nom. Pourrait-elle avoir quelque chose à voir là-dedans ?

« Je suis juste un peu inquiète. Je ne suis pas certaine qu'on l'ait pesé correctement. »

Ursula incline la tête. « Vous avez manqué la première pesée. Je comprends. Je suppose qu'on peut faire une exception, juste pour cette fois. »

Le chariot claque sur les interstices du lino tandis qu'elle ramène les balances de la salle où l'on prépare le lait maternisé. Elle place Toby sur le métal comme un poisson dans un filet. Il n'émet pas un son. Les chiffres rouges clignotent sur l'écran puis se stabilisent enfin : 2 070 grammes.

« Je savais que quelque chose n'allait pas », dis-je, l'adrénaline fusant dans mes membres tandis que j'indique l'écart entre les deux poids. « Ce n'est pas mon bébé. »

Ursula replace Toby dans l'incubateur et referme le hublot.

« J'aurais dû vous prévenir. La sonde nasogastrique et les câbles du connecteur ajoutent une petite masse, vous comprenez. Nous soustrayons une estimation de ce poids de notre calcul du poids de votre fils. »

Elle s'agenouille à côté de moi, frotte mon avant-bras. Le contact de sa main, son changement d'attitude me font tressaillir de dégoût, mais je me retiens à temps. « C'est un choc, pas vrai ? Ils n'ont pas la même tête quand ils sont prématurés. Il va grandir, ses rides vont disparaître, sa peau va se tendre, vous verrez. » Son ton se durcit, imperceptiblement. « Il faut que vous croyiez que ce bébé est votre fils. »

J'ai envie de me recroqueviller, de faire comme si rien de tout cela ne s'était produit. Mais je redresse ma colonne vertébrale contre le dossier de la chaise roulante.

« Vous me cachez quelque chose ? »

Ursula s'écarte du fauteuil, les lèvres pincées.

« Je dois être honnête : je suis très inquiète pour la santé de votre enfant. Et pour vous. » Elle montre la couveuse d'un doigt sévère. « C'est votre fils, Sasha. Regardez : il a des étiquettes au poignet et à la cheville. » Elle se penche pour attraper son dossier sur la paillasse et, me présentant les écritures, feuillette les pages. « Toute la documentation, en ordre.

— Ça ne veut rien dire. Vous devriez le savoir. Tout ce que je veux c'est trouver mon bébé. Ce n'est pourtant pas trop demander ! »

Deux infirmières quittent le bureau d'accueil et viennent vers nous, mâchoires serrées. Elles s'arrêtent à quelques mètres de moi. Ont-elles peur de s'approcher trop ?

« T'as besoin d'un coup de main, Ursula ? dit l'une. Tu veux qu'on lance le code ? »

Le code. Elles demandent si Ursula veut appeler la sécurité de l'hôpital.

Ursula me dévisage de là où elle se tient, à côté de la paillasse.

« Appelez le Dr Niles, dit-elle.

— Vous allez essayer de me faire taire, c'est ça ? je crie d'une voix perçante. Me traiter de folle ? »

Il y a de l'agitation parmi les quelques visiteurs assis près des autres couveuses. Un murmure s'élève dans l'air chaud. Est-ce que je parle plus fort que je ne le devrais ? Ou est-ce que ces parents en ont assez d'être ignorés, eux aussi ?

« Vous devez connaître l'affaire qui a eu lieu aux États-Unis », dis-je, en haussant la voix tandis que Mark s'approche de moi. Où était-il ? « C'était l'erreur d'une sage-femme. Et il y en a eu beaucoup d'autres. » Ma voix fléchit. Tout à coup, je ne me rappelle plus le moindre détail.

Mark secoue la tête en direction d'Ursula, une main levée. Elle et les autres infirmières s'écartent. Il s'agenouille devant moi sur le sol en lino, les mains sur mes genoux, les yeux figés comme par la peur. Sa voix est celle dont il use pendant les sauvetages d'animaux, lorsqu'il essaie d'apaiser des bêtes blessées.

« Chérie, il faut que tu te calmes. Quelqu'un est venu te voir. Quelqu'un sur qui tu peux compter. »

Une silhouette indistincte s'approche derrière Mark avant de se préciser.

« Félicitations, vous deux. »

C'est papa qui se tient au-dessus de moi, sa voix rauque plus frêle que d'habitude tandis qu'il se penche sur le fauteuil roulant et dépose un baiser sec sur ma joue. Il tient un sac de courses vert et un journal, et les rides profondes de ses mains se replient sur elles-mêmes comme des vagues approchant du littoral.

Mark s'éloigne, pour nous laisser un peu d'intimité, je suppose. Les infirmières retournent à l'accueil. Les visiteurs clairsemés restent à côté de leurs nouveau-nés. Papa me fixe comme il le faisait lorsqu'il m'arrivait de faire des bêtises, enfant. Inutile de lui parler de l'échange de bébés. Il est encore traumatisé par ma naissance, après toutes ces années. Il ne me croirait pas, de toute façon. Et puis il ne pourrait jamais comprendre ce que je suis en train de vivre.

Papa se penche sur l'incubateur et jette un coup d'œil à l'intérieur.

« Ton bébé a exactement la même tête que toi quand tu es née. »

Il n'a jamais été tellement physionomiste.

« Je ne sais pas trop, papa. »

Il ne semble pas m'entendre. Du fond de son sac, il tire un plaid qu'il dépose sur mes genoux avec cérémonie.

« J'ai pensé que ça te plairait, pour lui. »

C'est le plaid en patchwork de mon enfance. Le coton est frais sous mes doigts. Certains des motifs me sont familiers – ours en peluche, baleines, camions de pompiers – et d'autres ne me disent plus rien du tout. Quand j'étais petite, je le portais à mon nez et je frottais le tissu sur ma peau, inhalant les différentes odeurs dont les mailles étaient imprégnées. C'était ma source principale de réconfort.

« Je ne crois pas te l'avoir jamais dit, mais c'est ta mère qui l'a cousu pour toi. Quand elle était enceinte. »

Je trace du bout du doigt les contours des octogones, cousus ensemble à l'aide de minces fils blancs, et j'étale le plaid sur mes genoux. L'espace d'un instant, la détresse de la journée me semble très loin. Ma mère a cousu ça rien que pour moi.

« Elle a toujours cousu ?

— Rose faisait de la poterie quand je l'ai rencontrée. Mais elle laissait tellement de saletés avec l'argile que je lui ai suggéré de passer à la couture. »

Il sort de son sac un album de photos. Il y a une girafe rose sur la couverture.

« Ton album de photos de quand tu étais bébé. Je l'ai retrouvé aussi. Je me suis dit que ça t'intéresserait. »

Je n'en ai pas vu de ce genre depuis des années : des photographies adhérant au papier jaunissant, collant, qui sert de fond, des feuilles de plastique transparent rabattues par-dessus pour les maintenir en place. Après tout ce temps, le plastique se décolle. Certaines des photos ont glissé au bas des pages, sous les protections, comme si elles essayaient de s'échapper.

« Papa, comment était maman après ma naissance ? »

Son visage se plisse d'un sourire immense. « Extatique. » Puis il baisse les yeux.

Je feuillette l'album. Je suis nouveau-née, emmaillotée dans des couvertures et un bonnet tricoté, ma mère me tient maladroitement contre elle en regardant l'objectif par en dessous, sans sourire.

« Elle n'a pas l'air... extatique. »

Papa s'assoit à côté de l'incubateur et pose son sac par terre entre nous. Il déplie le journal, puis le replie savamment de sorte que seuls les mots croisés soient visibles.

« De nos jours, on lui aurait peut-être diagnostiqué quelque chose. C'est la grande mode, pas vrai ? »

Je m'agrippe au plaid en patchwork.

« Comment ça ? »

Papa remplit la ligne supérieure de quelques lettres.

« Dépression post-partum, comme on dit, je suppose. Tout le monde a ça, maintenant. »

Je plisse les yeux. « Tu ne me l'as jamais dit. Et tu ne m'as jamais montré cet album, avant.

— Je croyais que si. »

Les photos dansent devant moi. Moi, toute petite dans une pataugeoire ; poussant un petit wagon en bois ; nue dans un bain. Ma mère a disparu. J'ai toujours cru que c'était parce qu'elle prenait les photos. Je referme l'album.

« Non, tu ne me l'as jamais dit. »

Des images fugaces me venaient de temps à autre, avant : des visions du visage pâle de ma mère dans le miroir de la coiffeuse de sa chambre. Elle passait une brosse des racines de ses cheveux aux pointes fourchues, ou appliquait de petites touches de fond de teint sur ses joues, ou s'arrachait des poils rebelles sur le menton. Elle ne me remarquait jamais, assise à côté d'elle sur le tabouret de la coiffeuse. Son visage se mettait à briller, et je tendais la main vers le miroir mais, avant que je puisse toucher son reflet, l'image volait toujours en éclats.

Je remets le plaid et l'album de photos dans le sac. L'odeur de renfermé des boules de naphtaline me monte au nez, celle de la boîte à couture de ma mère. Il a dû falloir des heures et des heures pour coudre ce plaid, coudre les fils minuscules avec une image de moi en tête, tandis que je donnais des coups de pied en elle. Certains points se défont et des pièces de tissu s'effilochent telles de vieilles toiles d'araignées. Il va me falloir apprendre à coudre, sans quoi il va tomber en ruine.

Papa lève son stylo, qui a laissé une petite flaque d'encre sur le journal. Il évite de croiser mon regard.

« Rose a fait plusieurs séjours en psychiatrie. Tu avais six mois la première fois ; tu es trop jeune pour t'en souvenir. Je ne sais pas pourquoi je te dis ça maintenant. Ça me revient, tout ça. »

Je suis envahie par un froid saisissant. Il ne m'avait jamais dit ça, c'est certain. Prise d'un tremblement, je serre mes bras contre ma poitrine. Papa continue de parler. Il marque une pause, parcourant des yeux mon visage, mes mains.

« Bien sûr, tu n'auras pas de problème. Tu es une mère-née. Tu n'es pas du tout comme elle. »

Il est toujours très direct, donc, en général, je peux faire confiance à ses évaluations me concernant. Mais si je ne suis pas comme ma mère, je suis comme qui ?

Il replie le journal jusqu'à ce qu'il soit suffisamment petit pour rentrer dans sa poche.

« Tu as toujours paru si… équilibrée après son départ. Ça n'a jamais semblé t'avoir tellement affectée. »

La chaleur monte sous mes paupières. « Je suppose que non. »

Il se penche pour me faire un bisou avant de me dire au revoir.

« Au fait j'ai trouvé le mot en huit lettres aujourd'hui. *Exonérer.* »

Il s'en va déjà ? Même s'il a toujours été déconnecté de ses sentiments, plein d'inhibitions, c'est néanmoins un allié. J'ai besoin de sa présence. Je tourne la tête et ses lèvres effleurent mon oreille.

« Tu peux rester encore un peu ?

— J'adorerais, mais j'ai un match de golf. À propos, c'est pour Toby. »

La Cellophane jaune froissée colle à mes doigts humides.

« Je l'ai acheté au Women's Auxiliary en bas. Rose tricotait aussi, tu sais. »

Je déchire le ruban adhésif du paquet. À l'intérieur se trouve un cardigan doux en laine bleue, avec le col torsadé et des boutons en nacre. Il est simple, mais très joli. Je le tiens contre le Plexiglas de la couveuse de Toby. Il est encore un peu trop grand pour un prématuré. Plus tard, il sera parfait sur notre bébé – enfin, quand nous la retrouverons. J'espère que le personnel va écouter Mark, le prendre au sérieux. Il va réussir à la localiser. J'espère seulement que ça ne lui prendra pas trop longtemps.

JOUR 1, SAMEDI APRÈS-MIDI

Mark me fait un sourire en revenant. Je ne sais pas combien de temps s'est écoulé depuis le départ de papa.

« Tout va bien se passer, Sash », dit-il, avec plus d'assurance que je n'en éprouve. Il attrape les poignées du fauteuil roulant. « Ils veulent qu'on redescende à ta chambre pour discuter un peu. »

Dans le couloir, dans l'ascenseur pour redescendre au niveau un, les murs se resserrent tandis que Mark me ramène à ma chambre. Je suis Alice dans un pays des merveilles cauchemardesque, qui grossit de plus en plus à mesure que les murs de l'hôpital se rétrécissent autour de moi. Dans toutes les chambres que nous dépassons, des bébés poussent des cris perçants, qui retentissent dans mon crâne comme des cornes de brume. Je ne peux pas m'empêcher d'espérer que l'un de ces bébés en pleine santé, nés à terme, se révèle soudain être le mien, mon enfant manquant.

Dans ma chambre, le Dr Solomon m'attend, vêtu d'un costume flambant neuf et d'une cravate qui tombe bien au milieu de sa chemise amidonnée. Ses mains sont fourrées dans ses poches. Il tapote le sol poussiéreux à côté de mon lit du bout de sa botte parfaitement cirée.

Ursula, debout à côté de lui, me suit de ses yeux sévères. Mark stoppe le fauteuil et m'aide à monter sur le lit. Je me

mords la lèvre pour m'empêcher de crier à cause de la douleur perçante qui me troue les entrailles. Je ne veux pas
montrer le moindre signe de faiblesse en cet instant.

Avec ma tête surélevée par l'oreiller, mes yeux tombent
sur la reproduction de Van Gogh au-dessus de la table de
chevet. Je ne l'avais pas remarquée tout à l'heure. *Premiers
pas* : une mère, encourageante, tient son enfant sous les bras
pendant qu'il esquisse quelques pas hésitants vers son père,
dans un champ. Pendant notre voyage à New York, tandis
que Mark faisait la tournée des cafés branchés pour chercher
l'inspiration, je me suis baladée au Metropolitan Museum of
Art et je suis tombée sur ce tableau. Mes yeux se sont emplis
de larmes devant ces personnages ; je m'imaginais sous les
traits de la mère qui sacrifie tout à son enfant, et Mark sous
ceux du père qui fait signe à son fils.

Le Dr Solomon croise les bras et prend la parole, arti-
culant soigneusement : « Je crois qu'il y a un problème ? »

— Oui, dis-je. Il faut qu'on trouve notre bébé. Aidez-
nous, je vous en prie. »

Mark est assis au pied du lit, il me serre si fort la main que
mes articulations me font mal. « Je vous en prie », répète-t-il.

Je raconte tout au Dr Solomon : les médicaments, les analyses sanguines qui sont allées de travers, l'anesthésie générale, le temps trop long que Toby a passé loin de moi, son
absence de ressemblance avec Mark ou moi. Le Dr Solomon
reste très immobile, décroisant les bras de temps à autre pour
se gratter le nez ou se lisser les cheveux. Ursula, plantée à
l'autre bout de la chambre, me fixe.

Lorsque j'ai terminé, le Dr Solomon me fait signe de
m'étendre. Mark m'aide à me laisser aller en arrière. Le
Dr Solomon soulève ma blouse. Avec ses mains froides,
brusques sur mon ventre, qui appuient fort pour s'assurer que mon utérus est toujours contracté et vérifier mon
pansement, j'ai un peu l'impression d'être un cadavre.

Il remonte le drap sur ma peau nue, avec un grognement de satisfaction.

« Je vous présente mes excuses pour tout malentendu qui a pu se produire avec le personnel infirmier, dit-il d'une voix bourrue. Je suis allé voir Toby à la nursery avant de venir ici. C'est bien le bébé que je vous ai aidée à mettre au monde aux premières heures ce matin. Je sais que vous pensiez attendre une fille, mais vous avez eu un petit garçon, c'est incontestable. On a mis à votre bébé deux étiquettes à son nom à la naissance, à la cheville et au poignet, selon le protocole d'usage. À cause de sa gestation trop courte, une sage-femme l'a transporté de la salle d'accouchement à la nursery. » Il signe mon dossier médical et le place sur la table à côté de moi.

Il n'a rien entendu de ce que j'ai dit.

« Mais c'était censé être une fille », je murmure.

Le Dr Solomon secoue la tête énergiquement.

« Je suppose que vous savez qu'en médecine, aucun test, y compris l'échographie, n'est sûr à 100 %.

— J'en étais convaincue, dis-je, avec plus d'assurance cette fois. Je sentais que c'était une fille.

— Mmh, mmh. »

C'est ça qu'ils font, les médecins. Ils éliminent les pièces du puzzle qui ne collent pas. Ils éliminent aussi l'intuition féminine.

« Est-ce que notre bébé a été laissé seul à un moment ou à un autre ? » je demande. Mark me presse la main. *Doucement, Sash.*

« Vous êtes restée avec le bébé tout le temps, n'est-ce pas ? » dit le Dr Solomon, s'adressant à Ursula.

« Oh oui, dit-elle, passant la chaînette de ses lunettes entre son index et son pouce. Il n'est resté seul à aucun moment.

— Mais elle s'est trompée sur mon nom ! » je m'écrie, en me hissant en position assise à l'aide de la poignée au-dessus de moi. Les points de suture de mon ventre et la coupure à mon doigt du sauvetage du kangourou me piquent et me brûlent.

Ursula saisit mon dossier et inspecte les pages sous les lumières avec ostentation. Comment peut-on la laisser s'en tirer avec une erreur pareille ? Comment peut-on leur passer ça, à tous autant qu'ils sont ?

« J'ai juste besoin d'une preuve. On ne peut pas faire un test ADN ?

— Il n'est pas né par FIV, si ? » demande le Dr Solomon.

Pendant les mois puis les années où nous tentions de concevoir, j'ai poussé Mark encore et encore à accepter que je commence une FIV. Je lui demandais dans la voiture, je lui demandais à la table du dîner, je lui demandais au lit. Mark a résisté chaque fois. Finalement, un matin, devant les œufs pochés qu'il avait préparés, j'ai explosé.

« Tu en veux vraiment un, de bébé ? »

Il a soigneusement incliné la louche en plastique, avec l'œuf à l'intérieur, afin d'évacuer l'eau restante dans la casserole. « Plus que tout.

— Plus que moi ? »

Il a secoué la tête. « Sash, voyons. Je ne veux pas que tu subisses des procédures médicales invasives. Pas après avoir vu Simon. Toutes ces aiguilles. Dans ses bras. Sa colonne vertébrale. Sa hanche. Je t'ai expliqué ce qu'il a enduré, non ? » Il a fait glisser l'œuf sur sa tranche de pain de mie. « Tu sais que je ne supporte pas les hôpitaux. »

J'ai enfoncé mon couteau dans mon propre œuf. Le jaune a giclé comme un fluide corporel sur mes épinards, coulant doucement jusqu'aux champignons.

« En plus, il s'est passé assez de choses ces dernières années avec... tu sais, a-t-il dit. Ce bébé qui est mort. Je ne veux pas être responsable d'une nouvelle cause de stress. »

J'ai trempé les dents de ma fourchette dans le jaune baveux et l'ai étalé sur les côtés de mon assiette.

« Je suis prêt à faire *n'importe quoi* sauf une FIV », a-t-il dit.

Nous n'avons pas échangé un mot pendant trois jours. En fin de compte, Mark a gagné. Nous avons fait ce qu'il voulait. Attendu. Espéré un miracle. Je n'ai jamais eu le choix.

« Il n'y a pas eu de FIV, je réponds maintenant au Dr Solomon.

— Alors il ne peut pas y avoir eu de confusion dans une boîte de Petri ou un labo. Donc a priori, il n'y a pas besoin de test ADN, n'est-ce pas ? »

La voix du Dr Solomon est empreinte d'une gravité menaçante. Je suis troublée. Puis inquiète. Sans doute une chose terrible est-elle arrivée à mon bébé. Ils auraient été forcés d'en parler, non ? Oui, je sens que mon bébé manque à l'appel, mais il y a un nombre limité de prématurés dans cet hôpital. Il nous suffit d'explorer les options de façon systématique. Mais tout le monde me regarde avec une telle pitié que j'en ai la nausée. Ai-je manqué quelque chose ? Que dit le Dr Solomon ?

Je sens ma respiration s'accélérer. Dans aucune des affaires dont j'ai entendu parler n'était mentionnée la dissimulation de bébés morts. Ce serait inouï. Pourtant les médecins préfèrent cacher leurs erreurs. Les enterrer, en fait.

Ursula a parlé d'un incident qui a eu lieu à l'hôpital par le passé. Une infection. Cela me saisit une seconde fois, une intuition terrible : se pourrait-il que mon enfant soit mort ?

« Est-ce que quelque chose est arrivé à mon bébé ? » je demande d'une voix tremblante.

Le Dr Solomon et Ursula échangent un coup d'œil.

« Bien sûr que non, Sasha », dit-il aussitôt.

Le soulagement m'inonde tout le corps jusqu'à ce que je réalise en sursaut que je dois faire plus attention. Je ne devrais pas proférer d'accusations supplémentaires tant que mon bébé n'a pas réapparu, tant que j'ignore la vérité.

Je presse fermement la main de Mark. *Aide-moi, je t'en prie.*

« Ne pourrions-nous pas vérifier l'ADN de Toby, pour être sûrs ? » dit-il.

Le Dr Solomon lisse sa cravate.

« Toute la documentation est en ordre. Il n'y a rien d'autre à faire à ce stade.

— Pourquoi ne respectez-vous pas mes volontés ? dis-je, écrasant presque la main de Mark dans la mienne. Pourquoi ne nous aidez-vous pas à retrouver notre bébé ?

— Sasha, nous essayons tous de vous aider. » Le Dr Solomon attrape la fiche patient accrochée au bout de mon lit. « On vous a prescrit des somnifères, deux avant le coucher, et du Valium si nécessaire. Et assurez-vous de prendre suffisamment d'antidouleurs. Avec ça, vous vous sentirez beaucoup plus à l'aise. »

Mark presse ma main entre ses paumes. *Tout ira bien.* Il écoute les médecins, mais ce qu'il ne peut pas comprendre, c'est que les médecins n'ont pas toujours raison.

Le Dr Solomon raccroche la fiche patient, qui cliquette contre les barreaux du lit, et se dirige vers la porte, suivi d'Ursula.

« Je vous en prie », dis-je, luttant pour ne pas hurler. Comment cette conversation peut-elle se terminer là ? « Vous ne pourriez pas appeler ma spécialiste au Royal ? Le Dr Yang. Elle vous dira comment je suis. Elle sait que je n'inventerais jamais une chose pareille. Mark pourra vous le confirmer. Mark, dis-lui. »

Avant que Mark ait le temps de dire quoi que ce soit, le Dr Solomon réplique : « Je me suis déjà entretenu avec le Dr Yang. Nous estimons qu'il serait préférable que vous voyiez une de mes collègues. Je lui ai demandé de venir vous rendre visite dès que possible, afin de tout régler aujourd'hui. » Il se tourne vers Mark, assis de marbre près de moi. « J'aimerais vous dire un mot dehors, si vous me permettez. »

Mark fait de son mieux pour me gratifier d'un sourire rassurant, et rejoint le Dr Solomon et Ursula dans le couloir.

Je suis seule, à nouveau.

Peut-être qu'ils ont raison et que j'ai tort. Une conspiration hospitalière, c'est un peu tiré par les cheveux, c'est certain. Et comment pourrait-il y avoir eu une interversion de bébés, voire un décès, alors que Mark était là tout le temps, avec Ursula ? Peut-être que je ferais mieux d'écouter les médecins. De les croire. Les médecins savent de quoi ils parlent, en général. Non ?

Respire, me dis-je. *Ils t'ont écoutée. Ils ne mentiraient pas à une patiente. Tu es fatiguée, tu as la nausée…*

Ce ne serait pas la première fois que je me trompe. Mon intuition au sujet de Damien était erronée. Après lui, j'ai craint de ne pas être capable de m'occuper d'enfants, j'ai cru ne pas être assez responsable. Même avant ça, je doutais déjà de mon aptitude à être une bonne mère, je me demandais si j'avais même le droit d'essayer étant donné que ma propre mère avait abandonné ses responsabilités parentales. J'avais peur d'avoir hérité d'une espèce de gène de mauvaise mère.

Je suppose qu'il y a une solution toute simple : j'ai seulement besoin de passer davantage de temps avec Toby, de faire plus d'efforts pour être sa mère. Même si je suis encore loin d'être convaincue qu'il est mon enfant, il faut que j'essaie de l'aimer, de la même façon que j'ai réussi à aimer les autres bébés qui ont cessé de grandir, sans même y penser. Ce n'est pas la faute de Toby, s'il est coincé dans une boîte en plastique à l'étage. Ça ne peut pas être si difficile que ça, d'essayer de lui donner de l'amour, si ?

Je ne me suis jamais sentie aussi seule qu'en cet instant. Je voudrais que la mère de Bec, Lucia, soit là avec moi, qu'elle me presse la main. Éclairée par les lumières fluorescentes, la mère de *Premiers pas* tient son enfant bien droit sur le tableau au-dessus de ma tête. Mais je ne suis pas du tout la mère, moi, je m'en aperçois avec une nouvelle montée de nausée. Je suis l'enfant qui apprend à marcher. Et où, je me le demande tandis qu'un reflux acide me brûle le fond de la gorge, où est ma mère, pour me tenir la main tandis que j'essaie d'avancer ?

DOUZE ANS PLUS TÔT

MARK

Après cette première nuit sur la plage, c'est à peine si Sash a reparlé de sa mère. Rose était partie quand Sash était très jeune ; du moins, c'est ce qu'elle m'a dit. J'ai essayé d'aborder le sujet plusieurs fois, mais Sash a toujours détourné la conversation, les yeux vides, la bouche sans expression.

Elle aimait bien parler de son enfance, en revanche. Lucia avait été comme une mère de substitution : elle s'occupait de Sash après l'école, lui préparait à dîner, lui apprenait la vie. Sa fille Bec était comme une sœur pour Sash. Elles avaient passé leur enfance à jouer aux Lego et aux Barbie après la classe, à faire la course à celle qui grimperait le plus vite en haut des arbres, et à faire des sprints à vélo dans le parc municipal le week-end. Quant à Bill, le père de Sash, il s'était immergé dans son travail, oubliant presque qu'il avait une fille.

Quand je l'ai rencontré pour la première fois, Sash et moi, nous sortions ensemble depuis quelques mois. J'avais emménagé dans son appartement la semaine précédente. On a sonné à la porte. Bill a regardé par-dessus mon épaule lorsque j'ai ouvert. Sash m'avait montré des photos, donc je savais à quoi il ressemblait, mais de toute évidence, il n'avait pas la moindre idée de qui je pouvais bien être. J'ai été surpris que Sash ne lui ait pas parlé de moi. En même temps, elle ne lui disait jamais grand-chose, et tout s'était passé si vite entre nous.

« Sasha Jamieson habite toujours ici ? »

Je lui ai tendu la main.

« Je m'appelle Mark. Vous devez être Bill. Sash est coincée au boulot. Entrez, je vous en prie. »

Bill a hésité, passant d'un pied sur l'autre sur le seuil de la porte. « Je ne veux pas m'imposer. » Il m'a donné un sac. « J'étais en train de faire du rangement dans sa chambre. Je me suis dit qu'elle voudrait avoir ça. » Il a reculé, et failli trébucher. « Dites-lui que je suis passé, si vous voulez bien.

— Promis. »

J'ai jeté un coup d'œil dans le sac. Il était plein de photos carrées, en noir et blanc, des images d'une femme à l'air grave devant des fonds immédiatement reconnaissables : la tour Eiffel, la tour penchée de Pise, le Colysée. La femme était belle, Sash en plus jeune, mais avec un nez plus long, plus étroit. Ce ne pouvait être que sa mère.

J'ai refermé le sac et je l'ai planqué sur l'étagère tout en haut du placard, dans la chambre d'amis. À l'époque, je me suis dit que ça lui ferait du mal de voir ces photos. Je me suis justifié intérieurement en me promettant que je les lui montrerais un jour. Pour être honnête, j'attends encore de les ressortir.

Sash a rencontré mes parents assez vite, lors d'un dîner dans un restaurant italien chic. Lorsque nous sommes entrés, maman s'est levée et a tendu à Sash une main raide. « Ravie de vous rencontrer enfin, a-t-elle dit. Je ne crois pas avoir jamais vu mon cher fils si amoureux avec ses anciennes petites amies. » Elle s'est tournée vers moi. « Sauf peut-être avec cette Emma. » Elle a poussé un petit rire sot, comme si c'était une blague, et s'est de nouveau adressée à Sash.

« Emma lui a brisé le cœur en première année de fac. »
Puis, plissant les yeux : « Je vous suggère d'y aller doucement
avec notre fils. »

Mes joues me brûlaient. Papa a simplement salué Sash
d'un hochement de tête lorsqu'elle s'est glissée sur la chaise
à côté de lui. Elle a heurté ses couverts du coude, faisant
tomber un couteau par terre. Papa m'a regardé en haussant
les sourcils.

« Désolée », a dit Sash, en ramassant le couteau. Je ne
pouvais pas la blâmer d'être troublée. Mes parents peuvent
être un peu intimidants, par moments.

« Je promets de bien m'occuper de Mark. » Sash a croisé
ses mains sur ses genoux. « Et on va y aller doucement.

— Très bien, alors. C'est un plaisir de rencontrer enfin
la femme qui semble rendre notre fils si heureux. » La voix
de maman s'est adoucie. « Ça n'a pas toujours été la joie,
dans la famille, vous savez. »

Sash lui a fait un sourire compréhensif.

« Alors bienvenue parmi nous », a dit papa d'un ton
neutre.

Tandis que nous sirotions du prosecco en mangeant des
pâtes, j'ai vu que Sash faisait beaucoup d'efforts pour se tenir
du mieux possible. Normalement, avec ses longues journées de
travail, elle était tellement affamée lorsqu'elle me revenait le
soir qu'elle engloutissait sa nourriture presque sans reprendre
sa respiration. Ce soir-là, elle enroulait les spaghettis autour
de sa fourchette pressée contre sa cuiller. Elle observait une
pause entre chaque bouchée, hochait la tête aux anecdotes
ineptes de ma mère, et souriait aux plaisanteries hasardeuses
de mon père. Lorsqu'elle a placé son couteau et sa fourchette
l'un contre l'autre sur son assiette à la fin du repas, j'ai vu
maman adresser un signe de tête approbateur à papa.

Quand nous avons quitté le restaurant et rejoint notre
voiture sous l'éclairage cru des lampadaires, je savais que mes

parents avaient été impressionnés. Franchement, je l'étais aussi. Impressionné que cette femme, qui avait enduré une enfance si insolite mais avait réussi à s'en sortir si brillamment, parvienne à trouver une place dans une famille aussi dysfonctionnelle que la mienne.

JOUR 1, SAMEDI APRÈS-MIDI

Une femme mince, frôlant les quarante-cinq ans, entre dans ma chambre d'hôpital d'un pas tranquille. Elle pose son attaché-case en cuir fendillé sur le sol et lisse son tailleur en lin blanc. Puis elle se penche par-dessus les barres du lit et récupère mon dossier médical sur la petite table. Tandis qu'elle examine la couverture, elle incline la tête, ses cheveux roux reflétant la lumière du soleil de l'après-midi qui ruisselle par la fenêtre.

« Je m'appelle Karla Niles, dit-elle, s'asseyant finalement au pied du lit. Je suis désolée d'avoir tardé. Je suis venue dès que possible. »

Je fronce les sourcils. « Vous ne faites pas partie de l'administration de l'hôpital, si ? »

Elle retire le capuchon de son stylo-plume.

« Je suis médecin psychiatre. »

Mes mains se mettent à trembler. Je serre les poings et les range sous mes aisselles. J'aspire une grande bouffée d'air qui me picote les poumons.

« Je n'ai pas besoin d'un psychiatre.

— Je vous demande pardon par avance pour les questions intrusives. Il est impératif que je m'entretienne avec vous. »

Il faut absolument que je paraisse détendue. Raisonnable.

Saine d'esprit. Je cale de nouveau ma tête sur l'oreiller et arbore un sourire tranquille.

Le Dr Niles me pose des questions sur la grossesse, l'accouchement, l'apparition de mon fils, et note mes réponses dans le dossier médical avec son stylo-plume luisant. Les minutes s'étirent.

« C'est vraiment utile, tout ça ? » je lui demande.

Elle marque une pause, la plume levée au-dessus du papier.

« Vous savez, votre mari dit que votre bébé lui ressemble. »

Mon ventre se contracte. « Vous avez parlé avec Mark ? »

Elle s'éclaircit la gorge. « Il faut que vous compreniez, dit-elle, la voix docile tandis qu'elle enroule une jambe autour de l'autre, que je suis là pour vous aider. » Puis elle s'aventure sur un terrain inattendu, mon histoire familiale.

Je suis troublée par la nature de sa question, mais après une brève hésitation, je me lance dans l'histoire de ma propre naissance, celle que mon père m'a rapportée si souvent dans mon enfance, la seule histoire sur ma mère qu'il racontait. C'est une histoire que je préfère garder pour moi, me répéter quand elle me manque, mais elle me semble pertinente dans la situation actuelle.

Pendant les vingt premières heures après ma naissance, ma mère n'a pas eu le droit de me voir. Le personnel était trop occupé. Elle était trop faible, ayant perdu beaucoup de sang. Mais elle était déterminée. Elle a exigé que l'on m'amène à elle ; a menacé d'aller me trouver elle-même. « Elle t'aimait déjà tant, disait toujours papa. Elle ne pouvait pas supporter d'être loin de toi... »

Le Dr Niles prend encore quelques notes ; ses doigts effilés tiennent le stylo comme une lance, ses ongles pointus ressemblent à des serres. Puis elle passe aux questions standard d'évaluation de l'état mental du patient, celles que je posais autrefois lors de mon stage en psychiatrie, quand j'étais interne, il y a des années. Avez-vous entendu des voix qui ne semblaient pas provenir de personnes présentes ?

Avez-vous vu quoi que ce soit d'insolite ? Recevez-vous des messages de la télé ?

Non, non et non. J'essuie mes mains moites sur le dessus-de-lit et je nie toute idée de suicide ou d'infanticide.

« Je veux trouver mon bébé, pas la – le – tuer, dis-je, en trébuchant sur les mots.

— Questions standard, répond-elle, infléchissant maintenant sa voix comme si elle chantait une berceuse pour calmer un bébé. Je n'ai plus qu'une question à vous poser. D'après ce que j'ai compris, vos fœtus vous parlaient, avant les fausses couches ? »

L'effarement me réduit au silence. Mark est la seule personne à qui je l'aie jamais raconté. Le Dr Niles m'observe, les paupières tombantes.

« C'était une bêtise que je disais à Mark. Un peu comme une plaisanterie. Je suis surprise qu'il en ait parlé.

— Je vois », dit le Dr Niles, même si elle n'a pas du tout l'air convaincue. Elle referme mon dossier d'un coup sec, puis se lance dans une description du décor de son service pour mère et enfant – des tableaux apaisants aux murs, de la musique douce, des chambres calmes –, sans révéler ce que je sais : il s'agit d'un secteur du service psychiatrique.

Je l'interromps : « Je sais ce que c'est, un service pour mère et enfant. Mais je vais très bien. Vous devez me croire. »

Ses cheveux rouges luisent une fois de plus dans le soleil.

« Votre bébé pourra vous rejoindre dès qu'il sera autorisé à quitter la nursery. »

J'ai l'impression que mes membres sont parcourus d'un tremblement convulsif. J'espère seulement qu'elle ne le voit pas.

« Je ne crois vraiment pas avoir besoin de... »

Ursula apparaît à la porte. « Il y a un appel urgent pour vous, Karla, dit-elle sans me regarder. Une histoire de transfert d'embryon reprogrammé ? »

Le Dr Niles s'excuse et sort avec Ursula, et leurs voix diminuent en même temps que leurs pas dans le couloir. Son attaché-case est toujours à côté du lit. Mon dossier médical est fermé sur le plateau. J'ai le droit de le lire, forcément ? Pour savoir ce qu'ils disent de moi.

Tout reste silencieux à l'extérieur de ma chambre. Les bébés doivent être en train de téter, ou de dormir. Je parviens à me hisser au bord du lit et à poser les pieds par terre. Une chaleur cuisante me transperce le ventre. Je me mords la langue pour étouffer un gémissement et me traîne jusqu'à la porte. Le bureau des infirmières en face de ma chambre est vide. Le couloir est désert. Je me tourne vers la table. Lorsque je prends le dossier, le stylo-plume du Dr Niles tombe par terre. Je m'immobilise et tends l'oreille. Rien.

Je m'assois sur le bord du matelas et ouvre le dossier. Mes doigts s'engourdissent lorsque j'examine mon nom, imprimé en épaisses majuscules noires au coin de la page, à côté d'un numéro d'identification à six chiffres.

La feuille du dessus est une Demande : le premier de deux formulaires qui doivent être signés par deux médecins différents pour certifier qu'un patient est malade mental. Ils ne pensent pas sérieusement que je suis folle ? En général, je lis vite, mais aujourd'hui j'ai besoin de suivre les mots avec mon doigt pour les comprendre. Au moins, je peux extraire les informations dont j'ai besoin dans un dossier médical plus vite que la plupart des gens.

En bas de la page, la Demande est signée. *Dr Solomon.* La page du dessous est une Recommandation. Il y a un espace blanc à côté du nom du Dr Niles, prêt à recevoir sa signature.

Putain de merde !

Si le Dr Niles signe ça, je serai internée. Hospitalisée contre mon gré dans le service mère-enfant. Ils m'observeront, me surveilleront. Je ne pourrai pas m'en aller. Et quand je trouverai enfin ma petite fille, le fait d'être internée en psychiatrie pourrait les faire hésiter à me la rendre.

Je feuillette les autres pages, les mots deviennent nets et ma vision se rétrécit. Mon admission, la césarienne, l'anesthésie. Tout est là, griffonné en jargon médical. Je lis chaque ligne, tentant de la retenir, avec le sentiment envahissant que tout cela est en train d'arriver à quelqu'un d'autre. Pas à moi. Forcément pas à moi.

Les notes des infirmières de ce matin sont vers la fin du dossier.

07:00 : *Mère confuse, fait erreur sur le sexe du bébé.*

Je n'en reviens pas qu'elles aient noté ça. Mes questions s'appuyaient sur des tests médicaux. Je n'étais absolument pas confuse.

12:00 : *Patiente agitée, refuse les médicaments et tentatives d'analyses sanguines.*

M'est-il déjà arrivé de déformer ainsi les propos de mes patients ?

13:30 : *Le personnel de la nursery du service de néonatologie rapporte que le bébé de la patiente a fait une apnée pendant qu'il se trouvait sous sa garde. Circonstances exactes inconnues.*

Sauf par moi. Ils ne pensent quand même pas que j'ai essayé de lui faire du mal ? Je frémis, ma respiration se bloque dans ma gorge. Je tourne la page, et j'arrive aux notes que le Dr Niles a prises aujourd'hui.

« *Sait d'instinct* » *que son bébé n'est pas le sien.*

Nie toute idée de suicide/d'infanticide, mais à noter les inquiétudes des sages-femmes à ce sujet.

Des larmes me montent aux yeux. Je bats des paupières pour les refouler. Je vais avoir besoin de toute ma force pour ce qui se prépare. Ils avaient écouté ma mère en fin de compte, lui avaient amené son bébé grâce à son insistance réitérée. Pour une raison ou pour une autre, en ce moment, ils choisissent de ne pas m'écouter.

Depuis les périphéries obscures de mon cerveau, une idée se précise. Je pourrais dénicher le registre des naissances, l'énorme livre noir contenant la liste de tous les nouveau-nés, les détails de chaque accouchement, écrits à la main. Dans les hôpitaux où j'ai travaillé, il était toujours conservé au bureau des infirmières. Il doit contenir la date et l'heure de naissance de chaque bébé né à l'hôpital. Dieu merci, le système de santé est très en retard, par rapport à toutes les autres industries, dans le processus de numérisation. Tous les renseignements sur mon propre bébé doivent se trouver dans ce registre.

Mon abdomen m'élance tandis que mes pieds glissent rapidement sur le sol. Mes jambes sont des bâtons chancelants, près de céder d'un instant à l'autre. Je prends appui sur le mur.

Le bureau des infirmières est encore vide, le service d'un calme inquiétant. Il n'y a personne. Sans doute prennent-elles leur pause thé de l'après-midi, la pause pour laquelle je n'avais jamais le temps lorsque j'étais interne. Je jette un coup d'œil par-dessus le rebord en Formica marron passé. Pas le moindre signe d'un registre des naissances.

« Qu'est-ce que vous faites encore debout ? »

Ursula sort du bureau du fond, les mains sur les hanches.

Ma langue s'empâte. « Je voulais regarder le registre des naissances. J'aurais aimé savoir qui était présent à l'accouchement. »

Ursula fronce les sourcils. « Toutes ces informations se trouvent dans le livret de votre bébé. Vous pouvez le lire à la nursery. Mais pour l'instant, il faut retourner vous coucher. Vous avez besoin de repos, Sasha.

— Où est le registre des naissances ? » J'essaie de parler d'un ton désinvolte.

Elle paraît déroutée. « Tout est enregistré dans l'ordinateur, de nos jours. »

Tout ce qui a changé depuis mon stage en obstétrique ; et tout ce qui n'a pas changé. Je titube jusqu'à ma chambre, les yeux d'Ursula sur moi, comme ceux d'une chouette.

De retour au lit, le drap me fait frissonner le cou tandis que je passe mentalement en revue mes contacts. Bec est la seule personne à laquelle je pense qui pourrait me soutenir, me comprendre.

À l'école, Bec avait tendance à traîner avec son propre groupe d'amies, au centre de la cour carrée. Elles jouaient à l'élastique, à l'épervier, et plus tard, vers la fin de l'école primaire, tout le gang traînait au soleil, échangeant des potins en riant. Je mangeais toujours mes sandwichs à la Vegemite toute seule sous un eucalyptus dans le coin le plus éloigné de la cour. Les autres filles ne m'aimaient pas, apparemment. Ça ne me gênait pas trop. Je savais que j'étais différente.

Un jour, chez Bec après l'école, elle a éteint la télé à la fin de *Neighbours*. « Ce n'est pas que les autres filles ne t'aiment pas, a-t-elle expliqué. C'est juste que tu es toujours la première de la classe. Peut-être que si tu ne faisais pas tant d'efforts, elles te laisseraient t'intégrer au groupe. »

Je ne voulais pas faire partie de leur bande. Jouer avec Bec presque tous les jours après l'école me suffisait.

Au lycée, ça a continué de la même manière. Je me concentrais sur mes études, passais mes pauses déjeuner à la bibliothèque. À la fin de la terminale, je suis entrée en fac de médecine. Bec, qui, durant toute sa scolarité, avait brillamment réussi sans avoir l'air de travailler, se destinait au départ à une carrière juridique. À la dernière minute, elle avait elle aussi opté pour la médecine. À la fac, Bec faisait beaucoup la fête. Moi j'étais plutôt du genre à rester à la maison le week-end. Je lui refilais mes notes de lecture, l'aidais à réviser pour ses examens. Ce n'est que lorsque nous sommes arrivées à la spécialisation que nos chemins se sont séparés.

Bec s'est installée à Londres avec une bourse d'études pour compléter sa formation d'urgentiste. Elle s'est mariée avec Adam, et ils se sont établis là-bas. Avec des océans entre nous, notre amitié s'est peu à peu essoufflée. Dans nos correspondances épisodiques, je l'encourageais toujours à rentrer au pays. « Peut-être l'an prochain, Sash », répondait-elle en général.

C'est à l'enterrement de Lucia que nous nous sommes retrouvées. Bec m'a avoué qu'elle avait du mal à tomber enceinte. Mark et moi connaissions les mêmes difficultés. Avec Bec, nous avons alors ravivé notre ancienne amitié ; nous nous appelions après chaque cycle manqué, et après mes fausses couches, pour nous réconforter. Nous nous sommes téléphoné plusieurs fois par semaine pendant des années, discutant chaque résultat d'analyse et évaluant le pour et le contre de chaque option possible. Enfin, jusqu'à ce que je m'aperçoive que j'étais de nouveau enceinte. Je lui ai envoyé immédiatement un texto avec la nouvelle, avant tout le monde, même avant Mark. Elle n'a pas téléphoné, pas ce soir-là, ni le suivant. Il m'a fallu quelques semaines pour réaliser qu'elle n'appellerait peut-être plus jamais.

Lorsqu'elle a fini par le faire, plusieurs semaines après, tout ce qu'elle a dit, c'est : « Félicitations, Sash. Tu es toujours arrivée la première, de toute façon. »

Depuis ce soir-là, c'est difficile de la contacter. Elle est occupée : travail, consultations pour la FIV, obligations familiales. Je n'ai pas voulu être lourde. Après tout, je sais mieux que quiconque ce qu'elle est en train de vivre. Mais cette fois elle décroche à la première sonnerie.

« Sash ! » Elle bâille. « Mon Dieu. Il est 6 heures du mat, ici.

— Je suis vraiment désolée, Bec. Je ne savais pas qui d'autre appeler.

— Oh, ne t'en fais pas. Mon emploi du temps est chaotique, en ce moment. Et je dois bosser ce matin, de toute façon. Alors tu tiens le coup ? »

Je tire le plaid de mon enfance du sac à côté de mon lit et l'étale sur mes genoux. *Si je tiens le coup ?* Mark a dû tout lui raconter.

Bec est aussi la première personne que j'ai contactée il y a toutes ces années lorsque Mark a refusé de faire une FIV. Il ne voulait pas que ses enfants commencent leur vie dans un tube à essai. « Une boîte de Petri », l'ai-je corrigé. Et il ne voulait pas me voir souffrir. « Je souffre déjà », lui ai-je dit.

J'avais toujours l'impression qu'il existait une autre raison à son refus de la FIV. Je sentais qu'il me cachait quelque chose, mais j'avais beau insister, je n'arrivais pas à le faire parler. Je n'étais pas Simon ; je n'avais pas de cancer, je n'avais pas besoin de chimiothérapie, je n'allais pas mourir. Alors, voulait-il seulement avoir des enfants avec moi ? « Bien sûr que oui », répétait-il. Alors pourquoi ne pas tenter la FIV ? Chaque fois que je posais la question, il secouait la tête et se détournait.

« Qu'est-ce qui est le plus important, Sash, m'a dit Bec à l'époque, un mari ou un bébé ? » Je savais que je ne voulais pas être mère célibataire. Aussi, je suis restée. J'ai espéré. Et attendu. La persévérance, la patience et Bec m'ont aidée à tenir pendant les années d'infertilité. Malgré la distance qui s'est creusée entre nous au cours des derniers mois, je suis certaine qu'elle me soutiendra aussi dans cette affaire d'échange de bébés.

« Alors tu connais toute l'histoire ?

— Quelle histoire ?

— Mark ne t'a pas appelée ?

— Il aurait dû ? Qu'est-ce qu'il y a, Sash ? Quelque chose ne va pas ? »

Je porte mon plaid à mon nez. Il sent mon enfance, il me rappelle ma mère, et Bec.

« Oh, Bec ! Tout est foutu. Il y a eu un accident. Je ne suis pas blessée, mais j'ai dû subir une césarienne en urgence. J'ai eu une anesthésie générale, donc j'étais endormie pendant la naissance. Après mon réveil, je me suis aperçue que le bébé qu'ils disent être le mien n'est pas le mien. Je ne sais pas du tout comment ça a pu arriver. C'est une confusion, une erreur. Mais toute l'équipe refuse de me croire. Même Mark ne veut pas m'écouter. Ils pensent que je suis cinglée. Mais je ne le suis pas, Bec, je ne le suis pas. Je sais que lui n'est pas mon bébé. »

Elle pousse un soupir dans le téléphone.

« Oh ! là là ! Sash. Bon Dieu, OK. Je ne sais même pas quoi dire. C'est énorme. Je pensais que tu avais enfin tout ce que tu voulais. » Je me demande fugacement si quelque part elle n'est pas heureuse d'apprendre que les choses ont si mal tourné pour moi. « Attends, tu as dit "lui" ? Tu as eu un garçon, Sash ? Je croyais que tu attendais une fille. »

Je suis à la limite de sangloter. « L'échographie disait que c'était une fille. J'avais la sensation que c'était une fille, moi aussi. Mais l'hôpital maintient que c'est un garçon.

— C'est vraiment bizarre. Et tu es sûre à 100 % que le bébé n'est pas le tien ? »

Je ravale mes larmes. Même si personne d'autre ne me croit, j'ai besoin que Bec soit avec moi.

« Tu te rappelles ce petit ami que tu avais, dont tu pensais qu'il était gay ?

— Daniel.

— Et l'autre mec, il y a des années, celui dont tu savais d'instinct qu'il te trompait ? C'est la même chose. Je sais que j'ai raison. Rien ne va comme il faut, Bec. Je sens que ce n'est pas le bon quand je le tiens dans mes bras, ce bébé.

Quand je le regarde. » Rien qu'en les prononçant, je me rends compte de l'effet que doivent produire mes mots.

« Ça ne pourrait pas être la nervosité d'une première maternité ? Le baby blues ? Une dépression post-partum ? Quelque chose comme ça ?

— Non. » Bien que ce soit sans doute ce que pense Mark. Et la psychiatre aussi. Mais je me connais. Je ne suis pas déprimée, perturbée ou délirante. Et je connais mon bébé. J'ai porté cette vie à l'intérieur de moi pendant ces huit derniers mois. Toby n'est pas mon enfant.

« Tu as regardé les autres bébés pour voir si le tien ne pourrait pas se trouver ailleurs dans la nursery ?

— Oui, c'est fait.

— Tu es sûre ? Seulement une fois ? Il faut que tu vérifies de nouveau, Sash.

— OK. » Dieu merci, Bec est de mon côté. J'ai désespérément besoin de son optimisme. Je ne veux pas retourner à l'état d'esprit qui était le mien pendant ces sombres années d'infertilité, au moment où je commençais à désespérer de mes chances d'avoir un enfant, mais aussi de mon mariage. Il y a eu un temps où j'avais le sentiment d'avoir tant déçu les attentes de Mark que j'arrivais à peine à le regarder dans les yeux. Je lui ai même dit qu'il devrait songer à me quitter. Il m'a fait taire, bien sûr, m'a dit que c'était ridicule. Cependant je ne l'aurais pas blâmé s'il en avait eu envie. La séparation de mes parents m'a enseigné très jeune que, parfois, l'amour ne suffit pas.

Au début de cette grossesse, à notre rendez-vous d'échographie avec le Dr Yang, j'étais assise, le dos droit, à l'extrémité opposée du canapé dans la salle d'attente, les jambes croisées, me tenant à l'écart de Mark, et je feuilletais des numéros de *Time Magazine* en jetant des coups d'œil furtifs aux autres couples, plus heureux. Mark tapait du pied sur la moquette tandis que mon corps se raidissait en prévision d'un fœtus atrophié. Le Dr Yang est sortie de son bureau, le bras tendu comme une ouvreuse, et nous a dirigés vers l'espace stérile où je me suis déshabillée derrière un rideau avant d'enfiler une blouse d'hôpital. Je me suis installée sur le fauteuil d'examen en plastique, qui collait à l'arrière de mes cuisses, Mark à côté de moi, si bien que je pouvais serrer sa main moite dans la mienne, les jambes écartées. C'était le contact le plus intime que nous ayons eu depuis la conception. J'ai serré les dents lorsque le Dr Yang a inséré la sonde lubrifiée dans mon vagin.

« Prêts ? » a-t-elle dit, et elle nous a montré une image du fœtus sur l'écran, indiquant le cœur qui battait, l'os nasal, les membres filiformes. Tout cela était bon signe, des choses que nous n'avions pas encore vues lors de nos précédentes échographies, et j'ai essayé de sourire, vraiment j'ai essayé, et Mark m'a rendu mon sourire et j'ai espéré que le gouffre entre nous n'était pas trop large pour être comblé maintenant que ça fonctionnait pour la première fois.

Ensuite, lorsque nous sommes ressortis sous le soleil, j'ai pris sa main, défiant tous ceux qui nous croiseraient de deviner tous les efforts que je faisais pour faire semblant que notre mariage était vraiment, absolument heureux.

La voix de Bec me ramène brusquement au présent.

« Écoute, Sash, je te crois, je te soutiens complètement – je sais que tu me soutiendrais si j'étais dans la même situation. C'est l'instinct maternel. Et il ne trompe pas. Ce n'est pas étonnant qu'ils ne te croient pas. C'est un classique, non ? Tu as lu les études ? La douleur des femmes n'est pas prise en considération dans les services d'urgence. Ça arrive tout le temps ici aussi, en Angleterre. Et tu n'as jamais vu ça quand tu étais interne en pédiatrie ? Tu sais, ils décrètent que la mère est anxieuse, et on ignore la maladie de l'enfant.

Ou le personnel soupçonne les mères d'essayer de rendre leurs enfants malades.

— Je n'ai rien fait de mal.

— Moi je le sais bien, dit-elle d'une voix apaisante. Il faut que tu t'assures qu'ils le sachent eux aussi. Ces études qu'on a vues en fac de médecine, tu te souviens ? » Elle détaille l'expérience de Rosenhan, où des assistants de recherche avaient fait semblant d'entendre des voix. Aussitôt admis dans des hôpitaux psychiatriques, ils avaient déclaré qu'ils n'entendaient plus rien. Ils étaient restés enfermés, n'avaient pas pu sortir pendant des semaines, avant de parvenir enfin à convaincre les psychiatres qu'ils étaient sains d'esprit. Bec marque une pause pour prendre sa voix la plus sérieuse. « Une fois qu'on t'a collé une étiquette, c'est difficile de t'en débarrasser. Alors pour qu'ils te croient, il faut que tu te comportes de façon tout à fait raisonnable. Non, oublie ça. De façon plus que raisonnable. Compris ?

— J'essaie.

— J'en suis sûre. »

Nos années d'expérience commune s'enroulent telle une écharpe de laine autour de mes épaules, douce et chaude. Quelque part je suis surprise que, après m'avoir évitée durant ces derniers mois, elle soit si prompte à me croire ; mais sa confiance me fait chaud au cœur.

Elle reprend, pleine d'enthousiasme :

« J'ai une autre idée. Et si j'appelais le service en me faisant passer pour une amie d'une des mères qui ont accouché aujourd'hui ? Comme ça je pourrais avoir le nom des autres bébés et te les transmettre. On peut enquêter à deux.

— C'est ridicule, Bec. Ça ne marchera jamais. »

Elle pousse un soupir sceptique. « Bon, d'accord. N'empêche, si le personnel est si arrogant que ça, ils devraient être prêts à prouver qu'ils ont raison.

— Ils refusent de me prendre au sérieux.

— Il faut que tu insistes davantage.

— Mark est en train de leur parler. J'espère qu'il va réussir à faire bouger les choses. » Je serre le plaid contre ma poitrine, m'imaginant dans les bras de ma mère. Si elle était là, saurait-elle quoi faire ?

« J'espère qu'il va pouvoir arriver à quelque chose. Mais, Sash, il faut que tu te comportes de façon raisonnable. Comme je sais que tu l'es. Rappelle-toi : complètement, profondément saine d'esprit. Ne leur laisse pas la moindre raison d'en douter. »

Je suis saine d'esprit. Je le sais. Il y a quelque chose, toutefois, qui me donne l'impression que mon cœur est un rocher écrasant dans ma cage thoracique.

« Tu ne crois pas que ça pourrait être que mon bébé est mort, hein ? Ils seraient obligés de me le dire, pas vrai ? » Je m'efforce de contenir le tremblement dans ma voix.

« Ton bébé est en vie, m'assure Bec. Et tu vas la trouver. Ou le trouver. Il faut juste que tu cherches mieux. »

Mais son intonation me paraît plus creuse que jamais auparavant. En est-elle vraiment certaine ? Je n'ai pas d'autre choix que de la croire. Je l'entends avaler sa salive.

« Sash, je suis désolée de ne pas pouvoir être à tes côtés. »

Je mords ma lèvre inférieure. Elle *pourrait* venir, non ?

« Je voudrais pouvoir, je te le jure. Mais il ne m'est pas possible de repousser une séance de FIV pendant un mois, pas avec la donneuse d'ovocytes. Les délais sont serrés. J'ai une transplantation embryonnaire prévue pour la semaine prochaine. »

La dernière fois que nous nous sommes parlé, Bec m'a appris que ses ovocytes avaient été déclarés impropres à la conception. « C'est des œufs brouillés », a-t-elle dit avec un gros rire. Elle et Adam ont passé des heures à étudier des dizaines de profils de donneuses, tentant de sélectionner la description qui se rapprochait le plus de ses propres caractéristiques physiques.

« Il y a aussi un donneur de sperme ? » ai-je demandé, me rappelant que les spermatozoïdes d'Adam n'étaient pas exactement de première qualité.

« Adam a refusé, a-t-elle dit. Il ne veut pas d'un enfant qui ne soit pas biologiquement le sien. »

Mais ça ne le gêne pas que tu ne sois pas la mère biologique, par contre ? ai-je eu envie de répondre. Je me suis tue. Je comprenais ; elle aurait fait n'importe quoi pour avoir un bébé. J'avais été pareille.

Ce n'est que lorsque Bec a dit qu'ils n'avaient pas l'intention de révéler au futur enfant qu'ils avaient fait appel à une donneuse d'ovocytes que je me suis éclairci la gorge.

« Tu ne crois pas que l'enfant aura le droit de connaître ses parents biologiques ?

— Ce sera notre enfant. Ça ne sert à rien de lui en parler.

— Qu'est-ce qu'ils ont suggéré, à la clinique ? »

Elle a ri. « La clinique, tout ce qu'ils veulent, c'est l'argent. Ils nous laissent faire ce qui nous chante. »

Peut-être Mark a-t-il eu raison de refuser l'option FIV, qui pose tant de questions sans réponses claires. Laisse tant de place à des blessures, et des erreurs.

« Je comprends pourquoi tu ne peux pas revenir en Australie pour l'instant, dis-je, tentant de camoufler le désespoir dans ma voix. Tu vas tomber enceinte très bientôt, j'en suis certaine. » Ce n'est pas le cas, mais ça je ne peux pas le lui dire. Nous avons entretenu nos espoirs respectifs pendant si longtemps : je ne peux pas me défiler maintenant.

Avant que je raccroche, Bec se met à me décrire une atroce fête prénatale à laquelle elle a été forcée d'assister récemment : des jeux consistant à coller des autocollants en forme de spermatozoïdes sur un œuf, à deviner le parfum de petits pots pour bébés, à goûter une barre de chocolat fondue au micro-ondes dans une couche. Son histoire me donne envie de hurler. Agrippée au plaid qui m'enveloppe, je m'efforce d'écouter, de rire quand il faut, mais il m'est impossible de feindre de l'intérêt. Ne comprend-elle pas ce que je suis en train de vivre ?

Bec entend que ma voix se brise et s'arrête.

« Tu sais, tu t'en sors toujours, Sash. Ça aussi, ça va bien se terminer. Tu vas retrouver ton bébé très bientôt. J'en suis sûre. » Je l'entends respirer profondément. « Sash, je suis désolée de ne pas t'avoir appelée ces derniers temps. Je voulais le faire. Mais c'était trop dur ; toi, enceinte, et tout. J'espère que tu comprends. »

Et oui, je comprends.

Une fois l'appel terminé, je ferme les yeux et tente d'imaginer le flux et le reflux de ma respiration dans ma poitrine. Ça m'a aidée pendant les interminables tests d'infertilité. À présent, dans la chaleur lourde de ma chambre, mes poumons sont contractés comme une digue en pierre.

Le plaid est froid sur mes genoux. Je serre mon téléphone contre ma poitrine, douloureusement consciente de l'étendue des océans, des milliers de kilomètres qui nous séparent, Bec et moi.

DEUX ANS PLUS TÔT

MARK

J'avais déjà vu Sash triste. Je veux dire *vraiment* triste.
Mais il y avait quelque chose dans les fausses couches qui
ôtait toute lumière de son visage. Cela faisait au moins six
ans qu'on essayait, six ans d'attente, de frustration, d'ennui
et de déception – et tout est arrivé d'un coup.

Ce n'était pas exactement une fausse couche, lui ont dit
les médecins. Ce n'était pas encore un bébé. Ils parlaient
d'une *grossesse chimique.* Je comprenais ce qu'ils essayaient
de dire, qu'il n'y avait pas eu d'être humain formé dans son
utérus. Sash, bien sûr, l'a mal pris.

« Je suis quoi, une usine d'armes nucléaires ? » a-t-elle dit
à table un soir peu après la première fois. Elle découpait en
dés minuscules, à l'aide d'un couteau à steak, la poitrine de
porc que j'avais mis des heures à préparer à la perfection.

« Tu n'en étais qu'à cinq semaines, ai-je dit. Celui-ci
n'était sans doute pas destiné à voir le jour. »

J'essayais de l'aider, de la déculpabiliser, mais apparemment ce n'était pas non plus la chose à dire.

Ses yeux sont devenus vitreux. Puis elle a baissé la tête.

« Je l'ai senti à l'intérieur de moi, a-t-elle dit. Il m'a parlé
avant de partir. »

J'ai arrêté net de mastiquer en pleine bouchée. « Ah bon ? »

Il lui avait parlé, a-t-elle répété dans un murmure. Des mots inintelligibles, comme le babil d'un enfant dans la pièce d'à côté.

« Ah ouais. Un enfant dans la pièce d'à côté.

— Non, ce n'était pas une parole nette. Pas des mots ou des phrases entières. Peut-être que c'était plutôt l'impression que quelqu'un était là. À peine audible, mais présent. »

Ma fourchette est tombée sur mon assiette avec fracas. « Je ne comprends pas. »

Une présence. C'était tout. Elle ne pouvait pas en dire plus. Ce n'était pas une chose qui pouvait être définie clairement.

Sash n'est pas religieuse, pas même spirituelle. Ce genre de phénomènes ne lui arrivent pas. Ni, d'ailleurs, à nous. Je n'ai jamais entendu la voix de Simon dans ma tête. Je dois l'évoquer intérieurement chaque fois que je prends une décision : j'imagine ce qu'il dirait, ce qu'il ferait. J'ai dit à Sash que je ne comprenais pas, qu'il fallait qu'elle me réexplique.

La connaissant, comment pouvais-je ne pas la croire ?

J'ai décidé de planter un arbre. Pour Sash. Pour le bébé. C'était le moins que je puisse faire.

Tout en bas de notre propriété, à la lisière du bush, j'ai creusé un trou dans le sol poussiéreux. Il n'était pas tout à fait visible de la maison, de sorte qu'il lui faudrait s'y rendre volontairement si elle avait besoin de se recueillir. De mon point de vue, elle avait déjà passé beaucoup de temps à faire le deuil d'une grossesse qui n'était pas faite pour durer. Je ne le lui aurais jamais dit, bien sûr. Au lieu de ça, j'essayais de la pousser à se concentrer sur l'avenir, sur les choses qu'elle pouvait contrôler.

Au cours de l'été et jusqu'à l'automne, elle a continué à culpabiliser. Ce n'était guère surprenant, c'est un de ses sports préférés. Un jour, c'était la gorgée de champagne qu'elle avait acceptée à une réception professionnelle, le lendemain, la cuiller de pâtes au gorgonzola que j'avais préparées pour notre anniversaire de mariage. Je ne savais jamais quoi dire. J'étais assez certain qu'elle avait tort, que c'était de la malchance pure et simple, mais c'était elle le médecin. N'était-elle pas mieux placée que quiconque pour comprendre pourquoi les choses avaient mal tourné ?

Cet hiver-là, c'était devenu une obsession pour elle. Tomber enceinte, elle n'avait plus que ça à l'esprit. Au moins, ça lui évitait de penser à Damien, donc j'étais plutôt content de l'écouter énumérer les nouvelles méthodes d'accroissement de la fertilité qu'elle avait trouvées.

Plus de nourriture ou de boissons qu'elle jugeait malsaines : produits laitiers, gluten, alcool, caféine. Franchement, il ne restait pas grand-chose sur la liste. Puis il y a eu le yoga. L'exercice. Et, pire que tout, les herbes chinoises qu'elle faisait bouillir trois fois par jour, emplissant notre maison d'une odeur de dépotoir.

J'ai essayé de lui faire entendre que les extrémités dans lesquelles elle se retranchait n'allaient pas forcément provoquer une grossesse. Elle a refusé d'écouter. Qu'est-ce que j'en savais ? Je n'avais pas senti une vie se développer à l'intérieur de moi, disait-elle. *Non*, aurais-je voulu répondre, *mais j'en vois une s'étioler sous mes yeux.*

Après la deuxième fausse couche, cet hiver-là, avec les flocons de neige qui fondaient dehors en tombant sur l'herbe, j'ai choisi un eucalyptus. La pelle a failli se briser lorsque j'ai creusé le sol gelé. Mais c'était important. La seule chose qu'il me semblait pouvoir faire.

Une fois que j'ai eu tassé la terre autour de l'arbuste, j'ai entendu un bruissement derrière moi. Sash, munie de deux tasses de café fumant. Elle m'en a tendu une, puis a désigné une traînée blanche qui fendait la couche de boue séchée sur ma joue.

« Tu as pleuré, a-t-elle dit.

— C'est de la sueur.

— Il fait trop froid pour transpirer. » Des nuages de vapeur s'échappaient de sa bouche.

« Alors c'est la pluie. »

Elle a tendu la main, paume en l'air, pour voir s'il tombait des gouttes.

« Tu n'as pas pleuré du tout ? »

J'ai pris une gorgée de café, haussé les épaules.

« Oh mon Dieu ! » Elle s'est mordu la lèvre.

Une brume s'est élevée autour de nous tandis que des gouttelettes de pluie se mettaient à nous éclabousser comme des pointes d'aiguilles. Nous n'avons jamais reparlé des grossesses chimiques – les fausses couches.

Un soir, l'automne suivant, en rentrant du travail, je l'ai trouvée dans la cuisine. Elle tranchait des citrons verts du jardin sur une planche à découper en bois. Ses yeux étaient illuminés comme des chandelles. J'ai glissé mon bras autour de son ventre.

« Tu as de bonnes nouvelles ?

— La meilleure. »

La peau de son cou sentait un peu le sel.

« Félicitations. Je croise les doigts, en espérant qu'il s'accroche, celui-là.

— Il est déjà accroché », a-t-elle dit. Elle a levé un citron entier dans sa paume, la peau luisante. « Tu arrives à croire que notre bébé fait déjà cette taille ? J'en suis à douze semaines aujourd'hui. »

Je me suis écarté, puis assis lentement sur le tabouret.

Elle avait voulu me faire la surprise, a-t-elle dit. Ça, j'étais surpris. Elle préférait ne pas s'emballer, étant donné ce qui s'était passé les deux dernières fois. Bien sûr qu'elle me l'aurait dit, si ça n'avait pas marché. Je me suis demandé si elle disait la vérité à ce sujet.

« Maintenant on peut être heureux, a-t-elle dit. Tu es heureux, n'est-ce pas ? »

Je l'étais. Mais il n'était pas question que je me laisse aller à l'euphorie tant que Sash ne tiendrait pas notre bébé dans les bras.

J'avais arrosé les arbrisseaux trois fois par semaine pour leur faire traverser l'été aride. Les kangourous les attaquaient par-dessus le grillage, pillant les feuilles sur les brindilles. J'ai construit une clôture plus haute et l'ai renforcée avec une double couche de fil de fer barbelé. J'espérais bien que ça suffirait à les maintenir en vie jusqu'aux pluies de l'automne.

JOUR 1, SAMEDI APRÈS-MIDI

La porcelaine du lavabo de la salle de bains privative est froide sous ma paume. Je m'y accroche pour garder mon équilibre tandis que j'appelle la salle de travail avec mon portable. J'espère que l'idée de Bec va fonctionner.

« Comment puis-je vous aider ? » Une voix rauque, ferme. C'est Ursula qui a décroché.

J'essaie d'imiter l'inflexion chantante de Bec, avec une touche d'accent britannique.

« Une de mes parentes a accouché aujourd'hui. J'étais en train de lui parler mais ça a coupé. Vous pourriez me la repasser ?

— Comment s'appelle-t-elle ?

— C'est la... femme de mon cousin. Son bébé est né aujourd'hui. On m'a passé la mauvaise mère tout à l'heure – la mère de Toby ? » Je fais un rire gêné.

« Je suis désolée, il me faut un nom. »

Je n'ai qu'un autre nom à proposer. Je le dis tout haut. Saskia Martin, le nom qu'Ursula m'a attribué par erreur. J'espère seulement que c'est l'autre mère. Il ne peut pas y avoir tellement d'autres femmes qui ont accouché ici aujourd'hui.

« Ah, vous voulez parler à Saskia. Je vous la passe tout de suite.

112

— Vous savez quoi, ne prenez pas cette peine, en fait. Je ne voudrais pas la déranger encore. Peut-être que je viendrai leur rendre visite cet après-midi, à elle et au bébé. Je la retrouverai dans le service.

— Je crois que vous feriez mieux de lui parler maintenant. Elle risque de ne pas être là cet après-midi. Son bébé a été transféré à St. Patrick's par avion cet après-midi. »

Un code d'urgence retentit dans les haut-parleurs de l'hôpital. Je couvre le micro de mon portable, un peu trop tard, et raccroche. Je me carapate jusqu'à mon lit aussi vite que je le peux, dissimule le téléphone sous mon oreiller et tire les couvertures sur moi. Des pas feutrés se font entendre dans le couloir. Je ferme bien les paupières. Les pas s'arrêtent devant ma porte.

Une sonnerie sourde résonne un peu plus loin dans le couloir. Les pas s'éloignent vers elle.

St. Patrick's. À quelques heures d'ici en voiture. Je sors mon téléphone de sous l'oreiller, trouve le numéro de l'hôpital et le compose. J'ai le cœur sur les lèvres. Je demande à l'accueil de me passer les infirmières de la nursery du service de néonatologie.

J'ai le bout des doigts qui picote lorsqu'une femme décroche.

« Ici Ursula, dis-je. Je suis une des sages-femmes du Mater. Je voulais prendre des nouvelles d'un bébé que nous avons transféré un peu plus tôt dans la journée. Le bébé de Saskia Martin. Comment va-t-il ?

— Oh, la petite va bien. »

Une fille ?

« Ils l'ont appelée Isobel. »

Ça doit être elle. Mon bébé. Apparemment, j'avais raison, j'ai bien eu une fille, en fin de compte. Mon cœur s'élève tel un oiseau dans un courant ascendant.

« Nous avions l'intention d'appeler pour demander à quelqu'un de votre hôpital comment on a pu laisser la grossesse de Saskia se prolonger de trois semaines après le terme ? Saskia ne peut pas l'expliquer elle-même. Ce n'est pas votre protocole, en principe, si ? »

Oh non. Mon cœur se dégonfle comme un ballon crevé. Il n'y a qu'une chose dont je sois certaine : mon bébé est né prématurément. Isobel n'est pas à moi. Ma seule piste, évaporée. Et à ce qu'il semble, cet hôpital ne s'est pas bien occupé de sa mère. Ce qui correspond avec le traitement inique qu'ils me font subir.

« Je dois y aller », je murmure, et sans attendre la réponse, je coupe la communication. Mon corps est une planche de bois sous les draps tandis que je presse mes paupières, tentant de refouler mes larmes.

Lorsque j'appelle Mark, ça sonne occupé. Ensuite j'essaie le portable de papa. Il décroche à la seconde sonnerie. Je fais de l'hyperventilation, ma respiration bondit dans ma gorge.

« Tiens, Sasha, je viens tout juste de rentrer.

— Papa, ils me prennent pour une malade mentale. » Je compte mes respirations, tentant de les apaiser. « Je crois qu'ils vont m'enfermer dans le service psychiatrique. » Je m'arrête, comme incapable de le croire moi-même.

Papa garde le silence quelques secondes.

« C'est parce que tu crois que ton bébé n'est pas le tien ?

— Qui t'a dit ça ?

— Mark est inquiet. »

Mon cerveau cogne dans ma tête. Mark devrait être en train de chercher notre bébé, pas de raconter des choses sur mon compte au Dr Niles, ou d'appeler mon père dans mon dos.

Papa commence à radoter sur la partie de golf qu'il a prévue demain. Je sais qu'il essaie de faire comme si rien de tout cela n'était réel. Il ne supporte pas les émotions ; il n'y croit pas, il l'a dit un jour. Je réfléchis à la meilleure façon de le mettre de mon côté. C'est un comptable à la retraite. Il aime les mots croisés. Lorsque j'avais dix-sept ans et que j'ai voulu assister à l'after de la cérémonie du lycée, j'ai dessiné une feuille de calcul, un budget et une proposition. Ça a marché. Peut-être cette fois encore puis-je faire appel à son sens de la logique.

« Papa, ce n'est pas dans ma tête. Ça arrive, ce genre de choses. Et je n'inventerais jamais un truc pareil. C'est comme le harcèlement sexuel. Ou les agressions. Les statistiques prouvent que les femmes ne mentent pratiquement jamais à ce sujet. C'est juste que les gens préfèrent ne pas les croire.

— Tu essaies de me dire que tu as été agressée, Sasha ? » Je grogne. « Non, papa. »

Je réalise à cet instant que mon propre père ne me connaît pour ainsi dire pas. Peut-être ne m'a-t-il jamais connue. Quand j'étais petite, il venait me chercher chez Bec longtemps après le coucher du soleil, me ramenait à la maison, et repartait travailler avant l'aube. Je me réveillais dans une maison vide, où flottait une odeur de toast brûlé. Lucia passait me prendre pour m'emmener à l'école. Je ne me rappelle pas qu'il ait jamais cuisiné pour moi, qu'il m'ait jamais aidée à faire mes devoirs. Nous ne regardions même jamais la télé ensemble. Il passait plus de temps au travail qu'à la maison.

Il a essayé quelques fois, je suppose. Il a assisté à une de mes courses de cross-country quand j'étais ado, debout sur le bord de la piste avec des parents qu'il n'avait jamais rencontrés. Il a vu ma comédie musicale de dernière année, *Mary Poppins*, dans laquelle je jouais Jane. Je lui ai toujours pardonné ses autres absences. Après tout, je savais plus que quiconque à quel point c'était difficile sans la présence de ma mère.

L'après-midi où il m'a annoncé qu'elle ne reviendrait pas, j'avais six ans, j'étais étendue sur mon plaid, dans une flaque de soleil. Lapinou couchait Dolly et Nounours pour la sieste sur mon oreiller lorsque son ombre est tombée en travers du lit.

« Tu sais que maman est partie ? a-t-il dit. Pour de bon. On n'est plus que tous les deux, maintenant. »

Le genou que je venais de m'érafler lors d'une chute sur le bitume s'est mis à m'élancer. Papa a quitté la pièce sans un mot de plus. J'ai fourré Lapinou sous mon oreiller. Nounours a bordé Dolly dans le plaid en patchwork et lui a dit qu'elle ne verrait pas Lapinou avant un certain temps.

« Elle est partie où ? a demandé Dolly.

— Dans un monde meilleur, a répliqué Nounours.

— Quand est-ce qu'elle reviendra ?

— Pas de sitôt.

— Qu'est-ce qu'on a fait de mal ?

— Je ne sais pas. »

Tout à coup, le téléphone est lourd dans ma main. Papa s'arrête pour reprendre son souffle à la fin de son histoire de golf.

« Je suis sûr qu'il pense que l'internement va t'aider, Sasha. »

Oh, merde. Ils ont réussi à le persuader lui aussi que je suis instable. Comment donc vais-je parvenir à retrouver mon bébé, maintenant ?

« L'hospitalisation a aidé ta mère, les premières fois.

— Bon sang, papa, elle a été internée combien de fois ?

— Je ne me souviens plus... »

Sa voix tremble. Il y a tant de choses de sa relation avec ma mère que j'ignore, dont il refuse de parler. Il est tellement maladroit que je comprends pourquoi elle a voulu nous quitter. Presque.

« J'aurais dû écouter les médecins la dernière fois, avant de la ramener à la maison. » Papa continue d'une voix brisée : « Tout est ma faute. J'aurais dû m'y prendre autrement. » Sa voix se réduit à un murmure. « Tu crois que tu parviendras à me pardonner, Sasha ? »

Je remue sur le matelas.

« Écoute, ce n'est pas vraiment la question, papa. Le problème, c'est que l'hôpital a fait une erreur sur la personne de mon bébé. Mais je suis certaine que tu as fait de ton mieux. » Je tripote mon plaid, tirant sur un trou dans les mailles pour desserrer les fils. « Et maman aussi. » Ce n'est pas vrai, mais c'est le meilleur argument que je puisse trouver pour l'instant. « Papa, il faut que j'y aille, il faut que je retrouve mon bébé. Tu comprends ? Tout de suite.

— Je t'en prie, essaie de ne pas t'en faire, dit-il. Reste calme. Tout ira bien. Écoute, je vais parler à Mark. On va discuter tous les deux. Patiente un peu, d'accord ? Je promets de venir te rendre visite en psychiatrie très bientôt. »

Je n'y suis même pas encore, voudrais-je dire, mais il a raccroché.

Je règle mon téléphone sur silencieux et le range dans la poche de ma blouse.

Des voix étouffées m'arrivent du couloir. Le Dr Niles revient pour finir son évaluation de mon état mental. J'ai de la chance que son coup de fil ait duré si longtemps, me permettant de gagner un temps précieux. Je me rappelle trop tard son stylo-plume par terre. L'arrière de ma tête s'enfonce dans l'oreiller, mon cœur bat la chamade.

Le Dr Niles entre dans la chambre, l'air agité, suivie d'Ursula, qui reste à distance de mon lit, adossée au mur. Le Dr Niles se penche pour ramasser son stylo, et replace ses cheveux derrière son oreille en se relevant.

« Donc, comme je disais, quand vous serez chez nous, nous commencerons un traitement médicamenteux.

— Mais je vais très bien.

— Les effets secondaires sont négligeables.

— Je n'ai pas besoin de médicaments.

— Nous essayons tous de vous aider, Sasha. Vous le savez, n'est-ce pas ? » Il y a quelque chose de sinistre qui se profile sous sa placidité étudiée. « Si vous ne voulez pas venir volontairement, nous allons devoir envisager un placement, je le crains. »

Un placement – sous contrainte. C'est la dernière chose que je souhaite, la dernière chose dont j'ai besoin. Le Dr Niles soutient mon regard.

« Prenez votre temps pour vous décider.

— Où est Mark ?

— Je crois qu'il s'occupe de votre bébé.

— Qu'est-ce qu'il dit de tout ça ?

— Il est d'accord avec nous tous. »

Mark. La seule personne dont j'espérais qu'elle me reste fidèle, quoi qu'il arrive.

Mon cerveau s'est brouillé. Je parviens à articuler quelques mots : « J'ai besoin de lui parler.

— Bien sûr, dit le Dr Niles. Nous allons vous accompagner jusqu'à lui. »

CINQ MOIS PLUS TÔT

MARK

Nous avons annoncé la grossesse à Bill par une soirée d'automne chaude et venteuse. On venait de rentrer d'un match de rugby, lui et moi. Des phalènes se heurtaient aux ampoules de la véranda lorsque je lui ai tendu une bière et me suis assis à côté de lui sur la méridienne en cuir. Sash, qui par malchance était constamment prise de nausées, venait de quitter la pièce pour vomir.

« Sash est enceinte de douze semaines », lui ai-je expliqué. Je m'attendais à des félicitations, une poignée de main chaleureuse, au moins un signe de tête. Bill est resté immobile sur le canapé, bouche bée.

« C'est le moment idéal », ai-je continué, comme si sa réaction était normale pour un homme qui venait d'apprendre qu'il allait être grand-père pour la première fois. « Sash a fini sa formation d'anatomopathologiste. Elle aura droit à un congé de maternité. »

Bill a refermé hermétiquement la bouche.

« Sash est agacée que je ne puisse pas avoir de congé de paternité payé, mais au moins, le cuisinier en chef devrait être d'accord pour me laisser prendre quelques semaines de vacances après la naissance du bébé. »

Bill regardait fixement par la baie vitrée où les étoiles, comme des lucioles, s'amassaient dans un ciel de plus en plus noir.

« Il y a un problème, Bill ? »

Sa voix était si basse que j'ai dû me pencher pour l'entendre.

« Non, c'est une bonne nouvelle. Bien sûr. Mais… après la naissance de Sasha… » Il s'est éclairci la gorge. « Sa mère s'est mise dans tous ses états quand on ne l'a pas laissée voir le bébé. Elle était persuadée qu'il s'était passé quelque chose. Rose était sûre que les médecins et les infirmières lui cachaient quelque chose. » Il a frotté ses paumes l'une contre l'autre comme pour se réchauffer.

« Mais Sash allait bien, non ? Il ne s'était rien passé. »

Bill a secoué la tête.

« Sash allait très bien. Je savais que les sages-femmes étaient occupées. J'ai essayé de soutenir Rose, vraiment j'ai essayé. Mais on aurait dit que le fait que j'exige que l'on amène Sash dans sa chambre ne faisait qu'empirer son état.

— Sash n'est pas comme sa mère », ai-je dit, peut-être un peu trop fort.

Il n'a pas semblé m'avoir entendu.

« Rose est devenue un peu hystérique. Et c'est allé de mal en pis. C'est là que tout a commencé. »

Il a fixé le dos de ses mains abîmées par le soleil, ses doigts allongés, épais et longs, sur ses genoux.

« Surveille-la bien après l'accouchement », a finalement dit Bill, d'une voix enrouée.

Sur le moment, je n'ai pas accordé tellement de crédit à l'histoire de Bill. Si j'avais fait plus attention, peut-être que les choses auraient tourné autrement. Tout comme avec Simon, je suppose.

Lorsque Sash est revenue, Bill s'est levé d'un bond pour serrer ses mains dans les siennes.

120

« Félicitations, ma chérie. Mark vient de m'apprendre la nouvelle. Je suis très heureux pour toi. »

Sash s'est nichée dans mes bras sur le canapé en cuir. Avec son corps chaud pressé contre le mien, le grand sourire de Bill qui passait rapidement d'elle à moi et la lune qui s'élevait parmi les étoiles, il était impossible de croire que nous n'allions pas nager dans un bonheur éternel.

JOUR 1, SAMEDI,
FIN D'APRÈS-MIDI

Le temps qu'Ursula pousse mon fauteuil jusqu'à l'ascenseur, m'accompagne au cinquième et à la nursery, le Dr Niles se tient déjà à côté d'un amas de cloisons en tissu aux cadres robustes, la main autour d'un des piquets. Ursula les met en place une par une, formant une barrière protectrice autour du berceau de Toby. Le Dr Niles pousse mon fauteuil à l'intérieur, puis tire les panneaux derrière moi, s'assurant qu'il n'y a pas d'interstice, afin que nous soyons complètement protégés des regards. Mark, plié en deux sur une chaise à côté de l'incubateur, fixe le sol. Il ne lève pas les yeux.

Je m'éclaircis la gorge et il redresse la tête en sursaut.

« Sasha. » Il a des cernes profonds. « Je suis tellement content que tu sois là. » Il passe le doigt sur ma paume, comme pour lire les lignes de ma main. Il fait ça pour se calmer quand il est bouleversé. « Il faut que tu saches que c'est mieux pour tout le monde si tu peux essayer de croire que Toby est notre bébé. Regarde. »

Il énumère les traits de Toby, les comptant sur ses doigts. Les paumes de papy Bob. Les chevilles d'oncle Will. Le menton de cousine Emily. Je ne vois pas les ressemblances. Toby n'a vraiment pas l'air d'un Moloney ; en tout cas, rien à voir avec les Moloney que j'ai rencontrés. Mark ne le compare à personne du côté de ma famille.

Le Dr Niles s'avance, un sourire étudié aux lèvres. Des mèches de ses cheveux rouges sont dressées comme des cornes proéminentes.

« C'est courant d'avoir ce sentiment, Sasha. Beaucoup de mères parlent comme ça. Ce serait bien que vous essayiez de comprendre que nous sommes tous là pour vous. Le reste viendra plus tard. Vous avez toute la vie pour apprendre à le connaître. Pour créer un lien avec lui. Pour apprendre à l'aimer. »

Ursula marmonne des platitudes dans mon dos.

« Qu'est-ce que tu en dis, Sash ? Il est à nous, n'est-ce pas ? » Paumes en l'air, Mark tend les bras. « Tout ce que tu as besoin de faire, c'est de leur dire qu'il est à nous, et ce sera terminé. Le Dr Niles ne t'embêtera plus. »

J'ai envie de le prendre par les épaules pour le secouer. Il est censé me défendre, pas me trahir. Il a raison sur un seul point : ce serait tellement plus facile d'abonder dans leur sens, de dire que Toby est notre bébé. Mark se penche vers moi maintenant, suppliant, implorant, presque à genoux dans son désespoir, tentant de me faciliter la vie en me convainquant de me ranger à l'avis général. C'est ce qu'il veut pour moi, une échappatoire facile.

Il sait que j'en ai déjà pris, des décisions difficiles. Après Damien, je savais que la pédiatrie n'était pas une carrière pour moi. Au départ, Mark a essayé de me faire changer d'avis. « Tu es géniale avec les enfants », disait-il à la moindre occasion. Il me harcelait, dans la salle de bains, dans la buanderie, au lit la nuit. Au départ, je me contentais de secouer la tête.

Un soir, sur le canapé, devant la télé, j'ai explosé.

« Tu ne m'écoutes pas, ai-je hurlé. Je ne peux pas supporter les conséquences d'une erreur médicale avec des enfants.

La médecine légale a toujours été en haut de ma liste. La pédiatrie, c'était une erreur. J'ai déjà pris ma décision. »

Il est resté sans voix quelques instants. Puis il a éteint la télé et m'a pris la main.

« Si tu trouves que la pédiatrie est si difficile que ça, pourquoi ne pas choisir une voie plus facile ? La médecine générale. La recherche. Une spécialité complètement différente. La médecine légale, c'est long, c'est dur. Tu l'as dit toi-même. C'est exigeant. Stressant. Beaucoup d'examens. Sans garantie d'en voir le bout.

— Oui, mais c'est ce que je veux faire. » Je me suis écartée de lui et suis allée me coucher. Et j'ai bien fait médecine légale. J'adore ça, encore plus maintenant que j'ai passé l'examen final et que j'ai commencé à grimper les échelons. Mon instinct, sur ce point-là du moins, ne m'a pas trahie.

J'évalue mon état mental, point par point. Pas de fuite des idées, pas d'état dépressif ou maniaque, pas d'idées ou de croyances bizarres, pas de pensées suicidaires. Je le saurais, si j'étais instable, j'en suis persuadée. Il y a deux choses dont je suis certaine dans ce chaos : d'abord, que je suis saine d'esprit. Ensuite, que le bébé dans le berceau devant nous n'est pas le mien.

Je ne reculerai pas. Je n'abandonnerai pas pour rendre les choses plus faciles à tout le monde. Je les laisserai pousser ma chaise roulante jusqu'au service mère-enfant. C'est loin d'être idéal : ça va à coup sûr prolonger ma quête de mon vrai bébé et, une fois que je l'aurais trouvée, ma petite fille, cette admission mentionnée dans mon dossier risque de retarder le moment où elle me sera restituée. Sans compter que ça mettra ma carrière en péril. Lors de ma sortie, on me référera au Comité médical, j'écoperai d'une mise à l'épreuve, avec suivi psychiatrique obligatoire et évaluations régulières. Les médecins qui souffrent de maladie mentale ne vont pas très loin dans leur métier. Je serai peut-être forcée de laisser tomber mes rêves d'ascension sociale. Mais, à ce stade, c'est le cadet de mes soucis.

Dans sa couveuse, Toby reste tranquille, endormi. C'est lui l'innocent, dans ce chaos. Il ne ressemble pas du tout à mon bébé. Je pourrais décider de m'occuper de lui comme une mère, de mon mieux, jusqu'à ce qu'il retrouve sa vraie mère, mais à aucun moment je n'ai pensé qu'il était à moi. Et lorsqu'il sera prouvé que j'ai raison, ils comprendront que je n'ai pas le moindre problème mental.

Je les emmerde. Je les emmerde tous.

« Non, Mark, je siffle, en rassemblant toute ma force. Tu me connais. Je ne fais pas d'erreurs. Je me suis battue pendant tellement longtemps, si durement pour avoir notre bébé, il est hors de question que j'abandonne maintenant. Rien ne m'empêchera de découvrir la vérité. Ce n'est pas notre enfant. »

Mark a l'air d'être sur le point de fondre en larmes. Il fait un signe de tête au Dr Niles, qui lui répond de la même façon.

« Alors vous allez devoir venir avec nous, dit-elle, son sourire s'évaporant. Ce soir.

— Si vous insistez. Je ferai ce que je dois faire pour trouver mon bébé. »

Le Dr Niles sera soulagée de ne pas avoir à remplir les papiers d'internement d'office pour mon admission à présent que j'ai donné mon accord. Je me demande combien de temps cela va me prendre de la convaincre que je suis saine d'esprit.

« Vous n'allez pas pouvoir l'allaiter avec les médicaments, j'en ai peur », dit-elle. Malgré le chagrin qui me saisit – si je renonce à donner le sein maintenant, je ne pourrai probablement jamais le donner à mon véritable enfant –, je suis en partie soulagée. Au moins, je n'aurai plus à subir la douloureuse extraction du lait.

« Enfin, il est important que vous obteniez ma permission avant de quitter le périmètre de l'hôpital, ajoute-t-elle. C'est bien compris ? »

Je hausse les épaules.

« Il est aussi important que vous sachiez que visiter la nursery représente une part essentielle de votre guérison. Ça va vous aider à créer un lien avec Toby. »

Le Dr Niles me fait un sourire guindé. « Vous allez vous en sortir, Sasha. Nous allons nous en assurer. » Elle défait les boutons de sa veste, se glisse entre les cloisons de tissu et disparaît. Ursula les replie comme un éventail, puis les roule au bout du couloir, de l'autre côté de la nursery.

Mark me dévisage comme s'il ne me connaissait plus. Il pose une couverture sur mes genoux et la borde sur les côtés comme si j'étais un bibelot en porcelaine.

Je découvrirai la vérité. Je finirai par sortir de là et trouver mon bébé, quoi qu'ils puissent bien dire ou faire.

Mark se penche tout près et me murmure à l'oreille comme si c'était la dernière fois qu'il pouvait me parler.

« Tu n'as pas besoin de te battre comme ça, Sasha. Les médecins sont de ton côté. Il faut que tu les écoutes, tous. Que tu suives leurs instructions. Promets-moi d'essayer, je t'en prie. »

Je n'en reviens toujours pas qu'il ne me fasse pas confiance. Mark sait à la seconde si je mens quand je prétends aimer sa nouvelle coupe de cheveux ou ses vêtements neufs. Ça se voit dans mes yeux, dit-il, même s'il n'a jamais pu tout à fait préciser quoi. Je pensais qu'il me croyait au départ, au sujet du bébé. Mais les médecins l'ont perverti, convaincu que j'ai tort.

Il se tient derrière moi maintenant, les mains sur les poignées de la chaise roulante, prêt à pousser. Il ne peut pas voir mon visage.

« Je promets, dis-je, les dents serrées.

— On ferait mieux de te ramener à ta chambre, Sasha. »

Je me demande qui est *on*. Et il ne m'appelle jamais, jamais Sasha.

JOUR 1, SAMEDI, HEURE DU DÎNER

Le Dr Niles vient me chercher. « En général, les psychiatres n'escortent pas les patients jusqu'au service, dit-elle, mais puisque vous êtes un cas particulier... »

Je ne veux pas être un cas particulier, mais ça ne sert à rien de protester. Je fais la grimace et m'enfonce plus profond dans ma chaise roulante. J'essaie d'ignorer les gémissements des bébés tandis que le Dr Niles me pousse dans le couloir rose de la maternité.

Nous prenons l'ascenseur jusqu'au rez-de-chaussée. De là, elle me conduit le long d'une allée fermée de tous côtés par des rangées de fenêtres, apparemment pour la protéger des intempéries ; ou peut-être pour empêcher les patients de s'échapper ? Derrière les vitres, une rampe de chargement en béton s'étale devant un parking bondé de plusieurs étages. Devant nous, au bout du passage, un bâtiment terne, carré : le secteur psychiatrique. Le service mère-enfant se trouve au rez-de-chaussée.

Le Dr Niles me fait passer les larges portes doubles qui se referment derrière moi avec un grand fracas. Ça y est. Bien qu'on m'ait prétendument persuadée de venir ici de mon plein gré, je me sens piégée.

Un murmure venu du bureau des infirmières et des pleurs sporadiques de bébés bruissent dans l'atmosphère. Il fait froid ici. Je remonte le plaid de ma mère jusqu'à ma taille. Le service psy a aussi une odeur d'hôpital, toilettes désinfectées à l'eau de Javel et nourriture indigeste, à quoi s'ajoute un effluve de quelque chose d'innommable : le fumet de la mort, me dis-je. La même puanteur me frappe de temps en temps au labo, peut-être émanant d'un spécimen que nous venons de découper, ou d'un amas de cellules dans un bocal. C'est l'odeur de la chair pourrissante, de la peau vieillissante, de la mort programmée des cellules devenant poussière. Dans ce couloir, c'est à peine perceptible, mais l'odeur est identifiable entre toutes. Ils ont dû connaître leur lot de décès, même ici.

Le Dr Niles pousse mon fauteuil dans le couloir. Le sol est gris clair ; parfait pour cacher la poussière. Ils ont peint les murs en vert pâle, une couleur considérée comme apaisante, ça me revient de mon stage en psychiatrie. Les murs sont ornés de gravures botaniques quelconques, censées être rassurantes et discrètes. Mais l'éclairage est si faible que des ombres se cabrent dans des alcôves et des recoins, semblant toutes receler une menace imminente.

« Les nurseries », annonce le Dr Niles, indiquant une grappe de petites chambres avec des portes en verre dépoli que nous dépassons. « C'est là que nous apprenons le sommeil aux bébés. Lorsque Toby sortira du service de néonatologie, nous l'aiderons à apprendre à dormir. Il aura même sa propre chambre. »

Je ne veux pas que ce bébé apprenne à dormir dans cet endroit sinistre, glacial. Je frémis, espérant que le Dr Niles ne remarquera rien. Elle s'arrête au bout du couloir, devant la toute dernière porte.

« Votre chambre », annonce-t-elle.

Ça sent comme dans un motel : un soupçon de moisi couvert par la puanteur des cendriers. C'est forcément interdit de fumer, ici, non ? L'atmosphère, contrastant nettement avec celle du couloir, est épaisse et moite, surchauffée comme un

129

sauna. Je repousse le plaid et le laisse tomber sur mes pieds. Il y a un lit à une place au milieu de la chambre, avec une table de chevet, une chaise sous une fenêtre ronde placée en hauteur, un placard fixé au mur avec un frigo à côté. Même une télé dans le coin. Le Dr Niles m'indique chaque équipement luisant, recouvert de plastique, d'une main lasse.

« Pas de minibar. Et il n'y a pas moyen de régler la température, j'en ai peur, dit-elle, remarquant mes joues rouges. Vous vous habituerez à la chaleur.

— Je peux aller aux toilettes, s'il vous plaît ?

— C'est gratuit, pour les toilettes. » Elle décoche un sourire en coin. Je crois bien qu'elle essaie de faire une plaisanterie.

Dans la salle de bains privative, les murs carrelés de blanc sentent encore l'eau de Javel du dernier passage de l'équipe de ménage. Le joint dans les coins a noirci, récoltant de la moisissure.

« Je reviendrai vous chercher pour le dîner, dit le Dr Niles depuis la porte. Oh, et vous pouvez garder votre téléphone portable. » Elle sort.

Déjà, je me sens épiée. Ce n'est pas un endroit où les secrets seront autorisés. Je me rends aux toilettes, m'assois ; mes points, sous le bandage de mon ventre, tirent comme si c'étaient eux qui me maintenaient. J'appuie les mains contre mes orbites. En cet instant, tout est trop dur.

Une douleur profonde me transperce l'abdomen lorsque je me relève doucement. Dans l'acier inoxydable poli qui tient lieu de miroir, je suis incapable de distinguer l'expression de mon visage. Au lieu de ça, les lignes tordues d'argent divisent mes traits en sections, comme dans un tableau de Picasso. L'eau du robinet est tiède, tout au plus.

Dans le placard sous le lavabo, des rouleaux de papier-toilette sont alignés, obéissants. Je les pousse de côté pour découvrir une rangée de flacons à urine stériles au couvercle jaune. Rien d'intéressant ici non plus.

Puis je les aperçois. Deux mots, gravés dans le mur entre l'acier inoxydable et le lavabo, comme à coups d'ongles : LE MIEN. Je me demande qui a écrit ça, depuis combien de temps cette inscription se trouve là, à m'attendre. C'est un signe, j'en suis sûre. Un message d'une mère à une autre. Facile à décoder. Je dois revendiquer mon enfant dès que possible.

Je retourne dans la chambre en traînant les pieds et me laisse aller sur le matelas avec un gémissement. De la sueur me trempe les aisselles. Autour de moi, les murs sont ornés de reproductions de tableaux impressionnistes banals : les nymphéas de Monet, les ballerines de Degas, les natures mortes aux fruits de Cézanne. Pas de Van Gogh ici, je le remarque avec un sourire ironique.

Le plafond paraît menaçant au-dessus de moi. Je me demande comment ma mère a vécu son internement dans un hôpital psychiatrique il y a plus de trente ans. Je doute que des tableaux comme ceux-ci aient été accrochés aux murs de sa chambre à l'époque ; c'était sans doute plutôt une étendue unie de vert fade. Je n'en reviens pas que mon père m'ait caché la vérité si longtemps. Je me demande comment cette information va changer mes souvenirs d'elle. Dois-je éprouver de la pitié ? De la colère ? De la honte ? Pour l'instant, j'ai l'impression de n'avoir qu'une nostalgie profonde dans ma poitrine : comme sa présence me manque, comme je voudrais qu'elle soit là !

Ma mère a dû se sentir si seule pendant ses internements, sans moi et papa. En ce temps-là, la maladie mentale était tellement taboue qu'elle n'a dû parler de ses séjours en institution à personne, même pas à ses amis. Je ne l'imagine pas en train de discuter de ses sentiments avec papa. J'aimerais pouvoir transporter mon moi adulte dans le passé afin de pouvoir être à ses côtés. Lui dire à quel point j'ai besoin qu'elle aille mieux. Lui dire à quel point j'ai besoin de ma maman.

Je n'avais pas six ans lorsqu'elle nous a quittés. Je la revois surtout allongée sur son lit à deux places, la tête de lit en cuivre poussée contre le mur. Couchée sur le côté, elle fumait cigarette sur cigarette, regardant le jardin par la fenêtre, un plaid tiré sur sa mince carcasse. Le soleil filtrait à travers la fumée, formant des motifs en forme de vagues sur les murs écrus, tandis qu'elle me tenait serrée contre elle, pelotonnée sous son bras.

C'était il y a une éternité. Et maintenant je suis mère, et nos vies résonnent en un étrange parallélisme tandis qu'à mon tour je suis couchée sur un lit dans un hôpital psychiatrique, seule.

Il y a quelque chose de familier dans cette chambre de l'unité mère-enfant, je m'en rends compte : quelque chose qu'on retrouve dans tous les services de psychiatrie. Les tableaux sont bien fixés aux murs. Le cordon du téléphone est excessivement court. Les rideaux à fleurs sont accrochés à une fine tringle en plastique au-dessus de la fenêtre ronde. Il n'y a pas de miroir qu'on puisse briser en éclats. Et pas d'issue.

Au réfectoire, deux femmes sont assises autour d'une table rectangulaire en Formica. Évitant leur regard, je prends mon plateau sur un chariot de cafétéria près de la porte de la cuisine et me dirige vers elles d'un pas chancelant. Je m'assois sur une chaise en plastique et, d'un geste hésitant, retire le couvercle de mon plat. Des tranches de bœuf séché en sauce, des carottes molles, des petits pois ridés, le tout dégageant l'odeur générique de la nourriture d'hôpital.

La table donne sur une cour pavée. Il y a un petit jardin rempli de pousses de verdure, un pommier en fleur au fond et une fougeraie couverte sur un côté. La pluie a commencé à éclabousser les pavés d'ardoise et à couler sur l'auvent, dégoulinant sur les frondes des fougères en dessous.

La femme assise à ma droite, son visage mince encadré de boucles lâches, s'agrippe aux bords de son plateau. Lorsqu'elle le relâche, ses jointures passent d'un blanc livide à un rose saumon. Elle ôte le couvercle en plastique de son plat, fixe le semblant de rôti dans son assiette et fait la grimace. Je ne la blâme pas. L'autre femme, ses cheveux dorés ramenés sur une de ses épaules, se lève et rapporte son plateau au chariot. Elle me sourit en partant. Je suis surprise : je m'étais imaginé que les patientes m'éviteraient comme la peste, de peur d'être associées à d'autres malades mentales. Peut-être ai-je sous-estimé les femmes, le pouvoir de l'amitié féminine dans les moments difficiles.

J'ai toujours eu du mal à me faire des copines. J'aime beaucoup l'idée d'avoir un groupe d'amies proches, mais je ne sais pas du tout comment m'y prendre. Au dire de tous, ma mère était pareille ; Lucia était sa seule amie. Quant à moi, j'ai mes collègues de travail. Quelques vieilles amies de la famille. Et Bec, qui a réussi, comme par miracle, à me passer mes excentricités pendant toutes ces années.

La femme bouclée reste à la table, poussant ses légumes trop cuits en travers de son assiette, les larmes aux yeux. Dépression post-partum, j'en conclus, sans malveillance.

« Bonjour, je m'appelle Sasha.

— Je m'appelle Ondine. Bienvenue – façon de parler.

— Enchantée. » J'essaie de sourire. « Depuis combien de temps vous êtes là ?

— Euh... » Elle compte sur ses doigts. « Six. Personne ne sort à moins de deux, apparemment.

— Jours ?

— Semaines. Ils disent qu'il leur faut être sûrs qu'il n'y a aucun risque à nous laisser ramener nos bébés chez nous. »

Semaines. Mon cœur ralentit presque jusqu'à l'arrêt. Pas moi, ça ne sera pas mon cas. Ils ne vont quand même pas mettre si longtemps à se rendre compte que je dis la vérité.

Ondine trempe sa langue dans la sauce au bout de sa cuiller puis la rentre aussitôt.

« Tu as l'air plutôt en bonne santé, Sasha », dit-elle d'une voix hésitante.

Je m'ordonne mentalement de respirer, une inspiration à la fois. « Ça va, oui », je réponds.

Malgré sa timidité, elle a l'air en bonne santé, elle aussi. Ses vêtements larges sont propres, ses cheveux lavés, et elle a un soupçon de gloss sur les lèvres. Avec ses boucles de cheveux fins et son visage pâle, Ondine ressemble un peu à Bec.

« Il y a beaucoup de femmes dans le service, en ce moment ? » je lui demande.

Ondine hausse les épaules. « Peut-être une dizaine. Difficile à dire. La plupart d'entre elles passent la journée dans leur chambre. La femme qui vient de partir » – la blonde, j'imagine – « elle va rentrer chez elle d'un jour à l'autre. Je ne peux pas dire que j'aie eu tellement de contacts avec les autres. » Ses joues rougissent.

Dehors, la pluie semble se calmer. Mes épaules se relâchent contre le dos de la chaise. Je les ai contractées tout au long de cette journée interminable.

« C'est vrai que tu es... médecin ? » La voix d'Ondine fléchit.

« En quelque sorte. Médecin légiste. » Je me demande comment elle a bien pu l'apprendre.

« Et ton bébé ? Comment va-t-il ?

— Je ne sais pas trop. » Fichu hôpital, foutus docteurs. Je devrais avoir le droit de savoir, de trouver mon bébé. Je change de sujet. « Tu as dû voir plusieurs femmes entrer et sortir.

— Oui. Mais il n'y a pas d'autres femmes qui soient entrées sans leur bébé. Je suis vraiment désolée d'apprendre ce que tu as dû supporter. Ce n'est pas ta faute. »

Je m'étrangle avec une bouchée de viande.

Ondine se penche en travers de la table et me passe une serviette. Je crache le morceau de chair mastiquée grisâtre dedans.

Combien de personnes savent ? Et comment ont-elles su ? Mes joues me brûlent comme si j'avais reçu une gifle.

« Qu'est-ce que tu as entendu dire ?

— Le téléphone arabe va bon train, ici. Je suis vraiment désolée. Je déteste ça. C'est affreux. Tout le monde parle. » Elle baisse la tête. « Ils ont dit que tu pensais que le bébé dans la nursery n'était pas le tien. C'est tout ce que je sais. Je n'en dirais pas trop aux infirmières, si j'étais toi. Elles pourraient s'en servir contre toi.

— Merci. Je m'en souviendrai.

— N'hésite pas à me demander conseil, si tu veux savoir comment sortir d'ici. Je pourrais t'orienter vers la bonne personne. » Elle esquisse un mince sourire.

« Le plus important, c'est que je retrouve mon bébé.

— Alors, pas de piste pour l'instant ? » Elle rassemble son couteau et sa fourchette dans son assiette.

« Non. » Une pluie battante tombe à présent sur les pavés dehors.

Ondine garde le regard baissé sur ses couverts, l'œil éteint.

« C'est terrible, que ton enfant ait disparu. Tu vas continuer à chercher, hein ? »

Quelqu'un qui semble me croire. Une boule se forme dans ma gorge.

« Bien sûr. Jusqu'à ce que je la trouve. »

Les épaules d'Ondine s'affaissent.

« Il n'y a pas une part de toi qui ne souhaite pas qu'elle soit retrouvée ? »

Pourquoi dit-elle une chose pareille ? « Non. Pas du tout. » Inquiète, j'ajoute : « Et ton enfant ? »

135

Ondine rougit. Elle ouvre la bouche, mais avant qu'elle ait le temps de répondre, le Dr Niles entre dans le réfectoire, la mine sévère.

« Il faut aller vous reposer, maintenant, Sasha », dit-elle, pointant un doigt vers moi.

Ondine se penche davantage. Ses boucles tombent contre le plastique comme les branches d'un saule.

« Dis-moi si je peux t'aider », murmure-t-elle tandis que je me lève et la dépasse d'un pas traînant.

Dehors, la pluie a couché les fleurs. Des mégots jonchent les pavés. Avec un sursaut, je remarque les quatre fenêtres teintées sur chacun des murs de la cour. De la cour, il n'y a pas moyen de voir à l'intérieur du service, par contre on peut y être observé sous tous les angles. Pas question que j'y mette les pieds de sitôt.

De retour dans ma chambre, je me laisse tomber sur le lit et tire la couette sur ma carcasse douloureuse avec soulagement. Le Dr Niles tapote un gobelet en plastique posé sur ma table de nuit de son doigt sec, indiquant un tas de gélules multi-colores : turquoise, vermillon, mandarine, caramel, et une capsule blanche comme neige. Elle renverse le contenu dans la paume de ma main. C'est le même poids qu'une poignée de pop-corn. Il me faut quelques secondes pour comprendre qu'il y a plus d'un psychotrope dans cet assortiment.

« Qu'est-ce que c'est ?

— Norset, Risperdal, Normison. Plus de l'OxyContin et du Voltarène pour la douleur. » Elle les montre tour à tour.

Un antidépresseur, un antipsychotique *et* un somnifère ?

« Ce n'est pas aussi rare que vous le pensez, explique le Dr Niles, tortillant une mèche de cheveux derrière son oreille. Psychose post-partum. Nous voyons ça très souvent ici. Même chez les médecins. »

Psychose post-partum. Si c'était vrai, je serais irrationnelle, délirante, incohérente. Je dirais des choses qui n'ont pas de sens. Je croirais des choses qui sont clairement fausses. Un frisson me parcourt lorsque je comprends qu'il est possible que ce soit ce dont j'ai l'air. Peut-être même aux yeux de Mark.

« Vous devez les prendre sous nos yeux », dit-elle.

Les médicaments s'entrechoquent dans ma main.

« Je n'en ai pas besoin.

— Si vous prenez vos cachets, vous avez plus de chances de sortir vite. C'est ce que vous voulez ? »

Je m'arrête. Sortir *est* important. Loin de l'être autant que retrouver mon bébé. Mais je veux sortir d'ici, c'est sûr. Je porte ma main à ma bouche et lève la langue de façon à ce que les cachets se coincent dessous. J'ai appris le truc, lors de mon stage en psychiatrie, d'un patient toujours en nage, très loquace, qui me murmurait ses secrets chaque fois que le psychiatre avait le dos tourné. J'avale une gorgée d'eau.

« Je vais devoir regarder dans votre bouche. »

Je l'entrouvre.

« Plus grand. Levez la langue, s'il vous plaît. »

Je renverse la tête.

« Vous allez devoir avaler ça.

— Et si je ne le fais pas ? » Ma voix est pâteuse.

Elle fronce les sourcils. Je prends une autre gorgée d'eau, libère les cachets et avale. Les médicaments me grattent la gorge comme des lames de rasoir en descendant. Je serre les lèvres pour m'empêcher de vomir.

Le Dr Niles regarde de nouveau sous ma langue.

« Bon. Maintenant, écoutez bien les infirmières. Elles savent ce qu'elles font. Tout le monde guérit, en fin de compte. Je parle des patientes », précise-t-elle, comme si je l'avais accusée, elle ou son équipe, de folie. Elle s'arrête devant la porte. « Et n'oubliez pas votre entretien d'admission demain. À 13 heures. Avec moi. Ne soyez pas en retard. » Elle sort de la chambre et fait claquer la porte derrière elle. J'ai l'impression d'être une prisonnière, murée pour la nuit.

JOUR 2, DIMANCHE,
MILIEU DE MATINÉE

Les ombres sur le sol gris clair sont assez longues pour que je réalise que j'ai dormi trop longtemps. Ma blouse me colle au dos et mes draps sont trempés, j'ai transpiré toute la nuit. Il y a deux ronds mouillés au-dessus de ma poitrine, à l'emplacement de mes seins, qui ont coulé. Les médicaments m'ont mis le cerveau au ralenti, brouillé la vue, affaibli les muscles. Je commence à sombrer de nouveau dans le sommeil. Ce n'est que lorsque j'entends un raclement de gorge que je me rends compte que quelqu'un est assis à côté de mon lit.

Mark.

« Chérie. » Il n'emploie ce ton – penaud, gémissant – que lorsqu'il a fait quelque chose de vraiment grave. « Tu te sens un peu mieux aujourd'hui ?

— Comment veux-tu que je me sente mieux ? » Mon palais est sec comme du papier de verre, ma langue râpeuse.

« Je suis désolé d'entendre ça. » Je vois l'inquiétude dans ses yeux.

Je passe les doigts sur le plaid de mon enfance, que j'ai étalé en travers du lit. Mes neurones commencent à se reconnecter. Il y a des choses que j'ai besoin de savoir. Je tends la main vers son bras, la pose sur sa chair.

« Tu savais que ma mère avait fait une dépression post-partum ? Qu'elle avait été internée quand j'étais bébé ? C'est pour ça que tu as parlé de mes fausses couches au Dr Niles ? »

Il retire son bras, se gratte le cou.

« Quoi ? Non. Pourquoi tu te poses des questions sur ta mère ?

— Ma mère est allée en hôpital psychiatrique, comme moi. Tu le savais, Mark ? »

Il se renfonce dans sa chaise.

« Je ne sais rien au sujet de ta mère, OK, Sash ? »

Je secoue la tête pour tenter de dissiper le brouillard.

« Peut-être que je pourrais essayer d'en apprendre davantage sur elle. Je pourrais essayer de la retrouver, découvrir où elle est maintenant. »

Mark toussote. « Tu as déjà beaucoup de problèmes comme ça, Sash. Peut-être quand les choses se seront calmées. »

Il ne va rien me dire. Il faudra que j'interroge papa au sujet de ma mère. Mark se remet à parler avant que je puisse ajouter quoi que ce soit.

« Je voulais te prévenir : mes parents vont venir à la nursery dans la journée. J'espère que ça ne te gênera pas. »

Les parents de Mark. Ils se sont montés contre moi dès le début de notre histoire. Nous ne sortions ensemble que depuis trois mois.

J'avais survécu à ma rencontre avec sa famille élargie lors d'un barbecue chez eux, et je me détendais devant la cheminée tandis que Mark et ses parents disaient au revoir aux autres à la porte.

Patricia est entrée dans la pièce en trombe, suivie de Mark. Son père, Ray, était encore en train d'aider les invités à manœuvrer dans l'allée.

« Qu'est-ce que c'est que cette histoire ? Mark emménage avec toi ? »

139

Je lui ai jeté un regard noir. Nous avions prévu de l'annoncer ensemble à ses parents, de les surprendre avec ce que nous pensions être pour eux une bonne nouvelle.

Mark a fourré ses mains dans ses poches. « C'est mieux à tout point de vue, maman. L'amie de Sash vient de déménager. Elle cherche un nouveau colocataire. Apparemment, je fais l'affaire. »

Les sourcils de Patricia se sont dressés comme des flèches. « Vous vous connaissez à peine, tous les deux. Tu ne te souviens pas de ce qui s'est passé avec Emma ? D'ailleurs, tu n'as absolument pas besoin de déménager. Tu n'as pas de loyer à payer ici, avec ton père et moi. »

Mark a lentement secoué la tête. « Je l'aime, maman. »

Elle s'est penchée vers son fils et lui a dit d'une voix sifflante, juste assez fort pour que j'entende : « Et sa mère ? »

Je ne savais pas que Mark lui avait raconté que ma mère m'avait abandonnée quand j'étais petite.

« Bon Dieu, maman ! » Il parlait beaucoup plus doucement, en me jetant des coups d'œil. « Sasha n'est pas sa mère.

— Tu as dit à ton père que tu avais l'intention de déménager ?

— Papa n'y verra rien à redire. Quand vous vous êtes fiancés, tous les deux, vous ne sortiez ensemble que depuis huit semaines. »

Patricia a poussé un reniflement méprisant et quitté la pièce, furieuse.

Je ne crois pas qu'elle m'ait jamais pardonné d'avoir ravi son fils survivant. Elle s'est toujours montrée froide et distante, aux anniversaires, à Noël, même à notre mariage. Quant à Ray, c'est tout juste s'il m'adresse la parole. Je me suis efforcée de les accepter, de ne pas me laisser démonter par son hostilité.

« Tes parents ont vu Toby ?

— Pas encore. Ils ont dit qu'ils ne voulaient pas nous déranger. »

Ma chambre dans l'unité mère-enfant me paraît maintenant fraîche ; ils ont dû baisser le chauffage.

« Mark, je ne veux pas être là quand tes parents vont venir. » Je tire le plaid jusqu'à mes épaules.

« On en parlera plus tard. Je vais aller voir Toby, là. Tu n'as qu'à prendre ta douche. Ensuite tu viendras avec moi, d'accord ? »

Je sens que je n'ai pas le choix. Puis mes entrailles se détendent un peu tandis que je me rappelle que mon bébé – mon vrai bébé – doit encore se trouver dans la nursery.

« Avec plaisir. »

Mark se lance dans une description de l'état de Toby – il va mieux que les médecins ne s'y attendaient – puis explique qu'il a annoncé la naissance à tous les gens de notre liste, mais en précisant que je n'étais pas encore prête à recevoir de la visite.

« Tu leur as dit ça ?

— J'ai dit que tu étais un peu fatiguée, que tu serais contente de voir du monde d'ici quelques jours. J'ai pensé que tu ne voudrais pas mettre tout le monde au courant.

— Tu aurais dû me poser la question », dis-je, mais mon cœur se fait plus léger. Encore quelques jours pour me reprendre et élaborer une stratégie afin de retrouver mon bébé.

Je serre plus étroitement le plaid autour de moi. J'ai besoin de convaincre Mark, aussi bien que tous les autres, que je vais parfaitement bien. Que notre priorité doit être de retrouver notre bébé.

« Je suis désolée de t'avoir parlé sèchement. Je me sens mieux, Mark. Beaucoup mieux qu'hier. Tu crois que tu pourrais parler au Dr Niles ? Lui demander d'arrêter le traitement, déjà ? Je n'en peux plus d'être crevée comme ça.

— Bien sûr, chérie. » Il fait un sourire pincé.

« Et dis-lui encore que c'est complètement inutile de me garder ici.

— Bien sûr, promis. » Mais sa voix hésite sur le dernier mot.

Sous le filet d'eau tiède, mes seins m'élancent. Ils sont grumeleux et sensibles, plus enflés que jamais. Je presse doucement. Du lait blanc cassé jaillit de mon mamelon, dégouline sur mon abdomen et disparaît sur les carreaux, dans le tuyau d'évacuation. Mon lait est monté.

Quel terrible, terrible gâchis ! *Sauf que pas forcément*, me dis-je.

Pendant que Mark m'attend dans la chambre, je fouille le placard de la salle de bains et récupère les flacons à urine stériles. J'en place un sous mon mamelon et me mets à pincer, comme Ursula me l'a appris. Le colostrum coule plus facilement aujourd'hui, giclant à chaque compression comme si je trayais une vache. Au bout de dix minutes, j'ai rempli le quart d'un pot de liquide couleur crème. Tandis que je tiens le récipient à la lumière, je réalise que cet échantillon sera contaminé par les médicaments dans mon sang. Il faudra que je m'en débarrasse, de celui-là. À partir de demain, j'éviterai les cachets. Ensuite, je pourrai cacher les flacons dans le frigo, dans le petit freezer, peut-être sous un bac à glaçons.

Si je l'extrais, mon lait ne se tarira pas. Lorsque je retrouverai ma petite fille, j'en aurai congelé suffisamment pour la nourrir jusqu'à ce qu'elle apprenne à téter. Je suis sûre que c'est ce que ferait n'importe quelle bonne mère.

J'essaie de deviner lequel est mon bébé dès que Mark me fait passer la porte de la nursery, avec sa chaleur de sauna, dans mon fauteuil roulant. Je jure que je peux sentir une présence, une pulsation chaude, douce, non loin. Elle était prématurée, c'est une des seules choses dont je sois certaine, donc elle doit être là quelque part, dans les bras d'une autre mère peut-être ? J'ai beau essayer de me laisser guider, je n'arrive pas à la localiser par la seule grâce de mon intuition. Il faut que je fasse encore des recherches. Il n'y a que dix-huit bébés ici – dix dans des couveuses, huit dans des berceaux ouverts –, ça ne devrait donc pas être trop difficile de la trouver. Je scrute berceaux et couveuses en quête de visages, mains, pieds, n'importe quoi qui puisse me paraître familier, mais Mark me pousse trop vite et les nourrissons disparaissent dans un kaléidoscope de couleurs, de torses qui se soulèvent, de membres qui gigotent. Avant que j'aie le temps de lui demander de ralentir, il m'arrête devant la couveuse de Toby, près de laquelle se tient Ursula.

« Nous y voilà », dit Mark.

Ursula se dresse au-dessus de ma chaise roulante.

« On vous attendait. Je savais que vous voudriez être là pour l'enlèvement de son intraveineuse. »

Toby, immobile, regarde le plafond de sa couveuse, les yeux vides.

« On lui a donné de la saccharose. L'équivalent d'une sucette. Ça endort la douleur. » Elle se tourne vers la paillasse pour préparer son matériel : une compresse, de l'antiseptique, un pansement. J'aurais pu le faire moi-même.

Dans la nursery, les autres parents se tiennent à côté du berceau de leur bébé, changeant des couches, berçant leur nouveau-né, bavardant et riant comme si nous étions dans une espèce de réception. Au moins, ils n'ont pas l'air de m'observer aujourd'hui. À les voir, on ne croirait jamais qu'ils comprennent la gravité de l'état de leurs bébés : la fragilité de la vie. Et ils ne peuvent pas imaginer ce que nous vivons, Mark et moi, avec notre enfant qui souffre sans nous, ou ce que vit le pauvre Toby, séparé de ses parents.

Ursula humecte la compresse sur le dos de la main de Toby et retire l'intraveineuse. Toby se fige, les bras flageolants, puis laisse échapper un petit cri. Ursula appuie sur le trou sanglant avec la gaze.

« Je suppose que vous avez déjà souvent assisté à ce spectacle. »

Je hoche la tête. « J'ai failli devenir pédiatre.

— Et vous avez choisi la médecine légale à la place ? »

Par la fenêtre, un bus roule dans une énorme flaque, soulevant un arc d'eau sur le trottoir.

« J'ai changé d'avis. » Je n'évoque pas l'incident. Même à Mark, je n'ai jamais raconté toute l'histoire.

Calmé, Toby regarde dans ma direction. Le sparadrap qui retient la sonde nasogastrique sur sa joue se décolle aux bords. Il faudra bientôt le remplacer. Ursula désigne son nombril.

« Je suis sûre que vous savez que les prématurés sont particulièrement vulnérables à l'infection. Il faudra que je vous explique les signes d'infection pour que vous y fassiez attention. »

Je sais tout sur le sujet. Depuis Damien, question stérilité, je suis extrêmement vigilante, jusqu'à l'obsession.

« Vous pouvez les expliquer à Mark », dis-je. Lorsque je me tourne, il n'est plus là. Je suppose qu'il est parti à la vue du sang humain ; il dit que pour lui ce n'est pas pareil que le sang animal. « Je vais aller le chercher. » Je m'efforce de me lever de ma chaise roulante.

« Il est trop tôt pour cavaler, dit Ursula, une main sur mon épaule, me poussant presque sur mon siège. Il ne s'est pas encore écoulé deux jours depuis votre césarienne.

— Ça va. Je n'ai pas tellement mal. » Après tout, c'est l'opportunité dont j'ai besoin pour aller fouiner un peu.

Ursula est sur le point de protester lorsqu'on l'appelle plus loin.

« Ne bougez pas », m'intime-t-elle.

Dès qu'elle a disparu, je prends appui sur les accoudoirs du fauteuil en gémissant. Je n'ai pas d'autre choix que de me mordre la langue et de ravaler la douleur. Je ne suis pas certaine que l'occasion se représentera.

Le bureau des infirmières est vide, pour un bref instant. Mes yeux se promènent de couveuse en couveuse tandis que je me dirige en traînant les pieds vers l'autre bout de la nursery, m'efforçant de rester discrète. Tant de bébés, tous enfermés dans leurs cages chaudes, stériles, piégés avec le désespoir de leurs parents. Je cherche un trait familier qui confirmerait un lien génétique : la courbe d'un menton, une pommette rebondie, une expression, n'importe quoi qui me permette d'être sûre de l'identité de mon bébé. Mais plus que ça, je cherche un lien qui soit davantage qu'une constellation de traits physiques : une présence. Une certitude.

Je suis pratiquement au bout de la rangée de couveuses. Une fois de plus, bredouille. Comment se fait-il qu'elle ne soit pas là ? Est-il possible qu'Ursula l'ait déplacée dans un berceau ouvert ? Ma petite fille ne peut pas être assez grande pour réguler sa propre température, si ? Ou bien l'a-t-on emmenée ailleurs ?

Tandis que j'entre dans la zone réservée aux berceaux ouverts dans l'aile la plus petite du service, j'entends la voix de Mark venant d'une petite alcôve. Il parle avec une femme qui a un accent ; américain, je crois. Je me cache derrière la paroi en tissu à côté des toilettes des visiteurs, tentant de respirer en silence.

« Il y a eu des discussions en haut lieu, dit la femme de sa voix traînante, sur un ton circonspect. L'équipe psychiatrique estime que ce n'est pas indiqué d'entreprendre les tests ADN. Mais les équipes obstétriques et pédiatriques se sont concertées, et nous pensons qu'il est logique de vous les proposer tout de même, si vous le souhaitez. Vous devez savoir que le labo auquel nous faisons appel mettra plusieurs jours pour nous renvoyer les résultats. Ce n'est pas comme aux États-Unis, où ça prendrait une journée environ. »

C'est notre chance. Une nouvelle formidable. Une douce chaleur me traverse soudain. Mark est toujours de mon côté. Mark va s'assurer qu'il y ait une preuve scientifique que je suis saine d'esprit. Mark m'a toujours convaincue qu'il m'aimerait et m'accepterait exactement telle que je suis.

Le soir de notre rencontre, lorsque je lui ai dit que ma mère m'avait abandonnée quand j'étais petite, j'étais sûre que j'allais baisser dans son estime. Mais il a posé sa main sur la mienne. « Elle ne sait pas ce qu'elle perd, a-t-il dit. Si elle te connaissait maintenant, elle t'aimerait. Je sais qu'elle t'aimerait. »

Comment aurais-je pu ne pas croire qu'il était l'homme qu'il me fallait ?

La femme derrière le paravent poursuit : « Bien sûr, aucun d'entre nous ne pense que ces tests sont nécessaires. Une erreur est impossible. Nous craignons surtout que les tests n'aggravent l'état mental de Sasha, en entretenant son délire. Le Dr Solomon et le Dr Niles vous en ont déjà parlé, je crois ? »

Je voudrais que Mark se dépêche d'insister pour faire les analyses. J'arrive à peine à tenir debout, je suis épuisée. Dieu merci, c'est presque fini. Une fois les résultats connus, ils seront obligés de me croire. Je me penche en avant pour entendre sa réponse lorsqu'une main me saisit le coude. Ursula.

« Il faut venir avec moi, dit-elle. Votre bébé a besoin d'être changé. » D'une main insistante, elle me force à quitter ma cachette et me ramène au chevet de Toby. « Votre fils vous attend. »

Seule, j'essuie le reste d'excréments noir goudron des fesses rouges de Toby, qui est allongé sur le matelas de la couveuse, la paroi amovible soulevée au-dessus de ma tête, lorsque Mark débouche dans la nursery, une femme aux longs cheveux blonds, élégamment vêtue, à ses côtés. Sa jupe en laine rencontre ses bottes en cuir noir au genou. Un stéthoscope rose avec une petite licorne en plastique accrochée au tuyau pend sur sa blouse écrue. *Dr Amanda Green*, dit son badge, orné d'un smiley jaune. *Pédiatre*. Elle est ce que j'aurais été dans une autre vie.

Après s'être présentée, le Dr Green s'appuie à la paillasse. Une odeur florale familière, sans que je sache pourquoi, s'élève de sa peau. Son parfum est assez agréable – peut-être une marque américaine ? Elle se met à me détailler le bulletin de santé de Toby.

« Il va très bien. Il devrait être prêt à rentrer à la maison dans deux ou trois semaines. »

Je frissonne et referme la paroi de la couveuse.

« Deux semaines ?

— Peut-être. On va voir. Vous êtes médecin, je crois ?

— Oui. »

Elle a un sourire bienveillant. « Dans ce cas je suis certaine que vous comprendrez pourquoi je dis que les analyses ADN ne sont pas nécessaires. »

Je prends une grande bouffée d'air.

« Nous devons les faire, dis-je. (Puis, les mots de Bec en tête, j'ajoute :) J'insiste. »

Mark me prend la main et la presse de ses doigts. *Laisse-moi parler.*

« Nous comprenons, docteur Green. Nous vous faisons confiance.

— Attendez, dis-je, mais Mark serre plus fort.

— Nous devons suivre l'avis des médecins, chérie. Le Dr Green a eu un enfant prématuré, elle aussi. Elle sait ce

147

que c'est, à quel point c'est dur. Rappelle-toi, tu as toujours dit que les médecins savent ce qu'ils font. »

Mark oublie une chose, c'est que je suis médecin aussi. J'ai passé la plus grande partie de ma vie d'adulte dans des hôpitaux. Je sais que les biais cognitifs peuvent obscurcir le jugement. Une fois qu'on s'est arrêté sur un diagnostic, les membres du personnel resserrent les rangs, et il y a peu de chances de les faire changer d'avis. C'est pour ça que j'ai si désespérément besoin que Mark soit de mon côté.

« Tu as dit que nous devrions faire les analyses. » Je serre sa main à mon tour. « Tu as dit que c'était la seule manière d'être certains.

— Il vaut mieux se laisser guider par les professionnels. Tu l'as toujours dit. Ils pensent tous que c'est mieux comme ça. Le Dr Solomon, le Dr Green... » Sa voix faiblit. « Et puis Toby a déjà subi tellement d'analyses. Trop, c'est trop, tu ne crois pas ? »

Je dégage ma main de son étreinte. C'est incroyable. Comment peut-il être si insensible ? Les larmes me montent aux yeux. J'ai été tellement stupide de lui faire confiance ; de croire qu'il me faisait confiance.

Le Dr Green s'adresse à lui. « Le Dr Niles s'entretiendra avec vous dans la journée. » Puis elle se tourne vers moi avec un grand sourire. « Sasha, je suppose que vous avez été informée de notre politique concernant la vie privée et la confidentialité. Les parents n'ont pas la permission d'inspecter les autres bébés de la nursery. Je suis certaine que vous comprenez. Je dois vous prévenir qu'il y aura des conséquences si vous ne respectez pas la procédure de l'hôpital. »

Avant que j'aie le temps de répondre, elle tourne les talons et s'éloigne, dépassant les couveuses qui ont été recouvertes de plaids pendant que je changeais la couche de Toby. Seule la sienne n'en a pas. Ils ont dû faire ça pour les protéger de mon regard. Mon sang se fige.

Dès que le Dr Green n'est plus à portée de voix, Mark fronce les sourcils.

« Sash, tu sais combien ça nous a coûté émotionnellement de faire venir notre bébé. Merde, il *faut* que tu croies que c'est le nôtre. Il le faut. »

Mon menton retombe et je secoue la tête.

« Après tout ce temps, après tout ce qu'on a vécu… Comment peux-tu, Mark ? Il faut que tu parles avec Bec. Elle me croit. Elle a déjà vu ce genre de situations. »

Il baisse les yeux sur le dos de ses mains.

« Je suis désolé, Sash. Toutes les personnes avec qui j'ai parlé sont d'accord avec moi. »

A-t-il discuté avec Bec ? À qui d'autre a-t-il parlé ?

Pour la première fois, je me demande si Mark a quelque chose à voir dans l'échange des bébés. Mais même s'il voulait un fils, il a aussi toujours voulu son enfant biologique. Il préférerait forcément une fille biologique à un fils non biologique ! Non, il ne peut pas être impliqué dans cette affaire, cela n'aurait aucun sens. Alors pourquoi lutte-t-il contre moi ? Croit-il que nous avons plus de chances de récupérer notre bébé si nous nous rangeons à l'avis des médecins ? Ou a-t-il juste perdu espoir ? Comme il a perdu le combat pour sauver son frère, il y a toutes ces années. Peut-être ne croit-il pas que nous retrouverons un jour notre bébé ?

« Nous pouvons trouver notre enfant, Mark. » Je le rassure, m'avançant dans la chaise roulante. « Ce n'est pas comme avec Simon. Nous *pouvons* le trouver, notre bébé.

— Simon ? Qu'est-ce qu'il vient faire là-dedans ? »

Ses joues deviennent rouge vif. Il attrape sa veste.

« Ça n'a rien à voir avec Simon. Et Toby *est* notre bébé, Sasha. Il faut que tu arrêtes ça. Immédiatement. »

Tandis qu'il quitte la nursery, furieux, une infirmière à l'accueil se tourne vers moi pour évaluer ma réaction.

Je baisse la tête jusqu'à ce que seul le sommet de mon crâne soit visible. Je suis certaine qu'elle prend note de tous mes faits et gestes.

Les yeux de Toby se sont fermés, ses cils s'agitent légèrement contre ses joues. Il renifle dans son sommeil. Son torse décharné se soulève et s'abaisse à toute vitesse, comme celui d'un oiseau. Ses ongles longs dépassent de ses doigts. Je suppose qu'ils ont poussé dans le ventre de sa mère. Elle devra les couper bientôt, avant qu'il se mette à se gratter.

Je sens une présence à côté de moi.

« C'est le quart d'heure kangourou, dit Ursula. Peau à peau. »

Pauvre Toby. Il n'est peut-être pas à moi, mais pour l'instant il n'y a personne d'autre pour le tenir dans ses bras et lui donner l'amour qu'il mérite. Sa mère, où est-elle ? Se pose-t-elle les mêmes questions que moi pendant qu'elle tient mon bébé, essayant de lui rendre son amour, à cette petite fille ? Je ne peux que prier pour qu'il y ait quelqu'un avec mon bébé, qui la tienne dans ses bras, lui donne de l'affection en attendant que nous soyons réunies. Que nous puissions être ensemble, toutes les deux.

Ursula place Toby sous ma chemise, contre ma poitrine. Malgré son extrême petitesse, aujourd'hui son poids me paraît raisonnable. Je sens son volume contre mon ventre. Il a la peau douce comme une framboise. Il est chaud, si chaud. Son cœur bat à travers ses côtes contre moi, comme celui du bébé qui a grandi en moi.

Le pressant contre ma peau, j'écarte ses orteils pour voir s'il les a palmés comme Mark. Je ne sais pas trop ce que j'espère. Je vérifie son pied gauche, puis son pied droit, puis de nouveau le gauche.

Rien.

Je le bascule doucement d'un côté, puis de l'autre, pour examiner ses oreilles. Les lobes sont bien attachés à la peau de son crâne, comme ceux de Mark et de son père ; rien à voir avec mes lobes décollés qui ballottent au gré de mes lourdes boucles d'oreilles.

Donc, il n'a pas les orteils de Mark. Mark avait raison pour ses oreilles. L'échographie a pu faire erreur sur le sexe de mon bébé. Peut-être que Mark dit vrai, que je suis en plein délire. Il y a des faits pour moi qui vont dans mon sens, cependant. J'ai étudié ces trucs. J'ai vu assez de patients pour reconnaître la maladie mentale quand je la vois. J'aurais suffisamment de lucidité pour le reconnaître, si j'étais perdue, si j'étais psychotique. Et je ferais quelque chose : je prendrais leurs médicaments, j'écouterais le Dr Niles, je ferais ce qu'on me dit. C'est pour cela que je suis certaine d'avoir raison, quel que soit le nombre de fois qu'ils me répètent tous le contraire.

Toby s'est assoupi, ses joues sont d'un rose poudré. Je regarde sa poitrine se soulever et s'abaisser contre la mienne. À cet instant, avec son poids chaud appuyé contre ma peau, il n'y a rien d'autre à faire.

JOUR 2, DIMANCHE MIDI

Toby est profondément endormi lorsque Brigitte, la mère du bébé sous les lampes bleues, entre dans la nursery en boitillant. Ses cheveux pendent dans son dos en deux nattes lâches, comme des rênes. Elle s'assoit à côté de la couveuse de son fils, en face de celle de Toby, et retire le plaid matelassé de dessus le Plexiglas. *Enfin quelqu'un qui pourrait me comprendre.*

« Sasha, c'est ça ? »

Les lumières bleues donnent à sa peau un éclat blafard, inquiétant. Dans sa couveuse, son fils, Jeremy, croasse et se cambre. Elle glisse les bras à l'intérieur et pose les mains à plat sur sa peau.

« Là, là. »

Il se calme et se laisse aller sur le matelas.

« Saleté de jaunisse, marmonne-t-elle. Je voudrais tellement que ses niveaux baissent. Je voudrais juste qu'il aille bien pour pouvoir le ramener à la maison. Les hôpitaux sont des endroits dangereux, vous ne trouvez pas ? Il y a tant de choses qui pourraient mal tourner. »

Difficile de savoir comment répondre.

« Il n'a pas trop mauvaise mine, vu d'ici.

— C'est les lumières bleues. Tout a l'air mieux, avec. Quand on le sort, il est tout jaune. »

Les sourcils de Brigitte sont froncés, son front plissé comme une vague sur le point de se briser. J'ai le sentiment que je devrais appliquer le bout de mes doigts sur ses tempes pour lui lisser la peau. Son visage paraît hanté.

« Il était trop petit, vous savez, continue-t-elle d'une voix monotone, les yeux rivés sur son bébé. Il a arrêté de grandir dans mon ventre. D'abord ils m'ont mis du gel. Ensuite il y a eu l'injection. Ça a transformé mon utérus en bélier furieux. Vous avez déjà vu ça, j'imagine ? » Elle n'attend pas que j'acquiesce. « Puis il s'est enfui de moi avant que je sois prête. Il m'a entièrement déchirée, jusqu'à l'anus. Ils ont dû me recoudre. Je n'ai pas pu le voir avant une heure environ. Mais l'instant où je l'ai finalement tenu dans mes bras a fait que tout ça valait la peine. » Son front se ride tandis que le visage de Jeremy est tordu par un éternuement. « Je peux dépasser tout ça. Tant qu'il va bien. »

Nous comparons nos récits d'accouchement. C'est ce que font les jeunes mères, je suppose. Mon tour. Je fais une pause. Combien en divulguer ? Que dire ? Je dévoile les fils les plus à vif de l'histoire, ceux que je lui ai déjà exposés. Les caillots de sang. La césarienne en urgence. Je m'arrête. Elle me relance, la main ferme sur le dos de son bébé.

Je lui dis tout ce que je peux me rappeler de mon dossier. La quantité de sang que j'ai perdue. La rapidité de mon pouls. Le volume de liquides qu'ils ont injecté dans mes veines. D'énormes caillots de sang dissimulés derrière le placenta. Je ne m'en souviens pas du tout, mais ça doit être vrai. J'ajoute un détail qui ne figure pas au dossier : Mark est resté avec notre fils tout le temps qui a suivi la naissance.

Ce doit être pendant ce bref laps de temps que l'échange a eu lieu. Je n'évoque pas cette dernière partie.

Lorsque je lève les yeux, Brigitte tremble de tout son corps, et sa main frémit contre la peau bleu marine de Jeremy.

« Désolée. J'en ai trop dit ? »

153

— Non. Pas du tout. »

C'est la première personne à qui j'en parle. Ce que je ne lui dis pas, c'est que j'ai entendu la voix de Lucia, aussi apaisante que le clapotis de l'eau léchant un rivage, tandis que j'étais étendue, couverte de sang, sur mon lit d'hôpital. *Ma chérie, oh, ma chérie. Respire, tu veux ?*

Nous gardons le silence pendant un certain temps. La main de Brigitte caresse le dos de son fils par le hublot de la couveuse, je passe les doigts le long de la colonne vertébrale osseuse de Toby. Il est comme un petit coucou, un oisillon intrus dans mon nid.

« Vous avez essayé longtemps, avant de tomber enceinte de lui ? » demande Brigitte.

Mes doigts s'arrêtent sur la nuque de Toby.

« Des années. On était prêts à continuer jusqu'à ce qu'on n'ait plus d'autre choix que d'arrêter.

— Nous aussi, dit-elle à la hâte, immobilisant ses mains sur le sommet du crâne de son fils. Nous avons même pensé à adopter. À le voir maintenant, je suis vraiment heureuse de ne pas être allée jusque-là. À qui de vous deux ressemble votre fils ? »

Je la fixe d'un regard vide.

« Vous ou votre mari ? »

Je scrute les couveuses alignées le long du couloir comme si elles allaient me donner la réponse. Mark a raison. Je n'ai jamais su mentir.

« Mon mari dit qu'il a mon nez et ses yeux. Et vous ? »

Elle sourit, un sourire charmant qui illumine tout son visage, lui donnant l'air incroyablement vivant malgré ses traits tirés.

« Tout le monde dit que Jeremy est le portrait craché de John, mon mari. »

Elle sort son téléphone de sa poche et tourne l'écran vers moi. C'est le scan d'une photo en noir et blanc, sans doute de son mari, en robe de baptême et calot blancs, avec des joues pleines de fossettes, une tête chauve et des membres potelés.

« C'est le même, on dirait. »

Mon propre téléphone sonne, une alarme. Le rendez-vous avec le Dr Niles, au service mère-enfant. Il ne faut pas que j'arrive en retard.

« Vous retournez à votre chambre ? » demande-t-elle, ses mains autour de son bébé comme s'il s'agissait d'un paquet-cadeau.

Je hoche la tête en replaçant Toby, toujours endormi, dans son berceau. « J'ai de la visite. » Je lève les yeux au ciel.

« Ne les laissez pas vous épuiser, dit Brigitte. On se verra au service postnatal, alors. Je pourrais passer plus tard vous faire un coucou, si vous voulez. Vous êtes dans quelle chambre ? »

Je referme les hublots de la couveuse de Toby, essayant de dissimuler le tremblement de mes mains.

« Je ne sais plus le numéro. Mais on va se revoir ici, j'en suis sûre. »

Brigitte m'adresse un sourire bienveillant tandis que je sors de la nursery en traînant les pieds, le cœur battant la chamade. Peut-être que je ne suis pas aussi mauvaise pour le mensonge que je l'ai toujours cru, après tout.

Je dois être en retard. Je pose les coudes sur le guichet de l'accueil et fais de mon mieux pour projeter une aura de sérénité malgré mon cœur qui bat encore à tout rompre.

« Vous êtes à l'heure. »

C'est le Dr Niles, derrière moi, les lèvres serrées en un mince sourire. Elle me guide vers une minuscule salle d'entretien, juste assez grande pour contenir une petite table et quatre chaises. La porte se referme derrière elle avec un déclic sévère. La pièce ressemble à une cellule de prison, avec son manque d'aération et ses murs gris. Les plafonniers sont fluorescents comme les lampes d'une salle d'interrogatoire. Je suis forcée de plisser les yeux pour déchiffrer la pancarte accrochée au tableau : *Notre équipe est là pour vous. Notre but est de vous aider, de vous soutenir et de vous comprendre.*

« Mon idée, dit le Dr Niles, en suivant mon regard. Je suis là pour les patientes. Comme nous devrions tous l'être. »

Elle prend la chaise la plus proche de la porte. C'est une mesure de sécurité, en accord avec sa formation. Je le faisais aussi, avant.

Je m'assois en face d'elle. Moins menaçante, comme ça. Elle peut dès lors mettre en scène ses fantasmes d'interrogatoire.

Aplatissant ses cheveux roux sur une de ses tempes, le Dr Niles me passe sans bruit deux feuilles de papier : un planning hebdomadaire.

Lundi – thérapie de groupe
Mardi – vidéo : prendre soin de votre bébé
Mercredi – yoga
Jeudi – matin : promenade ; soir : pratique spirituelle
Vendredi – quartier libre

Et ainsi de suite, jusqu'à la page suivante.

« Deux semaines de planning ? » Je m'accroche à ma chaise.

« Nous sommes prévoyants, ici.

— Mais, et si je sors avant ? »

Elle hausse ses sourcils savamment sculptés.

« Attendons de voir comment ça se passe. Il est important que vous sachiez que nos séances sont obligatoires. Nous vérifions l'assiduité. »

Mes doigts deviennent tout engourdis.

« Je suis là pour deux semaines.

156

— Vous pourriez considérer ça comme des espèces de vacances. Toutes les mamans ont besoin de vacances. »

J'essaie de ralentir ma respiration en me concentrant sur les particules qui flottent dans la lueur des plafonniers. Les grains de poussière sont pareils à des cellules sous mon microscope : chacun est une minuscule bribe sans ressemblance avec le tout.

Le Dr Niles s'éclaircit la gorge et je reporte mon attention sur elle. Il me faut rester concentrée sur la partie qui se joue. Le Dr Niles ne m'aidera pas à retrouver mon bébé. Cependant, c'est à elle que revient la responsabilité de me déclarer saine d'esprit et de signer ma sortie, deux étapes importantes pour ramener ma fille chez moi. Je redresse la tête avec un sourire étudié.

« Vous aimez les chiens.

— Comment le savez-vous ? »

Je désigne le *J'<3 les Rottweilers* imprimé en petites lettres bordeaux sur son chemisier.

Elle baisse les yeux sur sa poitrine.

« Je le porte le dimanche. Mon compagnon et moi, nous en faisons l'élevage. Mes chiennes reproductrices s'appellent Henrietta et Goldilocks.

— Mignon », je réponds, même si je préfère les chats.

Ses yeux se promènent sur mes cheveux, que je sais hirsutes, mes lèvres craquelées et les cernes noirs sous mes yeux.

« Vous ne devriez pas être si pressée de sortir d'ici, Sasha. Je vous suggère d'essayer d'en apprendre davantage sur les autres. Et sur vous-même. »

Elle poursuit son baratin sans attendre ma réponse. « Je sais que ça peut être parfois difficile, en tant que médecin, de s'autoriser à être dans la position du patient. Vous devez me faire confiance. Avec la combinaison du traitement, du repos, de la thérapie de groupe, et les visites à Toby à la nursery, vous vous sentirez mieux en un rien de temps. Je vous rendrai visite tôt chaque matin où ce sera possible pour bavarder. Voir comment je peux vous aider. »

Je ne vois pas en quoi elle pourrait m'aider.

« Nous avons tous besoin d'un peu de soins supplémentaires, de temps à autre. En tant que psychiatres, nous sommes obligés d'avoir une supervision. Nous discutons des cas difficiles en groupe. Parfois, les autres psychiatres parlent de leurs problèmes personnels, aussi. Leur infertilité. Leurs problèmes conjugaux... »

Tandis qu'elle se lève pour me faire sortir de la pièce, j'interviens. « Peut-être que vous pourrez me montrer une photo de vos chiens, un jour.

— Avec plaisir. » Elle me fait un petit signe de la main et s'éloigne.

Les chiens sont un bon début. Si elle me voit comme un individu, voire comme une collègue, plus que comme une patiente, elle a davantage de chances de me faire sortir assez vite. Mais qu'est-ce qu'elle me comprend mal ! Tout le monde me comprend mal, même Bec. Je redresse les épaules. Dans mon état de complicité forcée, je dois me rappeler de ne pas me laisser abattre par le personnel de l'hôpital. Ce que je peux faire, c'est utiliser intelligemment mon séjour. Il me faut un semblant de plan.

Je l'ai, je m'en aperçois dans un sursaut en regardant la pancarte trompeuse au tableau. Je vais faire mon affaire en douce. Je vais commander les analyses ADN moi-même.

ENFANCE

MARK

Notre enfance n'a pas été si terrible que ça, mais on ne pourrait guère la qualifier d'idyllique. Papa régnait sur la maisonnée à coups de ceinturon. Simon se mettait toujours dans des situations impossibles. C'était moi, en général, qui l'en sortais.

Lorsque nous avions huit ans, Simon a chipé dix dollars dans le sac à main de notre tante pour s'acheter une BD. J'ai nié, mais maman et papa savaient que c'était l'un de nous deux. Papa était furax. Tandis qu'il sortait de la chambre, hors de lui, pour aller chercher sa ceinture afin de nous fouetter tous les deux, j'ai sorti dix dollars de ma tirelire.

« Tiens, ai-je fait, lui tendant le billet lorsqu'il est revenu. Je suis vraiment désolé. C'était moi. »

Papa a enroulé la ceinture autour de son poignet.

« Vous avez tous les deux de la chance que tu aies avoué, Mark. Je laisse tomber la ceinture... pour cette fois. »

J'ai passé le reste de notre enfance à protéger Simon de papa. Au lycée, certains élèves essayaient de le prendre pour cible, le traitant de *gros plein de soupe*. J'ai tenté de lui apprendre à se comporter avec désinvolture, l'ai laissé se joindre à mes amis, invité à toutes les fêtes les plus courues.

Ça ne me gênait pas de le trimbaler partout. Il était de bonne compagnie, c'était marrant de jouer aux jeux vidéo ou de regarder des films avec lui. Je l'aimais bien. Être son jumeau me semblait une bénédiction, un don du ciel. Nous étions toujours une équipe de deux.

Un soir, quand nous avions dix-sept ans, je l'ai traîné à une soirée. Par un étonnant coup de théâtre, il a réussi à sortir avec une fille. Je l'ai laissé là-bas, en train de lui rouler des pelles, et j'ai pris un taxi pour rentrer à la maison. Mais à 4 heures du matin, papa m'a réveillé : Simon n'était toujours pas rentré. Papa était sur le point d'appeler les flics.

Une fois qu'il s'est retiré dans la cuisine, je me suis faufilé jusqu'à la porte de la maison, je l'ai claquée, puis je me suis précipité dans la chambre de Simon, me suis glissé sous son édredon et l'ai tiré sur ma tête.

« Tu es puni, Simon, a crié papa de la porte de la chambre. Tu viens juste de manquer une série de coups de fouet. Mark ne ferait jamais une chose pareille. »

De sous les couvertures, j'ai marmonné une réponse.

Simon a été très reconnaissant lorsqu'il est rentré en douce en milieu de matinée.

« Merci, Mark. Je te dois une fière chandelle. »

Même après le lycée, maman comparait sans cesse Simon avec moi. Simon n'avait pas réussi à entrer dans l'équipe de basket de l'État. Il n'était pas sorti avec l'actrice de *Home and Away*. Il n'avait pas obtenu le trophée de l'Apprenti de l'année.

« Vous êtes tellement différents, tous les deux, non ? nous disait-elle de temps en temps. C'est sans doute normal. Vous êtes hétérozygotes, après tout. »

Simon haussait les épaules et perdait toute expression. Je lui faisais un clin d'œil, tâchant de le réconforter malgré les remarques perfides de maman. Il me répondait par un sourire timide. Je savais qu'il essayait toujours de faire de son mieux.

Entre-temps, il était devenu apprenti menuisier, et il travaillait avec papa sur ses chantiers.

« Il n'est pas à la hauteur, disait papa à maman quand Simon n'était pas là. Il faut qu'il se remue un peu. » Ensuite il promenait les yeux sur mes créations culinaires soigneusement disposées. « Je pense que tu serais doué avec un marteau, Mark. J'aimerais bien que tu viennes bosser pour moi.

— Simon va s'améliorer, répondais-je toujours. Il faut juste que tu lui laisses le temps.

— Le temps, c'est tout ce qu'il a pour lui. »

Et puis tout a changé.

Simon s'est mis à se coucher plus tôt. Il déclinait mes invitations en soirée, disant qu'il ne se sentait pas bien. Il a commencé à perdre du poids. Dans la salle de bains, les poils de sa brosse à dents étaient rose pâle. Il y avait des traînées de sang sur ses oreillers le matin. Je n'ai rien dit. Je ne suis pas certain qu'il m'aurait écouté, de toute façon.

Un jour, je lui ai donné un petit coup de poing dans le bras, pour jouer. Un bleu violacé est apparu aussitôt. Il était encore là quelques semaines plus tard, marbré, gris-noir.

« Tu devrais faire examiner ça. »

Il a grommelé et repris la Game Boy.

Je m'en veux encore un peu, même après toutes ces années. Peut-être que si je l'avais poussé davantage à consulter un médecin, un traitement plus précoce aurait pu faire la différence. Il a encore fallu un mois avant que tombe le diagnostic, puis encore dix-huit mois de chimio, à le voir se ratatiner, n'ayant plus que la peau sur les os. Tandis que maman et papa rentraient dans leur coquille à chaque revers, je regrettais de ne pas être à sa place sur le lit d'hôpital.

Après l'enterrement, papa passait ses soirées à regarder l'écran de la télé réglé sur de la friture, en vidant bière sur bière. Lorsqu'il refusait d'arrêter de boire, maman quittait la pièce en larmes. Pourquoi ne pouvaient-ils pas voir que c'était moi qui avais subi la plus lourde perte ? Il était mon jumeau : mon autre moitié. À l'époque, je ne saisissais pas à quel point cela avait dû être dur pour eux, de perdre leur fils.

Le soir de la mort de Simon, je lui ai fait une promesse. Je lui ai juré de vivre ma vie comme si c'était la sienne. Deux vies, pour compenser celle qu'il avait perdue. Chaque fois que je dois prendre une décision, je pense à ce qu'aurait fait Simon, et je suis son avis. Ça n'a pas été facile, je le reconnais. Mais je tiens toujours parole. Et sa compagnie – en un sens – m'a été très utile au fil des années.

À l'enterrement, j'étais trop bouleversé pour prendre la parole. Papa s'est chargé de l'éloge funèbre. J'ai tout de même aidé à porter Simon hors de l'église, les mains glissant sur la barre métallique. Il avait toujours été costaud, mais son cercueil était léger comme de l'air. J'ai imaginé que nous voguions dans l'atmosphère, lui et moi, tels des ballons d'hélium à la dérive sur la brise, jusqu'aux confins de la stratosphère.

Je sais ce que Simon aurait fait avec Sash. Il l'aurait épaulée, il l'aurait soutenue. Alors c'est l'engagement auquel je me tiendrai. Je n'abandonnerai pas ma femme.

JOUR 2, DIMANCHE, MILIEU D'APRÈS-MIDI

Mark me rejoint devant la porte de la nursery.

« Je suis tellement content que tu aies décidé de venir, Sash. Ma mère et mon père vont arriver d'une minute à l'autre. Je sais que c'est dur pour toi, mais c'est un grand jour pour eux, ils vont enfin rencontrer leur petit-fils. »

Il me guide à travers la mer de couveuses jusqu'au berceau de Toby, qui est maintenant lui aussi recouvert d'un plaid matelassé : orange vif à pois mauve clair. J'avais cru que les plaids étaient là pour m'empêcher de voir les autres bébés. Me suis-je trompée ?

« Je viens de parler au Dr Niles. Je lui ai dit que tu avais hâte de quitter le service. » Sa main est comme la serre d'un perroquet sur mon épaule, elle me transperce la peau. « Elle pense que ça ne devrait pas poser de problème qu'on sorte tous les deux de l'hôpital quelques heures, à un moment ou un autre. Je peux t'emmener faire un tour en voiture. Peut-être qu'on peut aller dîner. Ce serait chouette, non ? »

Un *Hou-hou* familier résonne à l'autre bout de la nursery. C'est la mère de Mark, Patricia, qui nous fait signe en s'approchant, la main levée comme une femme policier chargée de la circulation. Son châle en cachemire favori est jeté sur son épaule. Ray, le père de Mark, la suit de loin,

163

les mains bien enfoncées dans les poches de son jean. Il me salue d'un signe de tête, puis détourne les yeux.

« Sasha, ma chérie, dit Patricia, désolée d'apprendre que tu n'es pas bien. » Elle ne me prend pas dans ses bras, mais se penche pour me déposer un baiser sur la joue, comme si j'étais une poupée en porcelaine.

« Ça va », dis-je, les yeux fixés sur Toby.

Au début de notre histoire, Mark me défendait lorsque sa mère me faisait des remarques sournoises. Je ne l'ai pas remarqué sur le coup, mais à un moment donné, au cours des dernières années, il a cessé.

Cet hiver, sa mère m'a prise à partie alors qu'elle était en train de découper le poulet rôti en bout de table.

« Tu vas lui donner le sein, chérie ? Et opter pour un accouchement naturel, je suppose ? »

Mon assiette vide ressemblait à une lune pâle. Les yeux des parents de Mark étaient braqués sur moi. *Bien sûr*, aurais-je voulu répondre, mais j'avais la bouche trop sèche.

« Le principal, c'est que notre bébé soit en bonne santé, a dit Mark. Je me fiche de la façon dont il naît ou dont il est nourri. »

Je l'ai remercié en silence.

« Bien sûr », a dit Patricia, disposant les morceaux de viande sur un plateau.

Ce n'est que plus tard que j'ai remarqué qu'il n'avait rien dit à propos de moi.

Debout, bien droite à côté du berceau de Toby, Patricia examine le plaid matelassé avec circonspection.

« Qu'est-ce que c'est que ça ? Une de tes créations, Sasha ? » Avant que j'aie le temps de répondre, elle l'arrache, puis place les mains à plat sur la couveuse, tapotant le plastique de ses ongles en acrylique. « Comment va notre petit garçon ?

— La pédiatre affirme qu'il ira bien, dis-je.

— Quel dommage qu'il soit né si tôt ! Mais enfin, au moins, il a ton lait. Ça va l'aider à prendre des forces, n'est-ce pas ? »

Mark se frotte le nez.

« Sasha ne peut pas donner le sein, maman. »

Enfin une tentative de me défendre.

« Je vois. » Sa mère, c'est le loup déguisé en mère-grand qui se lèche les babines, dans *Le Petit Chaperon rouge*.

« Ray et moi, on a été frappés par la ressemblance de Toby avec papy Bob sur les photos que tu nous as envoyées, Mark. Tu as connu Bob, n'est-ce pas, Sasha ? »

Je secoue la tête. Puis je me rappelle que si, je l'ai rencontré il y a des années, au début de notre histoire. Il vivait dans une maison de retraite, avec un Alzheimer en phase terminale. Il avait les oreilles basses et décollées, les yeux très espacés et un long nez. Je ne me rappelle pas les lobes de ses oreilles.

« Regarde, Ray. » Patricia montre Toby. « Il a les orteils boudinés de Mark. Et le menton, c'est le tien. » Elle retrousse les lèvres, découvrant ses fausses dents, aussi blanches que celles d'un requin. « C'est le portrait craché de Mark quand il était bébé. » Elle se penche vers moi. « Pour moi, Mark était un bébé magnifique. Tous les autres trouvaient qu'il ressemblait à un chou écrasé. Ils ne me l'ont dit que plus tard, bien sûr. » Elle a un rire sonore. « Quand seras-tu libérée de cet autre service, Sasha ?

— Elle n'est pas en prison, maman, marmonne Mark.

— Dans plus très longtemps, dis-je. Mark a promis de me faire sortir. »

Mark évite mon regard.

Les yeux de Patricia se baissent sur Toby.

« Sasha, ma chérie, ne t'en fais pas si on ne te laisse pas sortir avant que Toby rentre à la maison. Nous pourrons aider Mark. Et s'il le faut, nous pouvons même nous installer chez vous pendant un certain temps. »

Mark me prend la main et la presse.

« Merci, maman. Nous en parlerons avec Sasha. Nous vous tiendrons au courant. Je suppose que nous allons avoir besoin de toute l'aide possible. »

Mark, sa mère qui me harcèle comme un vautour, son père transparent, planté là à côté d'eux. Les bébés, qui me jugent de leurs yeux flous, sachant à quel point j'ai manqué gravement à mon devoir envers mon enfant. Les larmes me montent aux yeux. Je ne veux pas qu'ils me voient pleurer, tous autant qu'ils sont. Je me libère de la main de Mark et me dirige vers la porte. Je vais me retirer dans le service mère-enfant, me coucher tôt. Patricia élève la voix derrière moi :

« La pauvre petite. Elle est fatiguée, j'imagine. Au revoir, Sasha », lance-t-elle. Puis, quelques secondes après, à Mark : « Comment tu fais pour la supporter ? »

Je préfère ne pas entendre sa réponse.

JOUR 3, LUNDI MATIN

Le soleil est déjà haut dans le ciel. J'escalade prestement la chaise sous ma fenêtre, soulève les rideaux et frotte une épaisse couche de poussière sur la vitre. Sous moi s'étale un petit jardin fermé par une clôture en bois. Un magnolia se tient telle une reine au milieu, ses boutons éclatant en fleurs mauves et blanches. Des jonquilles percent le sol boueux, par touffes. Des moineaux viennent picorer la pelouse vert bouteille constellée de pissenlits. Je voudrais être dehors, allongée sur le dos au soleil. Je pousse un soupir et j'entrouvre la fenêtre au maximum de la cordelette qui la retient. Ce n'est pas beaucoup, mais c'est suffisant pour happer le parfum de l'herbe fraîchement coupée.

La main à plat sur la vitre, avec le froid qui s'infiltre dans ma peau, je rappelle Bec. Je ne peux tout bonnement pas accepter l'idée qu'elle ait dit à Mark qu'elle ne me croyait pas. C'est la seule personne que j'imagine susceptible de pouvoir m'aider en ce moment.

« Sash ! »

La nuit dernière, en rêve, j'ai vu des bébés morts étendus sur un sol de béton. Je ne suis pas d'humeur à échanger des politesses.

« Bec, tu crois qu'il est possible que mon bébé soit mort ? Je n'arrive toujours pas à la trouver. Tu crois que c'est

possible qu'ils essaient de me cacher ce qui s'est passé ? »
Je m'agrippe au rebord de la fenêtre.

Bec parle d'une voix lente et apaisante. « Tu fais du catastrophisme, là. Un hôpital ne pourrait jamais organiser une dissimulation aussi énorme. Tout le monde va bientôt s'apercevoir qu'il y a eu une erreur et ça sera terminé.

— Mais j'ai cherché, Bec. J'ai revérifié les couveuses depuis qu'on s'est parlé. Mon bébé n'est pas là, je le jure.

— Alors vérifie encore. Elle y sera. Il faut bien qu'elle soit quelque part, Sash. »

Je secoue la tête. Elle n'a aucun moyen de savoir ce que je vis ici, où je suis censée faire semblant d'aimer un bébé qui n'est pas le mien.

« Le pire, c'est qu'ils refusent toujours de faire les analyses ADN. Mark est d'accord avec eux. Et ils m'ont forcée à me faire hospitaliser dans le service mère-enfant. »

Bec s'étrangle.

« Tu n'as pas parlé à Mark ? » je lui demande.

Elle fait une pause. « Disons que nous n'étions pas sur la même longueur d'onde. Je pensais qu'il finirait par changer d'avis et prendre ton parti. Je vais appeler le responsable et lui dire que tu es parfaitement saine d'esprit.

— C'est bon, Bec. Tu n'as pas besoin de faire ça. D'ailleurs, je doute que ma psychiatre t'écouterait, de toute façon.

— Oh ! Sash, c'est atroce. Je voudrais juste pouvoir faire quelque chose.

— Que tu me croies, déjà, ça suffit. »

Je sens son sourire, sa chaleur et sa confiance au bout du fil.

« Laisse-moi un peu de temps, Sash. Je vais trouver une stratégie. Et d'ici là, le mieux que tu puisses faire, c'est de sortir du service mère-enfant au plus vite. Alors en attendant, tu n'as qu'à coopérer avec eux, faire ce qu'ils te demandent. Passer du temps avec le bébé qu'ils disent être le tien. Les amener à penser que tu vas mieux. Tu ne peux rien faire tant que tu es enfermée là. Dis juste que maintenant tu sais que ce bébé est ton fils.

— Tu crois que ça va suffire ?

— Je l'espère. Quant à ta petite fille, la vraie, promis, je sais que tu vas la trouver. »

Elle a l'air beaucoup plus optimiste que moi. Sa jalousie concernant ma fertilité pourrait-elle affecter son jugement ? Je décide de ne pas lui révéler mon projet concernant les analyses ADN. Il vaut mieux que je garde ça pour moi, dans un premier temps.

Par la fenêtre, le vent agite les fleurs de pissenlit. Le printemps a toujours été ma saison préférée. La promesse d'une nouvelle vie. De l'espoir.

Ma mère aimait le printemps, elle aussi. Elle adorait les fleurs en bouton, leurs parfums, leurs corolles qui s'ouvraient enfin. C'était le printemps quand elle nous a quittés.

Après son départ, mon père a refusé de parler d'elle. Il ne prononçait jamais son nom à cette époque, même lorsque mes petits copains venaient me chercher avec un bouquet de roses pour sortir. « Jolies… fleurs », disait-il prudemment. *Rose, Rose, Rose,* j'ai eu envie de lui crier cent fois au fil des années, juste pour obtenir une réaction. N'importe quoi pourvu qu'il reconnaisse qu'elle avait existé.

Je voudrais que ma mère soit là pour me soutenir. J'ai le sentiment qu'elle pourrait sans doute m'aider, qu'elle saurait comment arranger tout ça. Peut-être Bec peut-elle m'aider à retrouver sa trace. Elle connaissait ma mère, elle aussi. Et, contrairement à mon père, Bec ne me mentira pas.

« Bec, j'ai besoin de te poser quelques questions sur le passé. »

Dans l'un de mes premiers souvenirs, je suis étendue à plat ventre sur la pelouse derrière la maison, et je regarde une colonne de fourmis avancer en direction de ma mère. Elle est assise sur une chaise de jardin, sous l'étendoir, et continue de fumer des cigarettes même lorsque des gouttes de pluie se mettent à tomber. J'étais déjà trempée lorsque mon père est venu me cueillir dans ses bras pour me porter à l'intérieur.

Ce que j'ai besoin de savoir par-dessus tout, c'est que ce n'est pas parce que ma mère m'a abandonnée que je vais être une mauvaise mère.

« Bien sûr. Tout ce que tu voudras », dit Bec, avec un petit décalage sur la ligne à cause de la distance. Londres.

« Est-ce que ta mère t'a déjà dit quelque chose sur les raisons du départ de la mienne ? »

Je saute de la chaise et presse les doigts sur mon front, sans savoir si je tiens vraiment à connaître la vérité. Je sens une brève hésitation. On dirait que Bec a répété sa réponse. Je me demande ce qu'elle a à cacher.

« Non, Sash. Je ne sais rien. »

Je ne m'attendais pas à autre chose, mais je suis surprise de la déception que j'éprouve.

« Rien sur l'endroit où elle est allée quand elle est partie ? Elle n'a jamais repris contact avec vous ? Ou laissé des indications sur là où elle pourrait se trouver maintenant ? »

Il doit bien y avoir dans la disparition de ma mère un indice qui pourrait m'aider à la localiser.

« Désolée, Sash. Maman n'a jamais rien dit. » Sa voix est rocailleuse, comme si elle s'apprêtait à fondre en larmes.

Dans quelques semaines, c'est le septième anniversaire de la mort de sa mère. Lors de la veillée mortuaire de Lucia, j'essayais de réconforter Bec tandis que, rassemblées aux deux bouts du couloir, des parentes en robes noires de matrones, lèvres pincées, mordaient dans des sandwichs œufs-mayonnaise au curry en échangeant des réflexions à mi-voix sur l'absence de progéniture de Bec. Mario, son père, n'était pas venu. Il a quitté Lucia lorsque Bec était bébé et on n'a plus jamais entendu parler de lui. Bec ne le lui pardonnera jamais, elle le dit toujours.

Quant à moi, je ne sais pas si je serai jamais capable de pardonner à ma mère de m'avoir abandonnée quand j'étais petite, de ne pas avoir été là – en particulier maintenant – quand j'avais le plus besoin d'elle. La chaleur monte brusquement dans ma poitrine.

« Tu as eu tellement de chance avec ta mère. Elle était parfaite.

— Maman n'était pas parfaite. Tu te souviens quand elle nous serrait dans ses bras ? »

Lucia nous serrait jusqu'à ce qu'on étouffe presque. Son tablier sentait l'huile d'olive, son haleine l'ail, et ses doigts un soupçon de savon à la rose.

« Mes chéries, disait-elle. *Bellissime.* » C'était juste un mot à l'époque. Il m'a fallu de nombreuses années pour découvrir qu'elle nous disait à toutes les deux que nous étions belles.

Lucia m'a appris à préparer des tagliatelles fraîches à partir d'une pâte farinée, en les assemblant en petits paquets de ses doigts chauds. Elle plaçait sa main sur la mienne pour remuer la bolognaise. Lorsqu'elle goûtait ses mixtures sur le rebord de la cuiller, elle plissait les lèvres et me faisait un clin d'œil.

La mère de Bec était assez parfaite. Si seulement on pouvait en dire autant de la mienne !

« Je peux te demander quelque chose, moi aussi ? » Le ton hésitant de Bec me ramène à la conversation. Elle a toujours été si forte, si indépendante. Elle n'a jamais eu besoin de moi, et elle ne demande quasiment jamais d'aide.

« Vas-y. » Je lui dois la chance de me poser des questions, même s'il est difficile d'imaginer ce qu'elle pourrait bien vouloir de moi en cet instant

« Tu as ressenti quelque chose, quand ton bébé était au stade embryonnaire ? Enfin, tu as senti qu'il allait rester ? »

Non.

171

Elle poursuit sans attendre ma réponse : « Parce qu'on a tout essayé. Je ne vois pas du tout ce que je pourrais faire de plus. »

Il y a une pause, et j'essaie de trouver une réponse adéquate.

« Je crois que je faisais peut-être *trop* d'efforts, dis-je finalement. Peut-être que ça a aidé quand j'ai arrêté d'être si rigide avec mon régime, l'exercice et tout ça. »

Bec pousse un soupir.

« J'ai un aveu à te faire. Il se pourrait que je me sois lancée dans des techniques un peu baba cool. T'as déjà essayé ce genre de trucs ? »

Je ne l'ai jamais dit à Bec, mais j'ai tenté toutes les thérapies naturelles existantes. Après des échecs répétés, j'avais dû renoncer à ma foi sans réserve dans la médecine occidentale. J'aurais essayé n'importe quoi, même de tenir debout sur la tête pendant un an, si j'avais cru que ça m'aiderait à tomber enceinte. J'ai bu de la spiruline verte infecte que j'ai vomie par terre dans la cuisine ; j'ai laissé un gentil médecin chinois appliquer des bâtonnets chauffés sur mes points d'acupuncture. Je suis allée jusqu'à consulter une voyante dans une caravane truffée de cristaux. Sans aucune indication de ma part, la voyante a déduit que j'avais fait deux fausses couches et qu'avant la fin de l'année j'allais donner naissance à une fille avec des boucles blondes et des fossettes. Elle m'a donné ce que personne d'autre ne pouvait m'offrir : de l'espoir. Mark a fait la gueule lorsque je lui ai raconté. « Tu es en train de te transformer en une de ces personnes dont tu te moques tout le temps. Qu'est-ce qui vient ensuite ? La sorcellerie ? » Je ne lui ai pas parlé de la carte que m'avait confiée une amie la semaine précédente, celle d'une sorcière qui vivait dans les montagnes, avec une liste d'attente de quatre mois pour une consultation.

« Qu'est-ce que tu essaies, Bec ? »

— L'acupuncture, c'est tout. Tu sais, le truc avec quand même un minimum de preuves d'efficacité. »

La médecine légale, c'est le contraire de la supercherie, c'est une science qu'on peut assimiler, mémoriser et régurgiter sous une forme stable et immuable. Je suppose que c'est pour ça que j'ai abandonné la pédiatrie pour m'y consacrer après Damien. Il existe un socle de preuves pour fonder la médecine légale : des tas de livres, d'articles, de documents, suffisamment pour remplir toute une université. Mais le fait de travailler dans ce secteur m'a appris au fil des années une ou deux choses qui ne figurent dans aucun manuel. Par exemple, que nous sommes tous pareils sous notre mince enveloppe de peau.

« Bec, continue à y croire, c'est tout, OK ? Tu ne peux pas savoir quand ça va marcher. Tu n'as besoin que d'un seul embryon, après tout. »

Au fond de moi, je suppose que je savais que certaines des méthodes naturelles d'augmentation de la fertilité que j'utilisais étaient ridicules, dépourvues du moindre fondement scientifique, mais je n'ai pas pu m'en empêcher. Je devais les essayer à cause des récits personnels que j'avais lus en ligne, ou entendus de la bouche de mes patients, les histoires que tableaux et graphiques ne pouvaient pas contenir, les cas qui n'obéissaient pas aux lois de la médecine. Ces histoires d'espoir étaient gravées au fer rouge dans mon cerveau, pour me rappeler les limites de la méthode scientifique qui me tenait tant à cœur. Je savais qu'il existait des choses qui ne pouvaient pas s'expliquer si facilement.

« Merci, Sash. Tu es la preuve vivante que ça peut fonctionner même quand ça semble sans espoir ; tu l'as eu, ton bébé. Et quand tu la trouveras, tu vas être tellement heureuse. N'abandonne pas. »

Bec a toujours su trouver les mots justes. Lorsque ma mère est partie, aucun adulte ne voulait en discuter avec moi.

Mon père ne voulait pas en parler du tout. C'est Bec qui m'a expliqué. Elle a dessiné une carte du monde, montrant ma mère à l'autre bout du globe.

« Pourquoi voulait-elle aller vivre là-bas ? ai-je demandé.

— Elle pensait que c'était le meilleur endroit où vivre.

— Mais elle va être toute seule.

— Justement. Et quand elle aura terminé, elle voudra revenir te voir. »

Je n'ai pas vraiment compris à l'époque. Je ne comprends toujours pas, je crois. Quelque part, je suis toujours cette enfant que j'étais il y a tant d'années, essayant de comprendre, espérant que ma mère va surgir tout à coup dans la pièce, ravie de me voir, heureuse d'être enfin rentrée à la maison.

C'est le moment de mettre mon plan à exécution.

Mes points de suture me brûlent sous le pansement. Je traîne la chaise dans la salle de bains et la coince sous la poignée de la porte. Je m'assois sur le couvercle des toilettes. À 9 heures tapantes, je compose le numéro d'une boîte d'analyses ADN, ADNFacile, que je viens de dénicher sur Internet. Les commentaires, émanant surtout de pères ayant confirmé la paternité de leurs enfants, disent qu'elle est digne de confiance. J'ai d'abord envisagé de faire appel à mon vieux pote de médecine, Angus. Il était chef de clinique adjoint en médecine légale, un peu empoté avec ses épaisses lunettes, lorsque je l'ai rencontré. À présent, c'est un multimillion-naire qui dirige une entreprise d'analyses ADN présente dans tous les États. J'ai cliqué sur sa fiche, toujours dans mon téléphone après toutes ces années, mais je ne me suis pas résolue à l'appeler. Ses questions seraient trop difficiles. La médecine légale est un petit monde, l'univers des analyses ADN est encore plus fermé. Une compagnie anonyme, ce sera bien plus discret.

Mes mains tremblent tandis que j'écoute la tonalité. J'ai l'impression que j'appelle pour inviter un garçon à sortir avec moi. Un homme à la voix juvénile, Jim, me répond.

« Je voudrais des renseignements sur les analyses ADN. » Je m'efforce de parler d'une voix égale. *La preuve, c'est le pouvoir*, je me répète, même si, en principe, le savoir devrait suffire.

« Un test de paternité, donc ?

— Non, pas de paternité. Un test de maternité, disons.

— Laissez-moi vérifier si on peut faire ça. » J'imagine que la plupart de leurs appels ont trait à des recherches en paternité, à la demande d'hommes mécontents. J'entends sa voix étouffée en bruit de fond avant qu'il reprenne l'appel.

« C'est après une FIV ? Ou est-ce que c'est pour vous et votre mère ? »

Je glisse ma paume sur la porcelaine luisante au-dessous des toilettes, en quête de quelque chose à quoi me raccrocher.

« Une FIV. » Ce doit être une des raisons pour lesquelles les gens demandent des tests de maternité : histoire de vérifier que la clinique n'a pas sorti le mauvais embryon du frigo par erreur.

Il détaille la procédure. Ils vont envoyer des kits d'échantillons buccaux pour le bébé, son père et moi. Je n'aurai plus qu'à les leur réexpédier. Si le père du bébé n'est pas d'accord, je n'ai pas besoin de son consentement. Un échantillon médico-légal fera l'affaire.

« Un échantillon non-standard ? » Ma voix part dans les aigus. Je regrette que notre formation en médecine légale ne nous ait pas enseigné les réalités des analyses ADN, plutôt que de se concentrer sur la biologie moléculaire. Je n'en reviens pas d'ignorer les détails pratiques.

Soudain, on frappe à la porte. La chaise sous la poignée racle le sol.

« Sasha, c'est l'heure de vos médicaments. Vous pouvez ouvrir la porte ? » Une infirmière. Zut.

« J'arrive tout de suite. » Puis, dans le téléphone, je murmure : « Désolée. »

Je me détends tandis que Jim énumère les pour et les contre de chaque technique de prélèvement. Je prends des notes au dos du planning du Dr Niles.

« Un mouchoir usagé représente 95 % de chances de succès. Les ongles, c'est bien aussi. Les cheveux, en principe, on ne s'en sert qu'en dernier recours, car il faut que la racine soit encore attachée. Le sang, c'est très bien. Si votre compagnon se coupe en se rasant, par exemple. Sinon, les brosses à dents, c'est super, mais il faut qu'elles aient été utilisées quotidiennement pendant deux à trois semaines. »

Il est inutile de commander un kit d'échantillons pour Mark. Il ne se soumettra jamais à l'analyse volontairement. Son mouchoir ? Il l'a souvent sur lui, à cause de ses allergies. Je ne sais pas du tout comment je pourrais le lui subtiliser. Tout ce que je sais, c'est qu'il va falloir que j'agisse promptement. Dans très peu de temps, ils vont laisser sortir Toby de la nursery et le renvoyer à la maison. Ensuite, ce sera encore plus difficile de convaincre tout le monde qu'il n'est pas à nous.

Dans l'acier poli au-dessus du lavabo, je suis de nouveau une mer de vagues argentées, mais avec un peu d'imagination, je peux deviner mon visage hésitant.

« Combien de temps ça prend pour avoir les résultats ?

— Deux ou trois jours ouvrables, maximum. Donc si vous nous faites parvenir les échantillons dans les jours qui viennent, vous les recevrez sans faute la semaine prochaine. Peut-être même lundi. » Jim m'assure qu'il peut tout à fait envoyer deux kits et un sachet en plastique stérile pour l'échantillon médico-légal au Dr Moloney à l'adresse de l'hôpital.

« Vous pouvez les envoyer par courrier rapide ? Et je pourrais avoir un kit supplémentaire, juste au cas où ? »

Jim se fera un plaisir de l'ajouter. Il prend mes coordonnées, les répète après moi. Par chance, je connais par cœur mon numéro de carte de crédit. Adresse de facturation : ma maison, loin d'ici. Il n'a pas l'air troublé lorsqu'il confirme qu'il envoie les kits au service mère-enfant ; le fait de donner mon nom de médecin a manifestement fonctionné.

On frappe de nouveau à la porte. La chaise dérape bruyamment sur le carrelage.

« J'ai dit que j'arrivais dans une minute.

— Inutile de crier, Sasha. »

C'est le Dr Niles. Je raccroche sans dire au revoir à Jim.

Lorsque je sors de la salle de bains, le Dr Niles est assise sur mon lit et tapote le sol du bout du pied comme une institutrice. Une brûlure intense me parcourt le ventre lorsque je prends place à côté d'elle. J'essaie de ne pas grimacer, me répétant que ce degré de douleur est normal après une opération comme celle-ci. Une chose est sûre, je ne veux pas une nouvelle dose d'antidouleurs pour m'émousser l'esprit. Le regard du Dr Niles me sonde durant de longues minutes, comme pour lire dans mes pensées.

« Vous vous sentez mieux, avec le traitement ? » demande-t-elle enfin. Elle a oublié de mettre du fond de teint sur l'arête de son nez, et une petite constellation de taches de rousseur est visible.

« Je me sens bien. Très bien, en fait.

— Pas d'effets secondaires ou d'autres problèmes ?

— Non. » Je n'évoque pas la bouche sèche, les maux de tête, la vision floue qui se sont manifestés dès la première prise. Je ne dis pas qu'hier soir j'ai dissimulé les gélules dans ma joue et les ai crachées dans le lavabo. Les infirmières ne se sont pas montrées aussi vigilantes qu'elle. Je décide d'éviter au Dr Niles l'effort de devoir faire semblant de s'intéresser.

Je vais plutôt suivre le plan de Bec. Je plaque un sourire sur mon visage et je dis : « Maintenant, je pense que Toby est à moi. »

Le Dr Niles fronce les sourcils et prend quelques notes. Je ne sais plus où me mettre, mais je souris davantage et enfonce mes doigts dans mes paumes. Est-il possible que j'aie dit ce qu'il ne fallait pas ? Le Dr Niles lève les yeux vers la fenêtre haute, des yeux brillants comme des pierres précieuses, l'air de se rappeler quelque chose.

« Les narcisses sont en fleur », annonce-t-elle.

Je hume l'air du matin.

« Vous voulez dire les jonquilles.

— Ce sont des narcisses.

— C'est Mark qui s'occupe du jardin, dis-je, me demandant s'il s'agit d'une espèce de test, mais je suis à peu près sûre que ce sont des jonquilles qu'on voit par la fenêtre. »

Le Dr Niles jette un coup d'œil circulaire sur la pièce. J'ai pendu mes vêtements proprement dans le placard, rangé mes affaires de toilette dans la salle de bains. Il n'y a aucun signe de ma présence dans la pièce, si ce n'est mon humble personne. Son regard s'attarde sur le plateau luisant de la table de chevet.

« Vous lisez quelque chose, en ce moment ?

— Je ne suis pas une grande lectrice. » Ce n'est pas vrai, mais je n'ai pas envie de discuter de mes goûts littéraires avec elle. Je n'ai pas la moindre idée des réponses que je devrais fournir – celles qui me donneraient l'air saine d'esprit à ses yeux.

« Je suis convaincue que la lecture permet d'apprendre beaucoup de choses. L'empathie. Comprendre des points de vue différents. Et quand on est plongé dans un livre, on se sent moins seul, ne serait-ce que pendant un moment. »

Je lui fais un sourire que j'espère admiratif. Ses yeux parsemés de points d'or viennent fouiller les miens.

« Sasha, vous n'oubliez pas de me dire quelque chose ? »
Je presse mes lèvres l'une contre l'autre.

« Vous avez demandé des analyses ADN ? »

Oh non ! Elle n'a pas pu m'entendre. Je prends une grande inspiration.

« Comment ça ?

— À la nursery. Et dans le service maternité. »

Le Dr Green. Et le Dr Solomon. Je pousse un soupir de soulagement.

« Vous êtes toujours décidée à pratiquer ces analyses ?

— Non, plus maintenant. » Je prononce ces mots de ma voix la plus catégorique et elle semble me croire, notant tout de sa main ferme, avec ses ongles polis à la perfection. J'enfonce mes propres ongles encore plus profondément dans ma paume, pour qu'elle ne puisse pas voir que je les ai rongés jusqu'au sang.

Lorsqu'elle lève finalement la tête, son regard est dur.

« Et j'espère sincèrement que vous n'envisagerez jamais d'effectuer des analyses ADN par vos propres moyens ?

— Non, bien sûr que non. » Elle a l'air dubitatif, alors je poursuis : « Après tout, le Dr Green et le Dr Solomon ont refusé. Et ce serait une violation du règlement de l'hôpital. » Les rideaux à fleurs se gonflent dans la brise légère. « Et bien sûr, ce n'est pas nécessaire. Toby est mon fils. »

Elle penche un peu la tête de côté. C'est de cette manière que les femmes m'examinent toujours, avec leurs yeux fixés sur le moindre mouvement de mes lèvres, de mes doigts, de mes pieds. On dirait qu'elles ne parviennent pas à me cerner, à me comprendre ; et encore, c'est quand je suis le plus moi-même, le plus honnête. Je dois la troubler en cet instant. Je garde les mains fermées sur mes genoux, les yeux tournés vers le ciel.

Comme le silence se prolonge pendant plusieurs minutes, je ne peux pas m'empêcher de reprendre : « Vous croyez qu'il y a une chance que je sorte avant lundi prochain ? » Le plus tôt sera le mieux. Les résultats des analyses seront arrivés. Il leur sera plus facile de me croire, de prendre au sérieux les analyses que j'aurais fait pratiquer, si je suis de retour à la maison, plutôt qu'internée dans un service psychiatrique. Il n'y a pas de raison de me garder ici, si ?

Le Dr Niles feuillette ses papiers de ses mains soigneuses. « Parlons de votre mari. Que pouvez-vous me dire de votre relation ? »

Pourquoi diable m'interroge-t-elle là-dessus ? Est-ce parce qu'elle a des problèmes, elle aussi ? « Il dit qu'il a discuté avec vous. »

Ses ongles suivent les lignes sur la page.

« Vous croyez qu'il est heureux ?

— Il a l'air plutôt heureux. Nous sommes tous les deux ravis d'être parents. »

Ça n'a aucun sens de lui expliquer que les choses se sont craquelées ces dernières années, que cet échange de bébés semble avoir encore creusé le fossé entre nous.

Et j'ajoute, tandis que le stylo du Dr Niles glisse sur la page : « Je suppose que nous nous sommes mis ensemble parce que nous partageons les mêmes valeurs.

— Comme quoi ?

— La franchise. » Je fouille mon cerveau à la recherche de nos vœux de mariage. « La bonté. La persistance face à l'adversité. » Et celle que j'ai failli oublier : « L'amour.

— La base d'un mariage solide, dit-elle, d'une voix douce derrière ses lèvres serrées. Même si j'imagine que les problèmes de fertilité ont dû mettre tout ça sacrément à l'épreuve.

— Peut-être. » Je n'ai pas envie d'en dévoiler davantage. Elle ne peut pas tout avoir appris dans ses manuels, elle ne peut pas tout comprendre de mon chagrin. La question, toujours sans réponse, cogne dans mon cerveau.

« Alors, vous savez quand j'aurai le droit de rentrer ? »

Elle referme le dossier.

« Bientôt. Peut-être quand les narcisses auront fini de fleurir. » Ses cheveux rouges jettent des reflets dans le soleil matinal tandis qu'elle se dirige vers la porte. « J'aurai d'autres questions à vous poser, Sasha. Mais comme la thérapie de groupe commence dans trente minutes, nous allons devoir interrompre cette séance pour l'instant, j'en ai peur. Ne vous mettez pas en retard. »

Une bouffée d'air chaud, moite, vient me heurter le visage lorsque je pousse la porte du foyer. De larges panneaux de verre courent le long d'un des murs de la salle plongée dans la pénombre, bordant la fougeraie du jardin, surmontée de l'auvent grillagé. Le mur d'en face est orné de tableaux abstraits. À l'autre bout, une bibliothèque de fortune : quelques canapés et poufs, une poignée d'étagères de livres reliés.

« On a un problème avec le thermostat, explique le Dr Niles en tripotant un programmateur dans un coin de la pièce. Si je n'arrive pas à le faire marcher, je crois bien que nous allons être obligées de reporter la séance. »

Seule une autre femme est présente. Elle a déjà pris place sur une des chaises disposées en petit cercle : c'est Ondine, la femme mince, silencieuse, que j'ai vue le premier soir. Ses boucles sont défaites, sa peau pâle comme un nuage. Derrière ses lunettes à monture foncée, ses yeux sont rouges. Je m'assois à côté d'elle.

« Petit groupe, aujourd'hui », dis-je.

Ondine fait oui de la tête.

« Nous devrions lancer notre propre groupe de mères », lance une femme, qui s'installe à côté de moi. Je la reconnais du réfectoire, le soir de mon admission. « On peut s'appeler le Groupe des mères malades mentales. »

Ondine tressaille.

« Moi, en tout cas, je ne suis pas malade mentale », dis-je. Peut-être ce groupe me donnera-t-il une occasion supplémentaire d'affirmer ma lucidité.

« Sans doute pas, dit l'autre femme. Mais si on l'est, c'est la faute de nos mères qui nous ont faites comme ça. »

Je ne suis pas certaine que ce soit le cas pour moi. Je ne peux pas mettre tous mes défauts sur le compte du départ de ma mère. Quand j'étais adolescente, Lucia a essayé de me persuader que ma mère m'avait fait don d'une toile blanche. Elle insistait sur le fait que, en tant qu'artiste de ma propre vie, j'étais responsable du tableau final. Et de chaque erreur.

« Comment ça va, Ondine ? demande le Dr Niles. Vous avez manqué nos autres séances de groupe. »

Ondine glisse ses mains sous ses cuisses et les pose à plat sur le siège en plastique.

« Je n'étais pas bien.

— Et c'est pour ça que vous êtes à l'hôpital. Pour commencer à régler certains de vos problèmes. »

Ondine se met à pleurer.

Au tribunal administratif, au cours des longs interrogatoires sur l'affaire de Damien, l'assistant du coroner, puis les avocats de la famille, avaient chacun leurs questions à mon sujet, chacun leur manière de m'essorer comme une éponge tandis que, tremblante, je comparaissais devant eux. Je me souviens d'avoir levé les yeux vers le plafond de la salle d'audience pour tenter de retenir un torrent de larmes. Lucia m'avait appris ce truc des années plus tôt, tandis que j'étais assise sur ses genoux, au pied du lit. « Si tu sens monter des larmes, lève les yeux, ma chérie. Tu lèves les yeux, ça sèche tes larmes. »

À l'époque, je ne pouvais pas imaginer Lucia en train de pleurer, quoi qu'il arrive. Moi, j'ai pleuré pour ainsi dire tous les soirs dans mon enfance. Toujours à la faveur de l'obscurité, lorsque je savais que mon père, dans la chambre voisine, s'était endormi, et que je me demandais ce qu'il était advenu de ma mère, et si je la reverrais un jour.

L'autre femme se penche en avant.

« J'espère que tu reverras ton fils, Ondine. »

Ondine renverse la tête en arrière et regarde le plafond, la bouche béante comme celle d'un cadavre. Une larme dégouline sur sa joue.

Je pose une main sur son épaule, mais elle se raidit. Je retire ma main et la remets sur mes genoux.

Le Dr Niles referme le boîtier.

« On dirait que c'est cassé. Il va falloir officiellement reporter, j'en ai peur. » Elle s'approche du cercle et s'assoit sur une chaise. « On fera une séance de rattrapage, promis. »

Ondine se lève avec un sourire sinistre, puis s'éclipse.

« Son mari refuse de la laisser voir son fils, Henry », me chuchote l'autre femme. Les joies du téléphone arabe.

Je n'arrive cependant pas à imaginer ce qu'a pu faire Ondine. Quelle mère peut-elle bien être pour que son mari lui interdise de voir son fils ?

Le long du mur, la lumière se déplace et s'enroule sur les reproductions fanées de tableaux abstraits, des taches et des amas de couleurs sur toile derrière des vitres de protection. Tout à coup, le soleil disparaît derrière un nuage. Les tableaux s'obscurcissent et se brouillent dans des gris ternes, sans vie, des bleu marine et des noirs.

« Il va falloir qu'on fasse davantage d'efforts pour avoir un groupe digne de ce nom la semaine prochaine », dit le Dr Niles en s'approchant de moi. Nous sommes maintenant seules dans le foyer. La chaise de l'autre femme est vide, elle a disparu.

Le ventilateur au plafond déverse de l'air froid sur ma tête.

« On dirait que la clim s'est réparée toute seule. Vous avez le temps de continuer notre discussion maintenant ? »

Le Dr Niles se penche en avant par-dessus ses jambes croisées.

Je ne suis pas d'humeur à m'entretenir de nouveau avec elle, pas si vite. Des images perturbantes de mon cauchemar viennent encore danser par flashs devant mes yeux. Les bébés morts se sont immiscés dans ma vision le jour de mon audience au tribunal administratif, pendant qu'on me cuisinait. Ces mêmes bébés morts hantent mes rêves depuis lors. J'ai besoin d'une excuse crédible.

« Je voudrais passer à la nursery voir comment va mon fils. On peut se voir plus tard, peut-être ?

— Bien sûr, dit-elle en souriant. Et si vous ne trouvez pas la thérapie de groupe à votre goût, on peut programmer plus de séances individuelles. Vous me direz ce que vous préférez. »

Je ne l'avouerais jamais au Dr Niles, mais la thérapie de groupe m'aurait peut-être été utile après Damien, il y a toutes ces années. Mais, pour l'heure, le Groupe des mères malades mentales n'a vraiment rien à m'apporter.

JOUR 3, LUNDI APRÈS-MIDI

Le visage de Toby est couleur braise, ses yeux sont étroitement fermés ; sur le dos, il s'agite sur le matelas, réveillé en sursaut. C'est important d'être là, à côté de sa couveuse. C'est ce que ferait toute bonne mère. Peut-être me croiront-ils la prochaine fois que je dirai que je le pense à moi.

« Votre bébé est splendide. »

Brigitte se penche vers moi. Elle dégage une faible odeur de transpiration, un peu sucrée. Ses cheveux sont tirés en une tresse si serrée que les rides au coin de ses yeux en sont lissées. Avec ses lèvres humides et ses joues luisantes, il est difficile de croire qu'elle a accouché il y a si peu de temps. Je dois faire peur, en comparaison.

« Je n'aurais jamais cru que ça serait comme ça avec un bébé », dit-elle en retraversant le couloir pour retrouver son fils et ôter le plaid bleu layette de sa couveuse.

Mark m'a informée, sur un ton désinvolte, que les plaids étaient cousus par les Dames auxiliaires de l'hôpital, qui en font don à tous les prématurés. Je présume que les vieilles tricoteuses imaginent qu'on s'en sert pour tenir les bébés au chaud, pas pour les dissimuler aux yeux des mères indiscrètes.

Je fais un sourire guindé à Brigitte. Toby me scrute à travers le plastique, il cherche mes yeux. Il est beau, c'est vrai, avec son regard franc et ses cheveux ébouriffés. Ce serait tellement plus simple si je parvenais à croire qu'il est à moi. Je replace son plaid orange vif sur la couveuse.

« Dès que je l'ai tenu dans mes bras pour la première fois, je l'ai aimé follement », dit Brigitte, plongeant ses mains dans les hublots pour caresser le dos de Jeremy. Je m'accroche aux accoudoirs en plastique : j'aimerais pouvoir en dire autant.

« C'est mieux que tout ce que j'aurais pu prévoir, continue-t-elle. On ne sait pas du tout comment ça va se passer, quand on est enceinte, pas vrai ? On espère qu'on va avoir un enfant en bonne santé. Il pourrait arriver n'importe quoi. Il n'y a aucune garantie. » Elle ressort les mains des hublots et referme doucement les portes. « J'ai toujours voulu avoir des enfants. C'était mon rêve ultime. Et vous ? »

Au cours des années où nous tentions de concevoir, nous avons naïvement envisagé, Mark et moi, que je serais mère au foyer. J'allaiterais, je prendrais un an ou deux de disponibilité. Il ferait des heures sup, deux services par jour si nécessaire. J'imaginais des câlins tout doux, les premiers sourires, des siestes ravies avec mon bébé, sur fond de *must be love, love, love,* la musique de la pub pour les couches.

« C'est un peu différent de ce que j'imaginais. » Ce n'est pas tout à fait la bonne réponse – pas celle que sont censées donner les jeunes mères, en tout cas –, mais au moins, c'est vrai.

Brigitte sort une pelote de laine rouge de son sac et déplie une manche tricotée, presque terminée. « Je parie que vous avez opté pour le maternage. »

Je ne peux pas bidonner, là. Je m'agrippe au barreau de la couveuse de Toby et serre fort le métal.

« Qu'est-ce que c'est que ça ?

— Oh, vous savez... le fait de porter tout le temps le bébé, de dormir avec, de le sevrer à son rythme... »

Je secoue lentement la tête.

186

« Alors, quelle est votre philosophie de la maternité ? Vous serez un hyper-parent ? Ou un parent libertaire ? Autoritaire ? Ou vous ferez dans le *slow-parenting* ? »

Autoritaire ? *Slow parenting* ? Manifestement, je n'ai pas fait assez de recherches sur les théories de la parentalité. On ne nous apprenait pas ces trucs-là en fac de médecine, ou dans ma formation de légiste. Bêtement, j'ai pensé que tomber enceinte suffisait pour entrer dans le club des mères, sans plus de précisions.

« Franchement, je ne me suis jamais posé la question. » Peut-être que si ma mère avait été là, nous en aurions parlé.

Elle pousse un petit gloussement en se couvrant la bouche. « Vous êtes vraiment rafraîchissante, Sasha.

— Je tiens beaucoup à le nourrir au lait maternel, par contre. Je tire mon lait tous les jours, comme ça dès qu'il aura pris assez de force pour téter, on va essayer. »

Je suis contente de pouvoir dire un truc qui ne me donne pas l'air d'une mère complètement incompétente. Bien sûr, je n'évoque pas les flacons de lait qui s'accumulent déjà dans le freezer de ma chambre du service mère-enfant.

« Je vois, dit Brigitte, retournant à son tricot.

— Et vous, vous comptez le nourrir au sein ?

— Je ne peux pas. Pour raisons médicales. » Elle enroule le brin de laine autour de son aiguille et marque une pause. « J'ai toujours pensé que j'accoucherais à la maison. Il y a eu des complications, et finalement ça n'a pas été possible. Mais la prochaine fois, c'est comme ça que ça se passera. » Son sourire est forcé. On dirait que sa validité de mère maternante était renforcée par la perspective d'un accouchement à domicile. « Et vous, vous pensez avoir d'autres enfants ? »

Je n'ai nulle part où me cacher.

« Pas pour l'instant.

— Alors ce sera un enfant unique ? » Ses yeux se fixent, comme ceux d'un faucon, sur mon visage.

« Je suis fille unique. Ce n'était pas si mal. »

Je n'imagine pas avoir d'autres enfants. Peut-être ma mère a-t-elle éprouvé la même chose après ma naissance. Pour elle, apparemment, un enfant, c'était déjà trop.

Les plis sur le front de Brigitte disparaissent.

« Je suis enfant unique aussi. Comme mon mari. On a survécu ; on s'est même très bien épanouis. Je suis sûre que ce sera le cas de Toby aussi. »

Nous échangeons des sourires sincères. Peut-être son ton un peu hautain dissimulait-il un manque d'assurance encore plus profond que le mien. Brigitte compte les mailles de sa rangée, puis tire le fil.

« Il va falloir qu'on mette Jeremy à la crèche à temps complet dès ses trois mois, quand je retournerai au boulot. On n'a pas le choix, malheureusement. » Elle détend un peu ses mains sur ses aiguilles en constatant que je n'émets pas de jugement. « Et vous ? »

— On va attendre de voir comment ça se passe. »

Je retire mes mains moites de la barre de la couveuse tandis que le Dr Green s'approche de Brigitte et rallume les lampes à ultraviolets de Jeremy.

« Ses analyses montrent que son taux de jaunisse est toujours élevé, Brigitte. On va remettre ça pour l'instant et faire d'autres analyses pour essayer d'en déterminer la cause. » Le Dr Green me jette un coup d'œil. La licorne en plastique accrochée à son stéthoscope se balance tel un métronome. « Vous avez beaucoup en commun, toutes les deux. C'est une chance que vous puissiez échanger vos impressions comme ça. Avec quelqu'un qui peut vous comprendre. »

Les murs luisent d'une lueur turquoise. Nous pourrions être des créatures marines, Brigitte et moi, tapies dans les profondeurs de l'océan. Une fois que le Dr Green est suffisamment loin, Brigitte embroche sa pelote de laine avec une aiguille et pose le tout sur ses genoux.

« Ne me faites pas dire ce que je n'ai pas dit : les médecins et les infirmières ont été super. Le Dr Green est très bien. Ursula, en particulier, m'a beaucoup aidée. Vous savez qu'elle était responsable du service, jusqu'à il y a quelques années ? Mais je crois que même elle, elle ne peut pas se rendre compte à quel point c'est dur pour nous. » Elle sursaute lorsqu'une alarme retentit à l'autre bout de la nursery. « Il s'est passé tellement de choses. J'espérais l'avoir déjà à la maison, à ce stade. Mais avec la jaunisse, il a besoin des lampes... » Sa voix se réduit à un chuchotement. « Vous ne direz à personne que je trouve ça difficile, d'accord ?

— Bien sûr que non. »

Elle renifle. « Je ne voudrais pas que le personnel s'imagine que je fais une dépression post-partum. Enfin, il n'y a pas de mal à ça. » Une de ses aiguilles à tricoter tombe par terre. Je me penche pour la ramasser. Et je m'entends murmurer : « Ah, c'est sûr que ce serait terrible, une dépression post-partum... »

Mais à ce moment-là les lumières semblent baisser, et un halo marron s'élève dans les coins de la pièce, comme si j'étais une sirène échouée sur la terre ferme. Je m'effondre sur le fauteuil et laisse tomber ma tête entre mes jambes. Le sang afflue dans mon cerveau qui palpite.

« Respirez profondément, Sasha », dit Brigitte, le visage pâle dans la lumière bleu outremer lorsque je relève finalement la tête. « Ça va ?

— Oui, oui », je réplique tandis que ma vision revient à la normale. C'est la perte de sang, la fatigue, le stress qui m'affaiblissent.

« Dites, ça vous embête que je vous pose une question ? Vous êtes médecin, pas vrai ? » Elle tire sur un nœud de la laine rouge. Elle le resserre par erreur. « Jeremy va s'en sortir, n'est-ce pas ? S'il devait lui arriver quelque chose, je ne pourrais pas le supporter.

— Oui, dis-je, m'agrippant à mes cuisses pour camoufler les tremblements de mes mains. Je suis sûre que nos deux bébés vont aller très bien. »

JOUR 3, LUNDI SOIR

Le crépuscule s'abîme en une nuit violette tandis que je plie le cardigan bleu layette de mon père et le range sur l'étagère supérieure de mon placard. Mark glisse la tête par la porte.

« J'ai quelque chose pour toi.

— L'heure des visites n'est pas passée ? »

Il se faufile dans la chambre et me tend un sac en papier vert, puis place un volumineux Tupperware sur la table de nuit. Sa main rampe autour de ma taille telle une araignée.

« Visite conjugale, dit-il.

— Non, merci. » Je le repousse.

« Désolé, Sash. Je plaisantais, bien sûr. » Il essaie de sourire.

Je renverse le contenu du sac vert sur mon lit. De minuscules grenouillères en coton blanc, avec encore l'étiquette du magasin discount : *3 pour 1*. Il aurait pu faire pire, j'imagine ; ne choisir que des vêtements dans les bleus.

« Tu pourrais aussi m'apporter des vêtements pour moi ? »

Fièrement, il sort un petit sac de derrière son dos, rempli de jupes, de chandails ornés de perles et de talons hauts qu'il a pris à la maison, comme si j'étais à un congrès médical, pas à l'hôpital psychiatrique. Au moins, il a apporté mon sac à main préféré, un noir en cuir.

« Merci, dis-je. Peut-être des pantalons de survêt et des tee-shirts aussi ?

— Bien sûr, je t'apporte ça demain. » Il montre le Tupperware. « Un sablé à l'abricot. Je me suis dit que ça te ferait plaisir. » Puis il désigne la télé. « Ça t'embête si je l'allume ? C'est une occasion particulière. C'est la première fois en dix-neuf ans que Collingwood va si loin. Je veux seulement voir les cinq dernières minutes du match, après j'éteindrai, promis. »

J'ôte le couvercle du récipient. Le sommet du gâteau est luisant, avec des morceaux d'abricots qui dépassent. Je croque dans une part, m'attendant à son moelleux habituel. Mais mes dents s'enfoncent dans de la pâte épaisse.

« Tu as oublié le bicarbonate de soude ? »

Il s'est allongé sur mon lit, les bras sous la tête pour mieux voir la télé.

« J'espère que non.

— Tu sais, tu ne pourras pas te permettre de faire ce genre d'erreurs dans ton café », dis-je d'un ton que j'espère faussement sérieux. *Organismic*, c'est comme ça qu'il a baptisé le café-restaurant bio qu'il rêve d'ouvrir ; il a même déposé le nom. Mais chaque fois qu'il est allé un peu plus loin dans le business-plan ou qu'il a commencé à chercher des locaux, il a trouvé des excuses pour repousser : un parent malade, un emploi du temps surchargé au boulot ou une de mes fausses couches. Je l'ai encouragé, harcelé, je l'ai même menacé de prendre les choses en main. Il a résisté fermement à tous mes appels à l'action. Parfois je me demande s'il évite de plonger parce qu'il a peur d'échouer sous mes yeux.

« Tu devrais m'engager comme chef pâtissier », dis-je.

Il change de chaîne pendant la pause publicitaire. « Et moi, je tiendrai le bar. »

C'est le petit baratin que nous échangeons chaque fois qu'il rate un plat, ou que les grains de café brûlent dans la machine à café sous ma surveillance.

« Comment était la nourriture de l'hôpital, aujourd'hui ? »

Je mordille le bord de mon gâteau. Ce n'est peut-être pas son plus réussi, mais il l'a fait pour moi.

« Immonde.

— Alors je t'apporterai un de tes plats préférés demain, OK ?

— Ce serait chouette. »

Ses yeux sont doux, ses cheveux retombent en épis sur son front, ses joues brillent sous le plafonnier. Il a exactement la même allure que le soir de notre rencontre.

« Tu te souviens de Puerto Vallarta ? La nourriture extraordinaire ? »

Je hoche la tête.

C'était son idée, ce voyage au Mexique. J'ai hésité – dans le genre destination complètement inconnue, ça n'aurait pas été mon premier choix – mais au bout de quelques semaines à se goinfrer d'enchiladas et de tacos au poisson, à lézarder sur la plage et à explorer de minuscules marchés, j'ai dû le reconnaître : le Mexique m'avait séduite. Le changement de décor m'avait aidée à oublier un peu Damien. À l'approche de la fin des vacances, j'étais détendue et en forme. Prête à tout.

Une semaine après le début de notre voyage, tandis que nous regardions le soleil se coucher sur le balcon de notre hôtel, qui donnait sur la baie de Banderas, Mark m'avait demandée en mariage. Les yeux dans ses yeux marron foncé, j'avais dit oui sans hésiter.

« Puerto Vallarta, c'était il y a longtemps, Mark.

— But », dit-il, le poing serré. Puis, se détournant de la télé : « Je suis désolé. J'aurais dû me montrer plus compréhensif. » Son front se plisse.

Je ne sais pas trop à quel épisode il fait allusion. La visite de ses parents ? Son refus d'autoriser les analyses ADN ? Tous les petits stress de notre mariage ?

« Maman tient vraiment beaucoup à s'installer un peu chez nous, dit-il. Elle peut nous aider. »

J'enfonce un doigt dans le gâteau, sentant sa masse solide.

« Tu lui as parlé, depuis qu'ils sont venus ?

— Au téléphone. Ils étaient censés revenir à la nursery aujourd'hui. »

En fait, il a dû faire le gâteau pour eux. Je remets le couvercle sur le récipient, et le ferme hermétiquement.

À mesure que les mois suivant le mariage se sont évaporés, que le contact de sa peau a cessé de me faire frémir d'anticipation et que le poids de l'alliance à mon doigt s'est fait négligeable, les choses se sont mises à changer à la maison également. Surtout les petites choses. Un trognon de pomme oublié au fond de son sac à dos. Une accumulation de tasses à café sur son bureau. Un tas de fringues sales de son côté du lit.

Je me suis efforcée de ne pas me laisser atteindre par tout ça. Mais en fait j'ai réalisé que Mark était habité d'attentes implicites : en tant qu'épouse, ces tâches m'incombaient désormais. Lorsque j'ai soulevé la question, il a ramassé son manteau d'hiver sur le canapé où il gisait.

« Mais je nettoie derrière moi, a-t-il dit. Je n'y peux rien si tu passes toujours avant. »

Tandis que les années s'empilaient tels des dominos, il s'est mis à laisser des serviettes humides en tas sur le sol de la salle de bains, à oublier de me prévenir lorsqu'il rentrerait tard du boulot, à boire un coup de trop lorsque nous allions prendre un verre. Chaque fois que je lui demandais des comptes, il promettait que les choses allaient changer. Il a fait de son mieux, je le lui accorde. Mais ce que je n'avais pas compris jusqu'à maintenant, c'est qu'il était trop tard ; une chose même légèrement endommagée ne peut jamais redevenir neuve.

Il ne peut pas m'en vouloir pour ce que je m'apprête à faire.

« Sash, j'espère que tu sais que je serai là pour toi. » Ses yeux sont des flaques pleines de solennité jusqu'à ce qu'un rugissement jaillisse de l'écran. Il se retourne alors vers la mêlée de joueurs qui se battent pour récupérer le ballon.

Je fourre les vêtements de bébé dans le sac en papier que je pousse au fond du placard. Ce n'est pas le genre d'habits que je veux pour mon bébé. Peut-être qu'ils peuvent servir à Toby, par contre. Toby est exactement ce que voulait Mark : un fils, son fils.

La sirène retentit, annonçant la fin du match. Collingwood a perdu.

Il éteint la télé d'un geste ferme sur la télécommande.

« Merci, Sash. Peut-être qu'on gagnera l'an prochain. » Il déglutit bruyamment. « Tu as l'air d'aller mieux, Sash. Je te retrouve un peu. Est-ce que tu... ? Je veux dire, tu crois que Toby est notre fils, maintenant ? »

Et voilà. Le moment crucial que j'attendais, vers lequel j'essayais de faire progresser les choses. C'est pourquoi, ce soir, j'ai retenu ma colère, me suis abstenue de toute remarque désagréable. Tout à coup je suis frappée par ses yeux lourds de fatigue.

« Oh, Mark... » La suite reste accrochée dans ma gorge. Je n'ai jamais eu besoin de lui mentir jusque-là, mais en l'occurrence, je ne vois pas d'autre choix. Finalement, les mots roulent de ma langue et tombent dans l'atmosphère moite entre lui et moi.

« Toby est à nous.

— À nous ? » Son visage est un masque de soulagement.

« Oh oui. Je le sais, maintenant. Toby est et sera toujours notre fils. »

ONZE ANS PLUS TÔT

MARK

Le soir où j'ai demandé la main de Sash a été l'un des plus heureux de ma vie. Elle se tenait sur le balcon de l'hôtel, dans l'air embaumé, les yeux tournés vers la mer, les cheveux tombant en cascade dans son dos. Je n'avais pas prévu de faire ma demande, mais j'ai été gagné par sa beauté, son esprit passionné. Avec la baie qui s'étalait comme du verre miroitant devant nous, j'ai imaginé que la vie avec Sash serait toujours aussi belle.

De retour en Australie, j'ai bien vu que mes parents n'étaient pas du tout ravis de nos fiançailles. Ils étaient inquiets, m'a confié maman. Redoutant sans doute ma réaction, elle n'a pas voulu, ou pas pu entrer dans les détails. J'aurais refusé d'écouter ce qu'ils avaient à dire, de toute façon. Avec Sash, nous avons commencé à prévoir le mariage pour l'année suivante. Un mariage de fin d'été, avec cérémonie à l'église et réception dans un restaurant du coin. Ce ne pouvait qu'être une réussite.

Puis c'est arrivé. La lettre au courrier : on demandait à Sash de témoigner dans le cadre de l'enquête sur la mort de Damien.

À partir de là, elle s'est murée dans le silence, elle est devenue glaciale, refusant de me parler de quoi que ce soit. L'étincelle qu'elle avait retrouvée au Mexique a disparu de ses yeux. En l'espace de quelques semaines, elle a abandonné sa formation en pédiatrie pour s'inscrire en anatomopathologie. J'étais triste pour elle. Elle était formidable avec les enfants, et elle aurait fait une excellente pédiatre. Je lui ai suggéré gentiment d'insister un peu, d'attendre six mois pour voir si ses sentiments n'avaient pas évolué. Elle m'a ignoré, affirmant qu'elle avait toujours rêvé de devenir médecin légiste. Il n'y avait rien que je puisse dire ou faire pour qu'elle change d'avis.

Nous avons maintenu le mariage. C'était une belle journée, malgré tout. Je pense qu'elle en a gardé un bon souvenir, elle aussi.

L'enquête a eu lieu. Je lui préparais à dîner, je lui massais les pieds. Mais ensuite, elle est restée en retrait. Elle a cessé de sortir le soir. Elle a cessé de sortir tout court. Elle refusait de me parler de tout ça. Elle affrontait la chose à sa manière, disait-elle.

Je peux dire en toute honnêteté que je n'ai jamais envisagé de la quitter. En revanche j'ai commencé à me demander si j'étais l'homme qu'il lui fallait ; si quelqu'un d'autre ne vaudrait pas mieux, dans le rôle de son mari. Quoi que je fasse, rien ne paraissait l'aider. Je suppose que j'espérais qu'une fois que nous aurions un bébé, les choses s'arrangeraient. Elle découvrirait les joies de la maternité. Elle s'apercevrait qu'elle était une maman formidable, en fait. J'espérais qu'un bébé nous permettrait de repartir de zéro.

JOUR 4, MARDI À L'AUBE

Une femme près de moi s'éclaircit la gorge. Je me frotte les yeux. Dehors, l'aube se lève en volutes fraise et abricot à travers les rideaux entrouverts. « Ciel rose le matin, pluie dans la journée », disait toujours ma mère. Assise sur la chaise à côté de mon lit, le Dr Niles. Elle me demande comment je me sens.

Un peu groggy, ensommeillée, je suis sur le point de me lancer dans mon petit numéro de « Toby est à moi », mais je me retiens.

« Ça va, merci. »

Le Dr Niles hoche la tête. « Excusez-moi d'être venue si tôt. J'ai quelques... rendez-vous personnels à honorer aujourd'hui. Je me suis dit que je passerais vous voir avant d'y aller. » Elle ouvre grands les rideaux. « Et au fait, au sujet de votre amie, elle m'appelle tous les jours. Pouvez-vous lui dire que j'ai reçu ses messages, et lui demander d'arrêter de me téléphoner, s'il vous plaît ? »

Bec. Comme je voudrais qu'elle soit là ! C'est adorable de sa part d'avoir déniché le numéro du Dr Niles pour proclamer mon innocence. Je sais qu'elle tente seulement de m'aider, mais peut-être son insistance est-elle contre-productive. Lorsque je travaillais en clinique, les coups de téléphone des parents et amis m'agaçaient souvent plus qu'autre chose.

Je vais devoir lui demander poliment de cesser de harceler ma psychiatre.

« Je m'interroge toujours sur vos projets de retrouver votre enfant », dit maintenant le Dr Niles.

Je fixe les yeux sur les nuages, des traînées de couleurs empilées dans le ciel lointain. Mieux vaut ne rien dire. Si je garde le silence, je risque moins de me trahir. J'ai appris ça il y a dix ans, dans le bureau du coroner. Tandis que j'étais assise, toute raide, à la barre des témoins, les cuisses serrées l'une contre l'autre, mes doigts agrippés à l'accoudoir en bois, les avocats essayaient de me pousser à laisser échapper la vérité sur Damien en me posant les mêmes questions sous différentes formulations.

Vous ne vous rappelez pas ce que vous avez dit à la mère du petit garçon ?

Avez-vous dit à ses parents qu'il irait bien ?

Vous ne pensiez pas qu'il avait un problème ?

Des bribes de conversations à demi remémorées s'étaient confondues avec des rêves et des images de Damien. Où était la vérité ? Les mensonges ? Incapable de lever les yeux de peur de croiser le regard des parents assis très droit au premier rang, j'ai consulté mes notes, les parcourant encore et encore comme si la réponse souhaitée s'y cachait. Les avocats me tournaient autour, tels des oiseaux de proie, prêts à fondre sur moi.

Damien avait-il de la fièvre ?

Oui. 39,6°C.

Il avait des boutons ?

Je me rappelle les boutons sur tout son corps : éruption réticulée, en grappe, rose saumon. Une éruption qui évoquait un virus, pas une bactérie potentiellement mortelle.

Qu'est-ce qui vous a poussée à exclure la possibilité d'une septicémie à méningocoques ?

Je m'en suis tenue à une réponse neutre. *Il n'y avait pas d'indication de méningocoques, ni dans son dossier ni à l'examen.*

Vous avez fait des tests ?

Je ne pensais pas qu'ils étaient justifiés.

Le Dr Niles se tient sur le bord de sa chaise, ses minces sourcils levés en pointe, comme l'avocate toutes ces années plus tôt.

« Et l'humeur, alors, comment ça va ? »

Si je dis *bien*, le Dr Niles saura que je mens. Si je dis que je suis déprimée, elle me gardera encore plus longtemps. Je tripote le plaid effiloché.

« Pas trop mal. »

Elle prend des notes d'un air résigné. Une alliance en or toute simple encercle son annulaire gauche ; étrange, je ne l'avais pas remarquée jusque-là.

« Maintenant, peut-être pouvons-nous évoquer de nouveau le sujet de votre infertilité ? » demande-t-elle sans lever les yeux.

Je prends une inspiration. Sur ce point, au moins, l'honnêteté est sans doute la meilleure option ; il y a peu de chances que cela remette en cause mon état mental.

« Ça a été une période éprouvante. »

Le Dr Niles décroise les jambes.

« Dites-m'en davantage. » Pour la première fois, elle semble s'intéresser à ce que j'ai à dire.

Je suis sur le point de me lancer dans un récapitulatif de tous les traitements que nous avons subis, Mark et moi – médicaments, injections, insémination artificielle avec le sperme de Mark –, lorsqu'elle m'interrompt.

« Ma question principale, c'est : avez-vous déjà évoqué la possibilité de cesser d'essayer à un certain moment ? »

J'envisage de lui dire la vérité : que je projetais de rompre avec Mark jusqu'au moment où je suis tombée enceinte pour la troisième fois. J'avais même préparé mon discours. Kate, notre conseillère conjugale, allait jouer les intermédiaires, permettre à Mark de comprendre que je ne plaisantais pas lorsque je demandais une séparation à l'essai. J'avais rédigé mon speech à la main et l'avais répété devant le miroir jusqu'à être capable de le réciter de mémoire.

C'est trop, tout ce qu'on a vécu. Ça fait tellement longtemps que je fais semblant que tout va bien, que je vais bien. Tu vois forcément que nous ne sommes pas heureux dans cette situation. Une séparation, c'est la seule solution. J'espère qu'un jour tu comprendras.

On frappe à ma porte. Une des infirmières entre avant que j'aie le temps de répondre, un paquet à la main. Elle l'approche de son oreille et le secoue bien fort.

« Il y a ça qui est arrivé pour vous, Sasha. Nous devons signer l'accusé de réception : vous attendiez quelque chose ? »

Il me faut dissiper les soupçons qu'elles pourraient avoir. Peut-être le moment est-il venu de sortir le jeu de la jeune mère dans toute sa niaiserie. « Oh, c'est adorable ! Les jouets pour bébé que j'attendais de ma grand-tante Maude. Elle est tellement gentille. » J'essaie d'empêcher mes mains de trembler lorsque je prends le paquet. L'infirmière sourit au Dr Niles en quittant la pièce.

Je laisse échapper un discret soupir de soulagement. Mon petit numéro semble avoir fonctionné.

« C'est précieux, d'avoir une relation privilégiée avec votre grand-tante, dit le Dr Niles. Nous avons tous besoin du soutien de notre famille dans les périodes de crise. C'est dommage que votre mère ne soit pas présente dans votre vie. » Le Dr Niles cligne des yeux tandis que le soleil levant tombe sur ses joues. « Mais je pense qu'on va en rester là pour l'instant. Je vous reverrai demain. Entre-temps, Sasha, peut-être pourriez-vous essayer d'être un peu plus douce avec vous-même. » Elle s'efforce de sourire en se levant pour s'en aller. « Personne n'est parfait, vous savez. »

Une fois qu'elle est partie, je vais me planquer dans la salle de bains et presse le dos contre la porte pour la maintenir fermée. Ma poitrine se serre. Quel soulagement cela va être d'enfin prouver que j'ai raison !

J'étale mon pull en laine sur le sol et renverse le contenu du paquet dessus. Il y a trois kits, ainsi qu'un sachet en plastique stérile et des formulaires de consentement. Je lis les instructions. Un tampon de prélèvement pour moi. Sa sécheresse stérile me soulève le cœur lorsque je le roule contre la surface humide de l'intérieur de ma joue. Je remplis les étiquettes de tous les échantillons ainsi que tous les papiers, précisant même mon adresse à la maison. Maintenant que le Dr Niles me croit, j'ai assez confiance, je suis sûre que je vais parvenir à sortir d'ici lundi, lorsque les résultats sont censés arriver. Je place le reste du matériel bien au fond de mon sac à main. Mon cœur s'agite tel un colibri dans ma poitrine.

Depuis le bureau des infirmières, Ursula me regarde traverser la nursery, les bras croisés sur la poitrine. Je change mon sac d'épaule, pour le cacher à sa vue.

Le visage de Toby est plus blanc qu'hier, et ses orteils bougent de haut en bas comme un métronome. Ses mains sont recroquevillées contre le matelas, le bout de ses doigts bleus, comme chez tous les nourrissons. Je vérifie sa fiche d'observation. Non, il va bien. Tout est en ordre.

Il y a de l'agitation devant la nursery. La porte s'ouvre avec un grincement sonore et plusieurs infirmières poussent un chariot à l'intérieur. Le Dr Green avance à pas rapides à côté, pressant un masque à oxygène sur le visage d'un bébé. Plusieurs membres de l'équipe soignante, dont Ursula, les suivent dans la salle de réanimation en face du bureau.

Tout à coup la nuit de l'accouchement me revient. Était-ce vraiment il y a à peine plus de trois jours ? Ce pourrait aussi bien en faire mille. Un souvenir. L'ambulance roulait tandis que du sang dégoulinait de mon corps dans la serviette détrempée entre mes jambes. Le saignement s'est arrêté le temps qu'on arrive à l'hôpital. J'ai sombré dans un sommeil agité sur le lit étroit. Puis le chaos. L'humidité, de nouveau, entre mes jambes. Les draps imbibés d'une inondation écarlate. La sage-femme devenue muette en m'examinant. Les autres sages-femmes qui ont accouru. La salle de travail pleine de médecins et d'infirmières.

C'est tout ce que je peux me rappeler, pour l'instant. Peut-être d'autres souvenirs referont-ils surface.

Je regarde autour de moi. La nursery est déserte. Il est trop tôt pour les visites. C'est le moment.

Toby est endormi lorsque je plonge le tampon de prélèvement dans sa bouche et le remue contre l'intérieur de sa joue. Il grimace et s'agite sur le matelas. Puis ses yeux s'ouvrent d'un coup. Il se met à brailler. Je fourre le tampon dans mon sac et referme le hublot, étouffant le bruit de ses cris.

Personne ne sort de la salle de réanimation. J'ai encore du temps devant moi.

Je me dirige à grands pas, aussi vite que mes points de suture me le permettent, vers le bout du long couloir de couveuses, soulevant les plaids, regardant à travers le Plexiglas, inspectant les visages et les corps en quête de quoi que ce soit qui m'évoque mon bébé. Elle doit être là. Je la sens. Je la sens toute proche. Je sais que je la reconnaîtrai aussitôt que je la verrai.

Tandis que je passe rapidement d'un berceau à l'autre en retournant vers Toby, une lourdeur s'installe dans mes membres. Aucun de ces bébés ne fait l'affaire. Je sens la présence de ma petite fille tout près. Où peut-elle bien être ?

Il ne reste qu'une couveuse. Celle de Jeremy. Mais je l'ai déjà examiné. Non ? Je sais que je n'ai pas prêté autant d'attention aux garçons qu'aux filles.

Des cartes postales s'alignent sur la paillasse à côté de la couveuse de Jeremy, avec des messages d'espoir et des vœux de rétablissement, mais pour une raison ou pour une autre, elles sont toutes rédigées de la même écriture large et nette. Un tas de jouets en peluche est empilé dans un coin. Des photos de membres de la famille sont collées au mur avec de la Patafix. Des témoignages d'amour, tout ça.

De l'autre côté du passage, la paillasse à côté de la couveuse de Toby est vide. Je devrais faire un effort, aussi ténu soit-il, pour célébrer la naissance de ce bébé, même s'il n'est pas le mien. Je me demande ce que je pourrais acheter. Une peluche ? Trop gnangnan. Une photo ? Trop personnel. La chaleur monte dans mon corps tandis que l'idée me vient : un ballon en aluminium, standard, avec les mots *Bienvenue au petit garçon*, ou une banalité de ce genre. Parfait.

Jeremy est recroquevillé sur le flanc, il me tourne le dos, un paisible paquet de membres potelés et une poignée de cheveux fins, brun clair. Les lampes fluorescentes au-dessus de lui ont été éteintes pour l'instant. Tandis que je me déplace vers l'autre côté de sa couveuse, sa tête se tourne. Une mèche retombe en frange sur son front. Il a des cils longs, délicats, des joues couleur pastèque et une fossette sous la lèvre inférieure. Son nez est retroussé comme un col montagneux. Ses yeux s'ouvrent lentement pour révéler des iris chatoyants, pareils à des bleuets.

Son regard est fixé sur moi, comme s'il me connaissait. L'air se fait poisseux dans ma gorge. J'ai du mal à respirer. J'entrouvre la porte de sa couveuse et encercle ses mains dans les miennes, sa peau dégage de la chaleur. C'est Mark en plus jeune, tel que je l'ai vu sur les photos de lui bébé, Mark avec des yeux bleus à la place de ses yeux marron. Mon cœur palpite dans ma poitrine. L'hôpital avait raison sur un point, finalement. J'ai bien eu un fils. Un magnifique, magnifique petit garçon.

« Oh, Gabriel, je chuchote. Je t'ai enfin trouvé. »

Derrière moi, le crissement d'une chaussure sur le lino. Ursula, les mains sur les hanches, regarde par-dessus mon épaule.

« Qu'est-ce que vous fabriquez ? »

Je lâche Gabriel et retire mes mains par les hublots. Une chaleur dorée s'attarde sur ma peau.

« Je voulais juste...

— Vous n'avez pas le droit de toucher les autres bébés, Sasha. Vous n'êtes même pas censée les approcher. Qu'est-ce qui vous a pris ? Ça ne doit se reproduire sous aucun prétexte, sans quoi il y aura de graves conséquences. » Ursula serre les dents.

Pendant un bref instant je suis sur le point de dire quelque chose. *Je crois que c'est mon vrai bébé.* Mais je me reprends à temps. Il faut que j'avance mes pions avec la plus grande prudence.

« Vous devez laisser les plaids sur eux tout le temps », dit Ursula. Elle replace le plaid bleu layette sur la couveuse de Gabriel, le cachant à ma vue. « Ils permettent de minimiser le plus possible les stimulations visuelles et l'excès de lumière. Nous devons maintenir ces bébés en bonne santé, n'est-ce pas ? »

J'ai vraiment cru que les plaids étaient là pour m'empêcher de voir les bébés. Or ils n'avaient absolument rien à voir avec moi ; j'ai mal interprété leur fonction. Comme j'ai pu me tromper, et sur tant de choses, semble-t-il !

Maintenir les bébés en bonne santé, dit Ursula. L'autre bébé, celui qu'on réanime en ce moment... se pourrait-il que l'état de Gabriel se détériore à ce point ? Je ne fais pas tellement confiance à cet hôpital, surtout pas à leur capacité de protéger mon fils.

« Il va bien, l'autre bébé ? »

Ursula fait oui de la tête, examinant la marée de couveuses qui s'étale sur toute la longueur de la nursery.

« Pourquoi cette question ?

— Tout le monde a tout le temps l'air si occupé. J'ai peur qu'on n'oublie des choses. Ou que des choses ne passent inaperçues.

— Tout va bien. » Ursula se racle la gorge. « Il n'y a aucune raison de penser que l'infection de ce bébé va se répandre. »

Infection ?

Oh, mon Dieu ! Je me rappelle à présent. Une mauvaise bactérie, la *serratia*, s'est répandue dans la nursery comme un incendie de forêt il y a quelques années. Je suppose que j'ai refoulé ce souvenir, sachant ce que cela pourrait signifier pour mon bébé. L'épidémie a fuité dans les médias, elle a été couverte par la presse nationale. Plusieurs bébés ont été transférés dans la capitale, quelques-uns sont morts. J'ai dû superviser leur autopsie. Ursula était-elle infirmière chef à l'époque ? On a laissé entendre qu'un problème d'hygiène pouvait en être la cause : le personnel se lavait mal les mains. À la suite de cette affaire, l'hôpital a mis en place de nouvelles mesures de contrôle des infections, ont dit les journaux. Je ne peux qu'espérer qu'une chose pareille ne se reproduira jamais ; pas pendant que mon fils est sous leur responsabilité, en tout cas.

Ursula scrute la paillasse vide à côté de la couveuse de Toby.

« Il faut que vous lui apportiez des affaires personnelles. »

Toby. Ce doit être le fils de Brigitte, en fait. Une simple inversion ? Une erreur innocente ?

« Je vais le faire. Dès que possible. »

Quant à Gabriel, j'ai besoin d'un souvenir de lui, pour me rappeler qu'il existe, que je ne l'ai pas imaginé, qu'il est à moi. Que puis-je garder pour l'évoquer pendant les longues nuits solitaires qui vont s'écouler avant que nous soyons réunis ? Les photos au mur sont toutes des photos de la famille de Brigitte et de son mari. Les cartes viennent de personnes que je ne connais pas. Et les peluches ne veulent rien dire tant que mon bébé n'est pas à mes côtés.

Ursula continue, sévère : « Si pour le moment vous ne pouvez pas vous permettre d'acheter des articles de puériculture, je suis sûre qu'une assistante sociale pourra vous recevoir.

— Nous n'avons pas de problème.

— Parce que je sais que l'argent est toujours une énorme source de stress. »

Ses collants sont filés ; il y a une maille défaite à sa jupe ; une branche de ses lunettes est retenue par du Scotch. Elle était autrefois infirmière chef, m'a dit Brigitte.

Une fois qu'Ursula est repartie avec ses chaussures qui crissent, je soulève le plaid de Gabriel, fascinée par mon fils dans toute sa splendeur. Cela n'a pas d'importance, de qui vient l'erreur ; plus maintenant. Tout ce qui compte, c'est que mon fils m'est revenu.

Avant de faire quoi que ce soit, j'ai besoin d'en avoir la preuve. J'ouvre les hublots et pousse délicatement un autre tampon dans la bouche de Gabriel. Il le suce de ses lèvres pleines, boudeuses, comme si c'était un biberon. Mon cœur se fend à l'idée des milliers de moments que j'ai déjà manqués – et de ceux que je suis si près de connaître.

Je fourre l'échantillon au fond de mon sac à main. Je dois me contenir. Attendre que la preuve soit faite. Il va me falloir toute ma patience.

Le tiroir de la paillasse à côté de la couveuse de Gabriel est entrouvert. Je le fouille scrupuleusement. Sous quelques couches et lingettes en vrac, je trouve un sachet en plastique transparent, inscrit au marqueur indélébile du nom *J. Black*. À l'intérieur, une cordelette de chair ridée aux rebords rosés et une pince couleur crème à un bout. Le cordon ombilical de Gabriel. Je fourre le sachet dans ma poche et l'entoure de ma main. C'est ce qui nous reliait lorsqu'il était dans mon ventre ; ça m'étonnerait que Brigitte remarque son absence. J'ai bien droit à ce souvenir. Pour l'instant, c'est tout ce que j'ai de mon fils.

Je rôde autour de lui, contemplant la moindre fossette, la moindre ride et le moindre pli, lorsque je la sens derrière moi : Brigitte, avec l'odeur de transpiration un peu sucrée qui s'attarde sur sa peau.

« Comment va mon bébé aujourd'hui ? » demande-t-elle, regardant par-dessus mon épaule.

Splendide. Il est splendide, au-delà de l'imaginable. Elle n'attend pas ma réponse.

« Vous croyez qu'il est encore plus jaune qu'hier ? Je pensais que c'était parti, mais maintenant j'ai l'impression que la jaunisse empire, en fait. Vous voyez ? » Elle le montre de ses ongles vernis d'un rose corail.

Il est vrai que son torse a un éclat jaunâtre, mais je ne saurais dire si ça empire ou pas. Heureusement, Brigitte doit penser que je l'examinais en tant que médecin, non en tant que mère.

« Je ne sais pas si sa jaunisse empire », dis-je. Je me gronde intérieurement pour ne pas l'avoir observé correctement jusque-là, alors même que je n'étais qu'à deux mètres de lui tout ce temps. Mais, en un sens, c'est un soulagement. J'ai été près de lui ces derniers jours, malgré la confusion. Je ne l'ai pas vraiment laissé seul.

« Signalez-le aux infirmières, je poursuis. Il ne faut prendre aucun risque. »

Étant donné que les infirmières ont toutes l'air surmenées, je ne peux pas être certaine qu'elles l'examineront sérieusement si Brigitte ne les informe pas que sa jaunisse est revenue.

Et il y a tant de causes possibles à son état ; je ne peux qu'espérer qu'ils vont les rechercher de façon exhaustive.

« Je ne sais pas. Je ne voudrais pas qu'elles pensent que je suis une de ces jeunes mères paranoïaques. » Elle passe sa langue sur ses dents. « Elles me surveillent déjà assez comme ça.

— Elles vous surveillent ? »

Elle serre les mâchoires. « Ce n'est rien. J'ai eu une période un peu difficile avant de tomber enceinte, c'est tout. J'ai dit aux infirmières qu'elles n'avaient pas besoin de s'inquiéter pour moi.

— Elles s'inquiètent pour vous ? » J'utilise la technique interrogative que j'ai apprise en fac de médecine : si vous répétez les derniers mots d'une phrase d'un patient, il a plus de chances de développer.

Brigitte, cependant, ne réagit pas comme je l'avais prévu. Elle se fige, un mince liseré de larmes s'accumulant au-dessus de sa paupière inférieure. Peut-être qu'elle est déprimée, après tout.

« Je suis vraiment désolée, dis-je précipitamment. Je comprends. Je ne suis pas au mieux de ma forme, moi non plus. »

Peut-être croit-elle qu'il y a eu un échange, elle aussi ? Même si ce n'est pas le cas, elle a le droit de savoir, plus que quiconque. Je décide à la hâte de me confier à elle.

« Je viens de réaliser que Toby... »

Du coin de l'œil, je vois la tête d'Ursula se dresser au-dessus du guichet d'accueil. Elle m'observe encore. Je suis certaine qu'elle est trop loin pour m'entendre, mais qui sait les distances que parcourt le son dans cet endroit confiné ?

« ... n'a pas assez chaud », je chuchote. « Vous n'êtes pas bonne couturière, par hasard ? Vous pourriez m'aider à repriser mon vieux plaid pour lui ?

— Bien sûr, dit Brigitte, s'essuyant les yeux du bout des doigts. Je peux vous apprendre à le faire avant que Jeremy puisse sortir, si vous voulez.

— Formidable. » Je parle d'une voix aussi neutre que possible. « Vous savez à peu près quand vous allez rentrer chez vous ?

— En principe, il devait sortir en fin de semaine. Vous croyez que la jaunisse va retarder ça ? »

Je fais le calcul. Les résultats des analyses ADN vont arriver lundi, au plus tôt, il ne faut donc pas que Gabriel sorte en fin de semaine. Je ne peux qu'espérer que sa jaunisse fasse traîner les choses.

« Je ne sais pas. Mais n'oubliez pas de dire aux infirmières que vous vous inquiétez. J'ai vu un bébé mourir de la jaunisse, il y a quelques années. C'était affreux. » Ce n'est pas vrai, mais Brigitte ne peut pas le savoir.

« Je n'oublierai pas. » Elle se tord les mains. « Et Toby ? Il sort quand ?

— Je ne sais pas. Peut-être dans quelques semaines. »

Brigitte se mord la joue.

« Au départ, je les suppliais de renvoyer Jeremy à la maison, mais maintenant je commence à penser qu'ils le feront peut-être sortir trop tôt, avant qu'il soit vraiment prêt. Je veux juste qu'il soit en bonne santé ; c'est tout ce qui compte, en définitive. »

Elle ne pourrait jamais supporter la nouvelle de l'échange des bébés pour le moment. Et elle ne semble pas avoir deviné ce que j'ai compris de Gabriel. Par chance, à ce qu'il semble, je l'ai suffisamment alarmée pour qu'elle parle aux infirmières. Une fois qu'elles auront correctement examiné mon fils, j'espère bien que sa jaunisse prolongera son hospitalisation jusqu'à lundi. Là, les résultats confirmeront la vérité. Je lui dirai à ce moment-là. Et dès qu'ils m'auront envoyé les résultats, je parlerai à Bec. J'ai besoin de son aide pour déterminer comment m'y prendre.

Pour l'instant, je fonds sous le regard de Gabriel, si plein de pardon, si plein d'amour. Cela ne fait rien qu'ils croient tous que j'ai tort. Pas alors que j'ai enfin retrouvé mon fils.

« Qu'est-ce que tu fais ? »

Brigitte vient juste de partir lorsque Mark me surprend au chevet de Gabriel, de nouveau en train d'admirer sa peau sans défaut, ses lèvres de chérubin.

« Je surveille le fils de Brigitte pour elle. Il est un peu malade, je crois. » Brigitte ne s'est pas attardée après notre conversation. Je ne sais pas trop où elle est partie ; avec un peu de chance, elle est déjà en train d'alerter les infirmières sur l'état de Gabriel.

Je retourne à la couveuse de Toby avec Mark.

« Comment va-t-il ?

— Ça va aller, j'espère. »

Il suit mon regard vers le berceau de Gabriel.

« Je parle de *Toby*.

— Oh, il va bien. Très bien. »

Dans le terrain de jeux de l'autre côté de la route, un petit garçon grimpe au sommet du toboggan à pic et se précipite vers le sol, tête la première. Son père, qui a raté sa descente, le cueille dans ses bras et lui tapote le dos comme un batteur.

« Tu as l'air plus joyeuse, dit Mark. Ça me fait plaisir.

— Je dors mieux.

— Heureusement qu'il y a les cachets, hein ? »

Je lui adresse un mince sourire, serrant mon sac à main contre ma poitrine. Mark plonge les bras dans la couveuse où Toby est couché sur le flanc et cale une couche en tissu le long de sa colonne vertébrale puis entre ses jambes afin de s'assurer qu'il reste en place. Pendant ma grossesse, il a pris l'habitude d'arranger mes oreillers autour de moi de la même manière.

« Écoute, dit Mark, les yeux toujours baissés sur Toby, si tu n'as pas envie que ma mère vienne coucher chez nous, je lui dirai non. Je comprends.

— Je préférerais qu'on soit juste tous les deux à la maison. »
Il ressort les bras des hublots.

« Aucun problème. Je vais le lui annoncer. » Il place son bras autour de mon épaule, tel un joug sur ma nuque. Je m'arrache à lui et tire un mouchoir de ma poche. Voilà l'occasion de prélever son ADN.

« Mouche-toi, mon chou. Tu as le nez qui coule.

— *Mon chou ?* Depuis quand tu m'appelles comme ça ? Et je n'ai pas le nez qui coule. » Il ignore le mouchoir.

Je le range dans ma poche. Dehors, le terrain de jeux est maintenant déserté. Le petit garçon et son père sont partis. Des paquets de chips vides volettent au-dessus des morceaux d'écorce qui recouvrent le sol dans un tourbillon miniature. La chaîne de protection sur l'une des balançoires miroite au soleil, lançant de brefs éclairs semblables à du morse.

Mark se rend aux toilettes. Son blouson de cuir est posé sur le dossier d'une chaise. Je fouille ses poches : clefs dans l'une, lunettes de soleil dans l'autre. Je défais la fermeture Éclair de la petite poche intérieure. Mes mains tombent sur un mouchoir usagé, bien au chaud contre la couture. Dieu merci ! Cette partie au moins de mon plan devrait fonctionner. Je le dépose dans le sachet en plastique stérile et le range dans mon sac avec le reste de mon butin.

De l'autre côté du passage, de ses yeux luminescents, Gabriel m'implore de rester. Je ne peux pas supporter de m'en aller. Mon cœur me fait mal, comme si on l'avait tranché au couteau. *Je suis désolée, mon chéri. C'est la seule solution. Je reviendrai dès que possible.* J'imagine l'embrasser sur le front, faire glisser mes lèvres le long de l'arête de son nez et sur ses joues luisantes, l'une après l'autre, de petits baisers légers. *Un jour, mon bébé, un jour, bientôt ce sera ton père et moi au pied de ce toboggan, les bras ouverts pour t'attraper.*

JOUR 4, MARDI MATIN

J'ai placé tous mes espoirs dans mon père. Je compte sur lui pour faire le coursier, un rôle essentiel dans mon plan. Il sera beaucoup plus compliqué de faire parvenir les échantillons d'ADN au labo s'il refuse de m'aider. Il a déjà évoqué sa déclaration d'impôts, divers tournois de golf, en bref, tout ce qu'il a pu trouver pour s'éviter de venir me voir en psychiatrie. Il m'a fallu mettre à profit tous mes talents de négociatrice pour le convaincre de me rendre de nouveau visite.

« Les femmes qui sont ici ne sont pas vraiment dérangées, lui ai-je expliqué au téléphone. Il faut que tu voies ça comme un service pour les mères et leurs bébés.

— C'est bien ça le problème », a-t-il répliqué.

La matinée est bien avancée lorsqu'il se glisse dans ma chambre, sans frapper. Il est en costume-cravate, comme pour un entretien d'embauche. En s'approchant de mon lit, il tourne la tête de tous côtés comme s'il s'attendait à tomber dans une embuscade.

« Il n'y a que moi, ici, papa. »

Il prend place au pied de mon lit, aussi loin que possible de moi, calée sur mes oreillers. Il sort ses mots croisés de sa poche.

« Tu voulais me voir ? »

Il devait être aussi maladroit avec ma mère qu'il l'est à présent avec moi, à empirer les choses sans même le faire exprès. Il est incapable d'avoir la moindre intuition de mes besoins, je le vois parfaitement maintenant. Ma pauvre mère, dans un hôpital psychiatrique sans le soutien dont elle avait besoin.

Les mots s'échappent de mes lèvres avant que j'aie le temps d'y réfléchir suffisamment.

« Le soir où maman est partie. Je ne m'en souviens pas tellement. Est-ce qu'elle t'a seulement dit au revoir ? » La question a jailli d'un vide au fond de moi. Les mots restent suspendus entre nous.

Papa souligne une définition sur sa page de mots croisés, l'encre de son stylo bave sur le papier.

« J'étais… Elle avait passé la journée avec toi. »

Je la revois sur son lit à deux places, emmitouflée dans mon plaid en patchwork. Ses yeux s'entrouvrent, puis se referment. Elle tend les bras vers moi, qui me tiens debout à côté du lit. Ses mains sont chaudes, si chaudes dans les miennes.

« Et quand as-tu compris qu'elle était partie ? »

Il passe la main dans les cheveux fins rabattus sur sa calvitie.

« Sasha, pourquoi voulais-tu que je vienne ? »

Je n'ai pas prévu de lui parler de Gabriel, mais il est la seule famille par le sang que j'aie désormais, et partager du matériel génétique doit bien impliquer un certain degré de confiance. Il en sait probablement davantage sur ma mère qu'il ne le laisse paraître ; peut-être m'aidera-t-il à la retrouver, si je lui annonce la bonne nouvelle. Elle voudra forcément rencontrer son petit-fils ? Avant que je puisse réaliser leur stupidité, les mots se sont formés sur mes lèvres :

« J'ai trouvé mon bébé. »

Papa lisse le journal sur sa cuisse.

« Dieu merci ! »

Il a un sourire en coin, tremblant de soulagement. Je déplie les jambes. Je ne sais pas encore comment il va le prendre. Mais je sais qu'il vaut toujours mieux dire la vérité.

« Ils l'ont appelé Jeremy. »

Ses mots croisés tombent par terre avec un léger bruissement.

« Non, Sasha. Ton fils c'est Toby.

— L'hôpital se trompe, papa. Mon fils, c'est un autre bébé. »

Son visage est de la couleur du drap d'hôpital lorsqu'il se penche. Il replie le journal et le range dans la poche intérieure de sa veste.

« Sasha, je suis désolé. Je ne te crois pas. Tu as besoin d'aide. De l'aide de professionnels. » Il plonge son visage dans ses mains. « Écoute, je ne vais en parler à personne. Je laisse ça aux gens qui veillent sur toi. C'est leur rayon. Ce sont eux qui savent le mieux quoi faire. »

Était-il aussi comme ça avec ma mère ?

« Je n'aurais pas dû venir. » Il se lève. « Je voudrais pouvoir en faire davantage pour t'aider. Dis-moi s'il te vient une idée. »

Le paquet à renvoyer, plein des preuves dont j'ai besoin, est caché sous le plaid. L'idée que mon père allait m'aider à prouver que Toby n'est pas mon enfant me paraît maintenant ridicule. De toute évidence, je l'ai surestimé. Il ne serait pas capable de faire ça pour moi, même si je parvenais à trouver le courage de le lui demander. Il va me falloir envisager un autre moyen d'expédier le colis.

Papa s'arrête sur le seuil, le corps raide, les épaules contractées.

« Ta mère voudrait que tu te fasses aider, tu sais. »

Une chaleur intolérable me brûle la poitrine. Mark, mon mari, est censé m'aider. Ma mère, qui m'a abandonnée, devrait également être là. Quant à mon père, avec sa

215

maladresse et sa froideur, il est l'exemple même de tout ce qui ne va pas dans ma famille.

« Mais maman nous a *quittés*. Qu'est-ce que ça pourrait bien lui faire, en réalité ? On ne sait même pas où elle est, si ? »

Les mots atteignent leur cible. Papa se détourne, si bien que je ne peux plus voir son visage. Sa nuque se fige.

« Papa ? Qu'est-ce qu'il y a ? Qu'est-ce que tu me caches ? »

Ses épaules se soulèvent et s'abaissent.

« J'étais au travail, tu sais. Elle m'a appelé pour me dire qu'elle ne se sentait pas bien. »

Il y a une longue pause. Lorsque je parle de nouveau, c'est d'une voix d'enfant, chevrotante, hésitante.

« De quoi tu parles ? Du jour où elle est partie ? Elle était malade ? »

Il émet un bruit qui ressemble à un sanglot étranglé.

« Je n'ai pas pensé à appeler une ambulance. Je me suis précipité à la maison. Je n'ai pas réfléchi du tout. »

Mon corps est soudain gelé, mes doigts s'engourdissent, comme lors des expériences qu'on faisait en fac de médecine, quand on immergeait nos pieds dans de l'eau glacée pour tester notre tolérance à la douleur.

« Une ambulance ? »

Il promène ses yeux sur le plafond.

« Quand je suis arrivé, elle était immobile sur le lit. Elle était froide. Tellement froide. »

Je ne comprends pas. Je ne veux pas comprendre. Il s'éclaircit la gorge.

« J'ai essayé de la réchauffer. Dieu sait que j'ai essayé… »

Papa a toujours dit que maman nous avait quittés. Elle n'était pas là ; elle ne serait jamais là. Elle était partie. C'est ce que j'ai toujours compris. Comment puis-je avoir échafaudé un souvenir où elle s'en va dans la nuit ?

« Qu'est-ce que tu es en train de dire, papa ? Est-ce que quelque chose… est arrivé à maman… ? »

Papa baisse la tête. « Je sais que j'aurais dû te le dire. Je le sais bien.

— Elle est *morte* ?

— Je suis vraiment désolé. J'ai peur qu'elle ne nous ait quittés tous les deux. Pour de bon. » Il porte ses mains à ses yeux.

Une foule de questions se mettent à résonner dans mon cerveau, lancinantes. Et avant que je puisse les retenir, elles sortent en cascade.

« Comment est-elle morte ? Pourquoi ? Qui d'autre le sait ? »

Papa secoue la tête. Il ouvre la bouche pour parler, mais la referme aussitôt.

« On aura cette conversation la prochaine fois, je te le promets. Je reviendrai quand les choses se seront un peu tassées. » Il laisse tomber ses mains de ses yeux à sa bouche. « Elle t'aimait beaucoup, tu sais. »

Des ténèbres s'accumulent en moi comme si je m'enfonçais dans les entrailles de l'océan. Je baisse les yeux sur le dos de mes mains. Ressemblent-elles à celles de ma mère ? Je ne pourrai jamais le savoir. Quelque chose se brise en moi.

Du coin de l'œil, je devine un mouvement. Papa, qui se glisse hors de ma chambre sans dire au revoir. Je le rappelle, mais il ne se retourne pas.

Dans la lumière dorée du matin qui filtre à travers les rideaux, je suis des yeux les particules de poussière qui flottent dans l'air. La question la plus dure, trop dure à poser, mais impossible à ignorer : *où est-ce que j'étais, papa, pendant que tu te précipitais à la maison ? Où est-ce que j'étais, bon sang ?*

JOUR 4, MARDI MIDI

Deux heures plus tard, je suis encore sonnée. La mort de ma mère, les flash-backs de Damien et de mon accouchement ont déplacé mon centre de gravité. Lorsque je retire le couvercle de plastique de mon repas, il m'échappe et tombe sur la table. Les lasagnes desséchées tremblotent sous ma fourchette. J'écrase les petits pois, formant une bouillie verte, avant de replacer bruyamment le couvercle. Je n'ai pas faim. Pas faim du tout. Comment papa a-t-il bien pu me cacher ça tout ce temps ? Comment a-t-il pu penser que c'était la meilleure chose à faire ? Et pourquoi me le dit-il maintenant ?

Ondine me lance un regard prudent en entrant dans le réfectoire. Avec ses cheveux tirés en une queue de cheval bien nette, ses lunettes sur le nez et son chemisier en coton blanc, elle ressemble à une institutrice, autoritaire.

« Je ne vais pas rester longtemps, dis-je. Tu peux manger là, si tu veux. »

Ondine hésite, puis glisse son plateau sur la table à côté de moi. Elle retire le couvercle et se met à pousser ses lasagnes d'un côté à l'autre de son assiette. Dehors, dans la cour, un coup de vent soulève une grappe de pétales blancs sur l'ardoise et vient les projeter sur les vitres à côté de nous.

« Vous avez pu trouver votre bébé ? » demande Ondine d'une voix guindée.

Je secoue la tête. Avec l'aveu de mon père, j'avais brièvement oublié ma mission. Je me redresse. Ma mère est partie depuis longtemps. Quelque part, j'ai toujours su que je ne la reverrais jamais ; en fait, jusqu'à récemment, je n'en avais jamais eu le désir. Tout ce que la révélation de mon père a fait, c'est de confirmer cette croyance. Ma priorité, maintenant, c'est mon bébé.

« Comment va votre fils ? »

Ondine hausse les épaules et baisse la tête. Je pose ma fourchette sur l'assiette.

« Je suis désolée. » Comme une imbécile, j'ai oublié qu'elle ne l'a pas sous sa garde. Une image de Gabriel, avec ses yeux bleu vif et sa peau pâle, se matérialise dans mon champ de vision : ma raison d'être, mon amour. « Vous savez, ça n'a pas d'importance, le temps que ça prend, pourvu que vous le récupériez à la fin. »

Elle renifle. « Je ne sais même pas si j'ai envie de le voir. » Elle laisse retomber sa tête. « J'ai trop peur de ce que je risquerais de faire.

— Comment ça ?

— Zach, mon mari, refuse de me parler. Il dit que je suis un monstre.

— Quoi que vous ayez pu faire, ça ne peut pas être si terrible. »

Ondine garde le silence.

« Nous avons tous fait des choses qui pourraient être tenues pour monstrueuses », dis-je. Ce que j'ai fait avec Damien, par exemple ; ce que j'essaie constamment d'oublier. « Ondine, vous n'êtes pas un monstre. »

Elle fixe les yeux sur le pommier dans la cour, ses branches qui frissonnent dans le vent.

« Tout le monde pense que si », marmonne-t-elle.

Je prends un sablé au chocolat dans le sachet qu'elle me tend.

« Je travaillais dans une crèche, poursuit-elle. Je m'occupais de tellement d'enfants. Je ne veux plus jamais exercer cette profession. Ici, je suis en sécurité. Si je reste dans ce service pour de bon, je ne peux faire de mal à personne. »

Le chocolat craque entre mes dents. Je rapproche ma chaise de la sienne.

« Vous ne croyez pas que vous vous sentirez mieux quand vous aurez récupéré votre fils ? »

Elle baisse les yeux sur son repas infect.

« Il hurlait tellement. J'ai pensé qu'il était malheureux. J'ai pensé que je faisais mon devoir. » Elle s'arrête, la bouche entrouverte.

Je n'ai pas besoin de savoir ce qu'elle a fait. J'ai entendu toutes les variantes possibles de son histoire au cours de ma formation. « Vous êtes un être humain. Les bébés, c'est stressant. Quoi qu'il ait pu se passer, je suis sûre que votre mari vous pardonnera un jour. »

Ondine ferme la bouche.

Je pourrais lui dire, ou je pourrais me taire. Je ressens le besoin pressant de partager la nouvelle avec quelqu'un qui pourrait me comprendre. Bec me soutient, mais elle n'est pas là, à côté de moi. En parler à mon père était vain. Il n'y a aucune chance qu'Ondine ait quoi que ce soit à voir avec l'échange de bébés ; cela paraît sans risque de me confier à elle. Et elle est l'une des seules personnes, à part Bec, à ne m'avoir jugée sur rien. Prenant un autre sablé, je le suçote, laissant les paillettes sucrées tomber sur la table tandis que le chocolat fond dans ma bouche. Ondine, plus que quiconque, est susceptible de comprendre.

« J'ai trouvé mon fils », dis-je d'une voix douce, en avalant énergiquement le chocolat qui me tapisse la bouche.

Elle me dévisage, les yeux écarquillés : « Ouah.

— Vous me croyez ? » Qu'elle me croie ou non, c'est un soulagement de me confier à elle.

Elle place ses mains à plat sur ses cuisses.

« Je ne sais plus que croire, ces derniers temps. Mais c'est une grande nouvelle. Il est comment ?

— Il est vraiment magnifique. Et je vais le récupérer, d'une manière ou d'une autre.

— Bien sûr que oui, dit-elle avec un sourire triste. Je voudrais pouvoir vous aider. Je peux faire quelque chose ?

— Ça va aller, dis-je, posant la main sur son bras squelettique. Je pense que vous avez assez de soucis comme ça, pour l'instant. Je sais que nos bébés vont nous revenir. Un jour, d'une manière ou d'une autre, nous aurons toutes les deux nos bébés dans les bras. »

QUATRE ANS PLUS TÔT

MARK

Nous essayions d'avoir un bébé depuis cinq ans lorsque Sasha a suggéré de consulter un conseiller conjugal. J'ai résisté. Il n'y avait pas de problème dans notre mariage, j'en étais certain ; en tout cas rien que des vacances à la plage et quelques ébats dans un hôtel – ou un bébé – ne suffiraient à arranger. Sash n'a pas cédé. Elle avait déjà pris le rendez-vous, et elle a insisté pour que je l'accompagne.

La première conseillère, nous ne l'avons vue qu'une seule fois. Serenity. Elle avait des manches flottantes, dans une matière que Sash a plus tard identifiée comme de la mousseline de soie. Quelques cristaux étaient posés sur son bureau. Sash s'est affalée sur la chaise en bois, dans la pièce qui sentait la lavande. Lorsqu'elle a dit que nous nous arrangions pour avoir des rapports au moment de l'ovulation, Serenity a remonté ses manches.

« Et… est-ce que vous avez essayé de faire l'amour juste pour le plaisir ? »

Je me suis redressé et j'ai fait un clin d'œil à Sash. Elle m'a fusillé du regard.

« Elle ne comprend rien à l'infertilité, c'est clair, a dit Sash dans la voiture sur le chemin du retour. Qui fait l'amour pour le plaisir quand il faut prévoir le moment ? Il faut qu'on essaie quelqu'un d'autre. »

À ce stade, Sash s'était mise à prendre des cachets pour stimuler l'ovulation. Je voyais bien que l'échec des traitements la stressait, je comprenais à quel point c'était dur pour elle. Mais c'était dur pour moi aussi, cela dit. Je dois le reconnaître, quand elle levait les yeux de son test urinaire et déclarait que c'était « un bon jour », ça avait tendance à donner au sexe un côté un peu mécanique. Mais je faisais toujours de mon mieux pour me prêter au jeu.

Sash a suggéré un deuxième conseiller conjugal, un homme chauve au visage austère, dans un cabinet couleur pastel. Wilfred a disséqué nos histoires familiales, établissant des liens ténus entre les traumatismes de l'enfance et l'infertilité.

« Quel ramassis de conneries ! a dit Sash lorsque nous sommes ressortis dans la rue. Non mais il est sérieux, quand il met le fait qu'on n'arrive pas à faire un bébé sur le dos de nos parents ?

— Il ne s'agissait pas de les accuser, Sash. Il s'agissait de comprendre.

— Alors pourquoi est-ce qu'il raconte n'importe quoi ? »

Wifred non plus n'était pas bon, selon Sash. Trop vieux. Trop freudien. Trop analytique. Franchement, je trouvais que c'était peut-être exactement ce dont elle avait besoin.

En fin de compte, les spécialistes de la fertilité nous ont suggéré de nous lancer dans une insémination intra-utérine : injecter mon sperme directement dans la cavité utérine de Sash. J'ai fini par donner mon consentement. C'était la procédure la plus invasive que je pouvais tolérer. Je n'étais pas prêt à mettre sa vie en danger avec une FIV. J'avais lu les complications possibles dans le livret de la clinique. Anesthésie générale. Une aiguille perçant la paroi de son vagin encore et encore, cause potentielle d'hémorragie et d'infection.

Le risque d'hyperstimulation de ses ovaires. De caillots dans ses jambes et ses poumons.

Je n'ai jamais dit à Sash pourquoi je refusais la FIV. Son désir d'enfant était si puissant, à la fin, qu'elle aurait prétendu que les risques étaient minimes et balayé mes inquiétudes. J'étais d'accord avec elle sur un point : un bébé, ça aurait été bien. Mais que Sash soit ma femme, c'était plus important, de loin, qu'un bébé. J'avais déjà perdu Simon. Je n'étais pas prêt à prendre le risque de perdre aussi Sasha. Finalement, à la voir s'effondrer en larmes après chaque cycle infructueux, j'ai insisté pour qu'on arrête d'essayer. Je ne lui ai pas dit que j'avais peur qu'elle ne meure, qu'aller plus loin ne la tue. Elle n'avait pas perdu son frère. Elle n'aurait jamais compris.

C'est là que nous avons commencé à voir la troisième conseillère, Kate. Elle nous a accueillis dans son bureau avec un sourire plein de compassion. La pièce était lambrissée et sentait bon le café ; on se serait d'ailleurs cru dans un café, en fait.

Sash a exposé notre relation à Kate, et expliqué à quel point nous voulions tous deux ce bébé. Et comment, à l'en croire, nous avions cessé de parler des choses importantes depuis longtemps.

Après avoir écouté ma version, Kate a confirmé ce que je pensais : notre mariage, plus qu'un bébé, était la priorité. Avec du temps et des efforts, nous pouvions retrouver la plénitude dans notre couple. Sash s'est tassée sur sa chaise. Visiblement, elle n'aimait pas entendre ça. C'était bizarre, je suppose : c'était elle qui m'avait traîné là.

Le scénario de notre séance suivante de thérapie avec Kate était très clair dans ma tête. Avec Sash, nous pourrions commencer à planifier notre avenir commun, sans enfants. Mon rêve d'ouvrir un café avait été contré par mes parents depuis des années. « Tu dois avoir des revenus stables pour ta femme et tes futurs enfants », avait soutenu papa, et maman était d'accord. Non que Sash ait eu besoin de moi pour l'entretenir, bien sûr. Mais j'avais saisi la pertinence de leur argument, et j'avais mis de côté mes ambitions pour le moment. Je savais que la restauration était un secteur rude, sans garantie de réussite. Je ne voulais pas que Sash se mette en tête qu'elle devait retourner travailler au plus vite après l'accouchement pour nous entretenir tous. Je n'adorais pas le restaurant où je travaillais – le menu était passéiste, sage et sans intérêt – mais au moins je rapportais régulièrement un salaire raisonnable, assez pour avoir le sentiment de contribuer à nos dépenses.

Je n'ai jamais parlé de ma décision d'abandonner mon rêve avec Sash. L'idée que je tienne un jour un café semblait tant l'enthousiasmer que je l'ai laissée croire que ce projet allait se réaliser d'un jour à l'autre. Franchement, c'était un soulagement de la voir sourire, quelle qu'en soit la raison. Mais à présent, face à un avenir sans enfants, je me sentais enfin libre de poursuivre mon but de toujours. J'espérais aussi que notre avenir comprendrait des voyages à l'étranger, une extension de notre potager, des excursions en 4x4 à travers l'Australie. Toutes ces choses que nous remettions à plus tard depuis longtemps tandis que nous attendions l'arrivée d'un bébé pour agrandir notre famille.

Mais en plus, je voulais me servir de nos séances de thérapie pour parler des zones d'ombre de Sash. Son obsession de tomber enceinte. Ses humeurs noires à l'époque de l'enquête, un sujet qu'elle refusait toujours d'aborder, même des années après. Ce que m'avait révélé son père au sujet de ce qui était arrivé à sa mère, qu'il n'avait même pas raconté à Sash. J'estimais qu'elle avait le droit de savoir toute la vérité.

La veille de notre second rendez-vous avec Kate, après le travail, Sash est venue me parler. Elle m'a annoncé qu'elle avait annulé la séance. J'ai fixé son visage rayonnant, ses joues roses : elle était tellement semblable à la Sash dont j'étais tombé amoureux toutes ces années auparavant.

Elle était enceinte pour la troisième fois. J'avais le souffle coupé. Nous n'avons jamais revu Kate.

Ma mère avait sous-entendu pendant des années que Sash n'était pas la femme idéale pour moi. Lorsque maman a appris que Rose était partie, elle s'est inquiétée : peut-être son instabilité était-elle héréditaire. Sash ne risquait-elle pas d'abandonner sa famille à son tour ? J'ai refusé de l'écouter. Sash m'avait toujours paru suffisamment stable. Et j'étais convaincue que je pouvais la soutenir quoi qu'il arrive. *Dans la maladie et la bonne santé* ; c'était ce que j'avais promis.

Lorsque Sash a déclaré que notre bébé n'était pas le nôtre, je dois reconnaître que j'ai trouvé ça difficile à croire, mais pendant un certain temps, je lui ai laissé le bénéfice du doute. Ce n'est que lorsque le Dr Niles m'a pris à part devant sa chambre à la maternité pour m'expliquer qu'elle était certaine que Sash souffrait d'une psychose post-partum que ma poitrine s'est compressée comme une vieille éponge. D'un coup, j'ai percuté : Sash n'allait pas bien du tout. Évidemment, je tenais à elle. Profondément. Cela faisait si longtemps que nous formions une équipe. Je voulais à tout prix qu'elle se rétablisse. Mais, toujours sous le regard d'acier du Dr Niles, j'ai réalisé en cet instant qu'il y avait une chose à quoi je tenais davantage : Toby. Et moi-même.

JOUR 4, MARDI, FIN D'APRÈS-MIDI

« Arrête-toi là, Mark. »

Une masse de pierres tombales s'élève devant nous, à contre-jour dans le soleil couchant. Mark stoppe la voiture à l'arrière du cimetière. On m'a accordé une sortie de quelques heures et, avec les échantillons ADN que je dois poster, j'ai proposé un tour en voiture. Mark a d'abord dit oui, mais à présent il me fixe d'un air incrédule.

« Pourquoi ici, Sash ?

— J'ai besoin de me dégourdir les jambes. De prendre un peu l'air.

— Derrière un cimetière ? » Il plisse les yeux.

La boîte à lettres la plus proche de l'hôpital se trouve juste devant le portail du cimetière, sur la route principale pour sortir de la ville. On ne la voit pas depuis le parking de l'autre côté. Dans cette agglomération relativement petite, je ne vois pas où, à part là, je pourrais poster un colis sans que Mark me voie. Je connais un raccourci. Mark ne me suivra pas ; il déteste les cimetières. Et il ne pourra pas deviner ce que je mijote. Il aura peut-être des soupçons, mais c'est mon dernier recours.

« Laisse-moi juste cinq minutes. S'il te plaît.

— Est-ce que je dois m'inquiéter pour toi, Sash ?

— J'ai besoin d'un peu de temps. Papa m'a dit des choses sur maman. »

Il se tourne en sursaut. « Il t'a dit quoi ?

— Je crois qu'il m'a dit qu'elle était morte.

— Oh, Sash... » Sa tête tombe contre le volant.

« Mais ça va. J'ai juste... besoin de quelques instants dans un endroit où je peux sentir sa présence. »

Je me glisse hors de la voiture et ferme la portière avant qu'il ait le temps d'ajouter quoi que ce soit.

Les cailloux crissent sous mes chaussures tandis que je suis le sentier oblique qui décrit un grand arc. Mark savait-il pour maman depuis le début ? Que me cache-t-il encore ?

Un mot étincelant capture mon regard, inscrit sur une pierre tombale : *Rose*. C'est le nom de ma mère gravé dans le marbre blanc, en lettres argentées, dans une police gothique. Je vérifie, ce n'est pas sa tombe. Jusqu'à ce matin, je n'avais même pas imaginé qu'elle en avait une. Mes doigts, serrés sur mon sac à main, se mettent à trembler. Ma mère, morte ? Je suppose que quelque part, tout au fond de moi, j'ai toujours voulu la revoir. La placer face à ses choix. Exiger de connaître les raisons de son départ. Maintenant, il semble bien que je n'en aurai jamais l'occasion. Je m'efforce de refouler mes visions de son visage pâle. J'ai des problèmes plus urgents à résoudre, là.

Je suis sur le point de reprendre mon chemin lorsque je remarque le mot *Tobias* gravé sur la même pierre en marbre. Je regarde les noms et les dates. C'est une très vieille famille.

Rose Jane. Décédée à l'âge de six semaines. Le 3/1/1866.

Theodore Thomas. Décédé à l'âge de deux mois. Le 8/12/1866.

Les enfants bien-aimés de Mary Agatha et Tobias Matthew. En paix pour l'éternité.

Mais comment pouvaient-ils savoir que leurs bébés étaient en paix ? Et ces parents, morts depuis si longtemps, comment ont-ils pu supporter un tel chagrin ?

Le premier bébé mort que j'ai vu avait une peau translucide qui se détachait de ses muscles, les doigts et les orteils collés, les yeux pas encore ouverts. Je savais, à l'époque, pour quoi je me battais, et contre quoi. Comme la nature pouvait être dure, impitoyable. Les parents de l'enfant étaient des paysans, familiers de la mort. Ils étaient suffisamment stoïques pour supporter le deuil. Je n'aurais pas eu une telle force.

Je consulte de nouveau les dates. Deux bébés morts, à moins d'un an d'écart. Comment leurs parents ont-ils bien pu continuer ?

Je m'accroche aux grilles en fer forgé qui entourent la tombe, et mes mains s'engourdissent sous l'effet du froid soudain. Mais d'un autre côté, c'est ce que nous avons vécu, Mark et moi. Nous avons perdu deux bébés à même pas un an d'écart.

La voix du premier enfant m'a accompagnée pendant toute la durée de ma brève grossesse. Étouffée, très basse, elle récitait des mots indistincts. On aurait dit un monologue entendu à travers une porte entrouverte, comme un enfant jouant dans sa chambre, loin des regards. Harry, je l'aurais appelé Harry.

La seconde voix était plus sourde. J'avais le pressentiment que cet enfant n'était pas destiné à rester, mais j'ai tout de même joué le jeu, pris rendez-vous pour les échographies, la visite chez l'obstétricien, les analyses de sang. Matilda. Le jour où la grossesse s'est terminée, j'étais allongée sur le canapé après le déjeuner lorsque j'ai senti une lumière blanche monter de mon bassin vers le plafond. J'ai su qu'elle était partie.

Mark refusait de discuter des fausses couches, des voix ou de la lumière. Il ne voulait pas en entendre parler. Je n'ai pas insisté. Quel intérêt ? Il assurait à peu près pour ce qui était de me serrer dans ses bras lorsque je pleurais la nuit.

Et il a planté les arbres. Par la suite, nous n'avons jamais reparlé de ces bébés.

Une mince couche de ténèbres se pose sur les tombes, les ombres qui s'allongent sur le sentier. Le bourdonnement des voitures, au loin, se mêle au crissement des fleurs en plastique posées près des pierres tombales, aux moulins multicolores qui tournent dans le vent, aux mauvaises herbes qui bruissent sur les tombes laissées à l'abandon. Le vent s'engouffre à travers ma veste légère, jusqu'à mon ventre, qui frissonne. Je remonte ma fermeture Éclair jusqu'en haut.

Mes yeux se promènent de tombe en tombe. *Edith. Frederica. Arthur. Muriel.* Nés à une époque où la médecine était trop rudimentaire pour les sauver, ces bébés n'avaient pas une chance. Leurs parents n'avaient rien à se reprocher. Contrairement à ma mère. Contrairement à moi. J'ai déçu Mark de tant de façons. Non seulement j'ai perdu Harry et Matilda, mais j'ai bien failli perdre notre fils.

Je retire le colis de mon sac et le fourre sous ma veste, contre mon cœur. C'est un paquet d'espoir enveloppé de papier bulle ; j'espère qu'un jour, dans le futur, je bercerai Gabriel dans mes bras et que tout cela ne sera qu'un lointain cauchemar.

Un éclair orange au bord de la route : le système de verrouillage de notre voiture. Mark aurait-il décidé de venir me chercher ?

Je continue à avancer, plus vite, devant d'autres tombes, vers mon ombre qui s'étale sur le sol devant moi comme un poteau étroit. Les portes principales du cimetière, en fer forgé avec des enjolivures gothiques, s'élèvent face à moi telles des sentinelles. Une chaîne épaisse avec un gros cadenas les entoure. J'aperçois la boîte à lettres jaune dehors, dans l'espace vert à côté de la route. Je secoue les barreaux. La chaîne tient bien. Mon cœur s'emballe.

Avant que je fasse demi-tour, une lueur argentée miroite dans la pénombre. Un petit portail, pas verrouillé, tenu ouvert par une brique, à côté de l'entrée principale. Mon échappatoire.

Je me glisse dehors sur le sentier. L'encombrement de l'heure de pointe dans cette petite ville de campagne s'est tassé, et les voitures se raréfient comme la fin d'une chaîne à l'usine, et peu de phares viennent trouer le crépuscule. Ma poche vibre. Mark.

Je sors le colis. Il pèse lourd malgré son contenu : trois échantillons d'ADN plus le mouchoir de Mark dans le sachet stérile. Je glisse le paquet dans la fente de la boîte à lettres, dont le rabat se referme avec un bruit sourd.

Un Klaxon retentit à l'autre bout du cimetière. Mark, encore. Je repasse le petit portail et reprends le sentier principal, entre les caveaux anciens en pierre, les cryptes aux ornementations tapageuses et les pierres solennelles.

À la porte, une pancarte jaune fluo a été fixée au mur de briques. J'ai déjà vu ces panneaux, collés sur tous les poteaux de la ville, pour annoncer une cérémonie commémorative annuelle destinée aux personnes qui ont perdu un bébé : enfants mort-nés, fausses couches, mort subite du nourrisson, tout le conglomérat du chagrin. *Un moment pour se souvenir*, dit l'affiche, *où les parents récitent de la poésie, racontent leur histoire et lâchent des ballons jaunes, symboles d'espoir*. Je ne crois pas avoir pleinement fait le deuil de mes grossesses ratées. Peut-être que Mark n'en a jamais eu l'occasion, lui non plus. Un jour, dans pas trop longtemps, je pourrais être un parent, prendre part à ce rassemblement, Gabriel contre ma poitrine, et lâcher les ballons jaunes, libres de flotter dans le ciel vespéral.

JOUR 4, MARDI SOIR

C'est la nuit que la nursery est le plus calme. Le personnel est réduit au minimum : deux infirmières, dont une seule au guichet, tandis que l'autre prend sa pause. Avec les lumières tamisées, les bébés paraissent sentir que c'est le moment de dormir. Leurs cris sont timides et se fondent dans le bourdonnement léger et ininterrompu des machines. Pas de visiteurs. Les autres mères sont raisonnables ; chez elles, dans leur lit, elles se reposent en vue du jour où leurs bébés seront enfin libérés, le jour où elles pourront enfin les accueillir pour de bon. Moi, je n'ai aucun désir de me reposer. Le soir est le meilleur moment pour contempler mon fils magnifique. Et je fais ce qu'on m'a dit : je passe du temps avec lui, pour créer un lien.

Assise à côté de la couveuse de Toby, j'observe Gabriel de l'autre côté du passage Il est paisible, pelotonné sur le ventre. *Attends-moi, Gabriel*, je murmure. *Je te promets que je fais tout ce que je peux pour te récupérer.*

Je suis sur le point de traverser l'allée en douce pour le voir de plus près lorsque mon téléphone se met à vibrer. Bec. J'attendais justement qu'elle me rappelle.

« Comment ça va, Sash ? Comment s'est passée ta permission ? »

Elle était au courant de ça ? Mark l'a-t-il de nouveau appelée ?

Elle reprend avant que j'aie le temps de répondre. « Mark m'a dit qu'on t'avait accordé une permission. Je l'ai appelé pour lui dire que tu as toute ta tête.

— Alors là, bon courage. » On dirait qu'elle essaie seulement de m'aider.

Elle laisse échapper un petit rire hésitant. « Bon, ça t'a fait du bien, de sortir un peu du service ?

— Ça n'a pas duré longtemps. »

Après le cimetière, le temps de retourner à la voiture, je frissonnais. Mark s'est fait un plaisir de me reconduire à l'hôpital. Je lui ai dit que je me sentais beaucoup mieux d'avoir communié avec ma mère. Il ne semblait pas d'humeur à parler d'elle, alors je n'ai pas insisté. Peut-être que cette balade en voiture n'était pas une très bonne idée, après tout ; c'est tout ce qu'il a dit sur le chemin du retour.

« J'ai une bonne nouvelle, Bec », dis-je, en me redressant sur ma chaise en vinyle. Il n'y a personne à proximité, mais je baisse tout de même la voix. « J'ai trouvé notre fils.

— Oh, mon Dieu ! Sash ! C'est incroyable. Il est comment ?

— Sublime. Divin. Un miracle.

— Oh, Sash ! C'est formidable. Bien joué ! Je suis tellement contente pour toi. »

Elle a l'air contente, c'est vrai. Je suis soulagée. Peut-être est-elle plus capable que je ne l'aurais été à sa place de laisser derrière nous tout résidu de jalousie par rapport à ma fertilité.

« Il y a quelque chose qui te contrarie ? Tu n'as pas l'air si heureuse que ça.

— C'est juste que l'hôpital parle de le faire sortir d'ici la fin de la semaine. S'il sort, ça va être beaucoup plus difficile de le récupérer.

— Merde. » Bec marque une pause. « Bon, dans ce cas, il faut qu'on pense comme des détectives. »

Je me pince l'arête du nez. Ce n'est pas un jeu.

« On est médecins, pas détectives.

— Je sais, je sais. Tu as raison. » Elle prend une inspiration. « OK, utilisons notre formation médicale, alors. Tu as fait un examen, et tu as trouvé ton bébé. Quel est l'élément le plus important pour établir un diagnostic ? Qu'est-ce qu'on a négligé ?

— Euh… L'historique du cas ? » Je ne sais pas trop où elle veut en venir.

« Exactement. Il faut que tu t'entretiennes avec les suspects. Que tu les questionnes sur leurs mobiles. Leurs alibis. Que tu émettes des hypothèses sur l'identité du ou de la responsable. Comme ça nous pourrons établir un plan d'action.

— Ça paraît un peu… épineux. » C'est la manière la plus gentille que je trouve de lui dire que je pense que son idée est ridicule.

« Je peux essayer de t'aider par téléphone. Tu me donnes une liste des suspects. On peut la passer en revue ensemble, voir si on peut les éliminer, un par un.

— Mais est-ce que ça ne pourrait pas tout bonnement être une interversion ? Une erreur pure et simple ?

— Je suppose que oui, dit lentement Bec, mais ça ne peut pas faire de mal d'essayer de voir s'il n'y a pas quelqu'un qui aurait un mobile. Et peut-être que l'un ou l'une d'entre eux pourra nous donner un indice sur ce qui a pu se passer ? »

Je repense soudain au Dr Niles. Je me remémore l'appel téléphonique qu'elle a dû prendre au sujet d'un transfert d'embryon. J'ai cru qu'il s'agissait d'une patiente, mais maintenant que j'y pense, c'était peut-être bien une affaire personnelle.

« Je crois que ma psychiatre essaie de tomber enceinte. » Je jette un coup d'œil de l'autre côté du couloir, où Gabriel

234

repose, immobile. « Elle m'a dit que tu l'avais appelée plusieurs fois. »

Bec garde le silence quelques instants. « Désolée, Sash. Je ne vais pas arrêter de l'appeler. Quelqu'un doit clamer que tu es saine d'esprit. C'est tellement injuste, la façon dont tout le monde te traite. Je ne peux même pas m'imaginer à ta place. J'aurais pété les plombs, crois-moi. »

Pendant un certain temps, j'ai douté de la loyauté de Bec. Mais je lui fais confiance plus qu'à quiconque ; plus, même, qu'à Mark.

« Merci, Bec. Mais je pense que tu l'exaspères.

— Pas de bol. Elle m'exaspère aussi. Je ne sais pas trop si elle est impliquée dans l'interversion, cela dit. Est-ce qu'elle ne se contenterait pas de prendre un bébé, si elle était si désespérée que ça ? Un échange, ça n'a pas de sens. Et une psychiatre dans un service de néonat, ça ferait quand même jaser, forcément. Mais vérifie quand même, par sécurité. »

Son plan commence à paraître sensé.

« Il y a d'autres suspects potentiels. Une des sages-femmes a l'air de m'avoir prise en grippe. Les deux autres médecins refusent de me croire. Et il y a la femme qui pense que mon bébé est le sien. Toby doit être son véritable fils. Je n'ai pas encore osé lui parler de l'interversion. »

Bec parle d'un ton décidé.

« Il faut que tu examines tout le monde, puis tu me rappelles. Mais je ne vois pas comment la mère du bébé pourrait être responsable de cette situation.

— Les mères peuvent être responsables de beaucoup de choses. »

Je me demande soudain si Bec sait pour ma mère. M'a-t-elle menti, elle aussi ?

« Bec ? Il y a autre chose. Papa m'a dit pour ma mère... Tu savais qu'elle était... morte ? »

Bec garde le silence. Lorsqu'elle parle enfin, sa voix se brise.

« Je suis tellement désolée, Sash. Maman me l'a avoué il y a des années, juste avant de mourir. Elle m'a suppliée de ne rien te dire. Avant ça, je n'en avais pas la moindre idée. J'ai promis à maman de me taire. »

Je sais que ce n'est pas la faute de Bec ; je ne lui en veux pas.

« Et Mark, il savait, lui aussi ?

— Non, je ne crois pas. »

Je ne suis pas convaincue. Il y a quelque chose dans sa manière de me regarder, de temps à autre, les yeux pleins de pitié, plutôt que d'amour.

« Tu connais les détails ? Comment elle est morte ?

— Je ne sais rien, Sash. Seulement qu'elle est morte quand tu étais petite. Je regrette de ne pas en savoir plus, je te le jure. » Elle a l'air sincère.

« Mais tu me le dirais, si tu en savais davantage, n'est-ce pas, Bec ?

— Bien sûr », dit-elle aussi sec.

Comment pourrais-je douter de Bec ? Elle sait tout de moi, de mes risibles toquades d'écolière au fait que j'ai mouillé mon pantalon le premier jour du lycée parce que je ne trouvais pas les toilettes. Elle n'a pas oublié toutes ces anecdotes, au fil des années. Elle ne me mentirait jamais. Et je sais qu'elle ne me trahirait jamais.

« Écoute, il va bientôt falloir que je me remette au boulot, dit-elle en reniflant. Mais est-ce que je t'ai dit qu'Adam et moi, on va venir pour Noël, cette année ? Ce sera merveilleux de te voir. » Un accent particulier perce dans sa voix, le chagrin de l'infertilité, qui ne m'est que trop familier. « C'est affreux, ce que tu traverses, Sash. Dieu merci, tu vas le récupérer d'un jour à l'autre, maintenant. » Elle s'éclaircit la gorge. « Mais Sash ? Tu vas bien, hein ? Ton état mental ?

— Absolument.

— Et avec Mark, ça va ? »

J'ai passé si longtemps à espérer que Mark allait changer. À espérer qu'il allait se confier à moi, me montrer que les fausses couches lui avaient fait quelque chose. Mais il n'a pas été là pour moi, et maintenant, quand j'ai plus que jamais besoin de lui, il n'est toujours pas là.

« Pas super.

— Mark t'aime, tu sais.

— Pas assez. »

Un matin, il y a des années, quand j'étais adolescente, Lucia m'a emmenée dans sa chambre. Elle m'a montré un énorme tableau accroché au-dessus de son lit, une toile couverte de zébrures noires, dorées et vermillon. Elle m'a attirée sur l'édredon à côté d'elle et m'a serrée contre sa poitrine. Elle m'a dit qu'elle n'avait jamais été capable de comprendre comment son ex-mari, Mario, était parvenu à manipuler les couleurs de telle sorte que, sous un certain éclairage, on aurait dit l'image d'un crépuscule d'automne, et sous un autre, du sang coulant d'une plaie ouverte.

« Lorsque tu te choisiras un mari, fais bien attention, a-t-elle dit. Assure-toi qu'il n'y ait rien qu'il aime davantage que toi. »

La voix de Bec s'élève par-dessus une sonnette d'alarme stridente dans la nursery : « Écoute-moi, Sash. Mark est vraiment un type bien. Meilleur que la plupart. Le mariage, c'est ce qui te permet de supporter les moments difficiles. Les trucs faciles, ça se résout tout seul. Rappelle-toi qu'un mariage parfait, ça n'existe pas. »

Lucia sortait l'album de photos de son mariage une fois par an, le jour anniversaire. Tout en parcourant les photos, elle racontait des histoires sur les femmes que Mario avait séduites au fil des années. Miriam. Bernadette. Carolina. Des dizaines de maîtresses. Elle savait comment il était avant de l'épouser. Ce qu'elle avait appris au bout de dix ans de mariage, elle nous le répétait régulièrement, à Bec et à moi : « Les gens ne changent pas, mes chéries. Ils révèlent qui ils sont, c'est tout. »

Bec attend que je dise quelque chose. Je parviens à croasser : « C'est facile à dire, pour toi. Adam est un bien meilleur mari que Mark.

— Non, tu te trompes, Sash. Adam, il travaille quatre-vingt-dix heures par semaine. Il dort à son bureau la plupart du temps. Ça fait des mois qu'on se voit à peine. Je ferais n'importe quoi pour avoir un mari comme Mark. »

J'ai toujours vu Bec et Adam comme le couple idéal, et Adam comme le mari idéal. Lorsqu'il a posté des messages d'anniversaire de mariage pleins de prévenance sur Facebook, j'ai donné un coup de coude à Mark. Lorsqu'il a acheté une voiture à Bec pour son anniversaire, mes tripes se sont serrées. Lorsque Bec m'a révélé qu'il s'était occupé de tout à la maison après sa fausse couche, je me suis emportée contre Mark : « Toi, tu n'as même pas pleuré. »

Mark m'a fusillé du regard, jusqu'à me glacer le sang : « Qu'est-ce que tu en sais ? » Ses yeux étaient si sombres que je n'en ai jamais reparlé.

Bec renifle. « Bon. Il faut que je me remette au boulot. Demain, commence bien à mettre notre plan à exécution. Jusqu'à ce qu'on se reparle, Sash, prends soin de toi, je t'en prie. »

JOUR 5, MERCREDI, TÔT LE MATIN

J'entoure mon bébé de mes bras et le serre doucement contre ma poitrine. Mark me regarde avec adoration, le bras autour de mes épaules. C'est une chaude journée d'été. Une légère brise me chatouille le cou tandis que nous sommes assis côte à côte sur le banc au bord du lac, dans le parc, tout près de la maison. Les choses ne pourraient être plus parfaites.

Puis la pluie se met à tomber. De grosses gouttes lourdes atterrissent sur mon crâne, mes bras, mon visage. Ma peau est gelée. Je m'efforce de couvrir la tête de mon bébé pour le protéger de l'averse, mais lorsque je baisse les yeux je vois que ses cheveux sont recouverts de caillots écarlates. À ma droite, des filets de liquide rouge ruissellent sur le visage de Mark, et ses lèvres se figent en un cri silencieux. Mon corps se met à céder, ma peau, mes os et mes muscles se liquéfient en une boue bordeaux, et mon fils m'échappe des mains. Je m'écroule à côté de lui dans la flaque sous le banc. Nous baignons dans le sang.

Le cauchemar me réveille en sursaut. Je reste sans bouger, raide, et j'aspire lentement de l'air dans mes poumons. Je suis dans mon lit, dans le service mère-enfant. Pas à la maison. Pas encore.

Du remue-ménage dans le placard, puis le bruit sourd d'un objet qui chute sur le sol. Des rais de lumière matinale traversent les rideaux ouverts, transperçant les vitres poussiéreuses, et tombent sur Mark, à genoux au-dessus d'un tas d'affaires qui m'appartiennent, le visage figé par la culpabilité.

« Qu'est-ce que tu fabriques ?

— Je pourrais te poser la même question. » Il jette par terre ce qui reste de mes vêtements sur l'étagère inférieure. « Dis-moi où ils sont, Sash, et je pourrai y aller. »

Il m'a apporté ces vêtements de la maison, ainsi que je le lui avais demandé. Jeans, pantalons de survêt, tee-shirts, coupe-vent, mes habits les plus confortables. Maintenant ils sont tous en tas devant lui.

« Qu'est-ce que tu fais, à fouiller dans mes affaires ? »

Il met la main dans sa poche, en tire deux morceaux de papier froissés et les jette sur ma table de chevet. L'emploi du temps du Dr Niles, avec mes notes sur les analyses ADN griffonnées au dos.

« Où est-ce que tu as trouvé ça ? »

Il baisse les bras le long du corps. « L'autre soir. Je les ai trouvés ici.

— Et comment es-tu entré, à l'instant ?

— J'ai dit aux infirmières que je devais te parler d'urgence. Je suis ici pour t'aider. Pour trouver les échantillons d'ADN. Pour te protéger de toi-même.

— Je n'ai pas besoin de protection. » Je me redresse. « Mark, tu sais que j'ai renoncé à l'idée de faire les analyses. » Dieu merci, je les ai déjà renvoyées. Ce qu'il ne faut pas qu'il trouve, c'est le sachet de congélation qui contient le cordon ombilical, caché dans la poche de mon jean, qu'il a déjà jeté par terre.

Nous sommes interrompus par le cliquetis de la porte. Le Dr Niles s'avance, les épaules en arrière, la tête haute. Elle examine mes affaires éparpillées telles des housses mortuaires dans toute la pièce.

« Mark m'aide pour la lessive », j'explique.

Le Dr Niles nous regarde tour à tour, la tête légèrement inclinée. Mark saisit mes vêtements par poignées et entreprend de les remettre dans le placard.

« Je pourrais parler seule à seule avec Sasha ? dit le Dr Niles. C'est l'heure de notre entretien du matin. »

Je voudrais faire comme si rien de tout cela n'était vrai : mon bébé échangé avec un autre, moi qui suis enfermée dans un service psychiatrique pour mère et enfant, mon mari qui ne me soutient pas, ma mère apparemment morte. Je voudrais être n'importe où, plutôt qu'ici.

Les yeux de Mark s'attardent sur l'emploi du temps du Dr Niles posé sur la table de nuit. Il pousse un soupir et me jette un coup d'œil réticent. Mark n'est pas mon preux chevalier ; il ne le sera jamais.

« Je suis là pour toi, Sash, me dit-il. Quoi qu'il arrive. »

Tandis qu'il sort de la pièce d'un pas raide, il est difficile d'imaginer que ses mots ont le moindre poids.

Assise sur la chaise sous la fenêtre, le Dr Niles se frotte la nuque.

« On dirait que vous allez mieux, Sasha. Votre chambre est en pagaille, mais… » Elle consulte ses notes sur ses genoux. « … vous vous faites des relations ici. Des amies, je crois. »

Des amies ? Ondine est une relation, une compagne d'infortune dans ce périple horrifique. Les amis, ce sont des gens à qui je ferais suffisamment confiance pour leur livrer des détails intimes de ma vie, de mon mariage, mes espoirs et mes craintes. Il va me falloir un moment avant de ranger Ondine dans cette catégorie. Cela dit, si c'est ce que le Dr Niles a envie de croire, je suppose que cela ne peut que m'aider à sortir plus vite.

Le visage de Bec m'apparaît en un éclair, comme pour me rappeler ma mission. Il me faut vérifier l'alibi du Dr Niles.

241

« Vous vous rappelez le jour où vous m'avez hospitalisée ici ? »

Elle acquiesce, perplexe.

« Je peux vous demander pourquoi vous étiez en retard pour me recevoir ? »

Son visage s'assombrit. « J'avais un rendez-vous personnel qui durait une partie de l'après-midi. Je vous présente encore mes excuses. Je suis venue dès que je l'ai pu. »

Cet appel qu'a passé le Dr Niles au sujet d'un transfert d'embryon me trotte toujours dans la tête. Cela vaut le coup de poser une dernière question.

« Vous voulez un bébé, docteur Niles ? »

Elle fronce les sourcils. « Pourquoi cette question serait-elle importante pour vous, Sasha ?

— Je comprends pourquoi quelqu'un voudrait avoir son propre bébé.

— Moi aussi, Sasha. Parfois, nous devons juste accepter que nous ne pouvons pas avoir les choses que nous désirons le plus. » Elle s'éclaircit la gorge. « Mais nous sommes ici pour parler de vous et de vos besoins. Peut-être pouvez-vous m'en dire davantage sur votre propre désir d'enfant. »

Je ne peux pas croire qu'elle ait quelque chose à voir avec l'interversion des bébés.

« Je crois que Mark a toujours voulu un bébé plus que moi.

— Je vois. » Elle tripote son alliance en or mat tout en parlant. « J'ai la sensation qu'entre vous et Mark c'est un peu... tendu ?

— Ça va, ça vient. Comme pour tous les couples.

— Peut-être. Et qu'est-ce qui vous retient dans ce mariage, d'après vous ? Qu'y a-t-il chez Mark qui vous donne envie de rester ? »

Je me laisse aller contre les oreillers. Autrefois, j'avais une liste en tête pour les moments où je ressentais l'envie de mettre un point final à notre relation. Il me fait rire (*de temps en temps*). Il sera un père formidable (*si on arrive un jour à avoir un enfant*). Tous les mecs bien sont pris maintenant (*mais il doit bien en rester un ou deux*).

La vérité ? Mes années d'infertilité sont tombées derrière moi comme les miettes de pain de Gretel et elles ont été picorées par les oiseaux. Dans mon désir éperdu d'enfant, j'ai oublié de laisser des repères pour retrouver mon chemin. Il n'était pas question que j'élève seule un enfant. En restant avec Mark, en ayant accès à son sperme, j'avais encore une chance de sortir de cette jungle hostile.

« Comment pensez-vous que Mark va supporter la chose si on vous laisse sortir ? »

Supporter ? Elle veut rire ?

« Bien. »

Elle hausse les sourcils. Peut-être que j'avais raison lorsque j'ai soupçonné que Mark était responsable de mon internement. Me voit-il, moi, son épouse malade mentale, comme un obstacle à son travail ? À sa relation avec le bébé qu'il croit être son fils ? Préférerait-il que je reste hospitalisée pour le moment ?

Mark m'a suivie à nos séances de thérapie de couple sans broncher. Je ne devrais pas me plaindre, je suppose. Beaucoup de maris m'auraient opposé un refus clair et net. Au moins, Mark était prêt à se déplacer au cabinet.

Après deux tentatives infructueuses de trouver un conseiller potable, j'ai choisi Kate au hasard, sur Internet. Elle avait un nom qui sonnait bien. Et elle avait l'air sincère sur la photo de son site. J'espérais que ce serait la bonne.

Après nous avoir écoutés tous les deux, Kate a placé notre relation dans une chronologie bien nette : le club de jazz, le mariage, l'infertilité, les fausses couches. À la fin de son résumé, Mark a commencé à parler de son désir tenaillant d'avoir un enfant. Mon cœur s'est mis à battre si fort que j'étais sûre qu'ils pouvaient tous deux l'entendre.

243

Il a négligé de lui préciser qu'on faisait alors une pause dans nos tentatives. J'ai négligé de leur préciser que je n'avais pas l'intention de m'y remettre. Mes rêves d'enfant ? Je commençais déjà à y renoncer.

« Je n'en voudrais pas à Mark, s'il devait me quitter, ai-je dit quand il s'est interrompu pour reprendre son souffle. Si j'étais lui, je pense que, dans ces circonstances, je partirais. Les choses seraient plus faciles pour lui avec quelqu'un d'autre. Une femme plus fertile. Une épouse plus fertile.

— Il est important que vous restiez concentrés l'un sur l'autre, sur vos forces en tant que couple, a dit Kate, avant que Mark ait le temps de répondre. Aucune relation n'est facile, en particulier avec des enfants. Et même si vous n'êtes que deux pour l'instant, vous êtes tout de même une famille. Vous pouvez vous nourrir l'un l'autre comme vous le feriez avec un enfant. »

C'était un bon conseil. Cependant, avec ses horaires irréguliers et son emploi du temps surchargé de chef, et avec la quête effrénée de grossesse, il devenait de plus en plus évident qu'il me voyait davantage comme la matrice de son futur enfant que comme sa femme. Il se jetait dans le travail avec plus d'énergie qu'il n'en avait jamais investi dans notre mariage, comme s'il refusait de voir nos difficultés. Quoi qu'il arrive, je savais qu'il resterait avec moi par devoir. Un mari, pourtant, ce n'était pas ce que je voulais, pas si je n'étais pas sincèrement aimée.

Trois semaines plus tard, juste avant notre rendez-vous suivant, j'essuyais un fragment du miroir embué de notre salle de bains. Tandis que je contemplais mon reflet, une vague de nausée s'est emparée de moi. Puis une crampe est montée le long de mon ventre et mes entrailles se sont compressées comme une éponge. Je me suis tournée vers les toilettes et j'ai vomi. Agenouillée devant la cuvette, j'ai repensé à la date de mes règles. Je m'étais tellement habituée à ce que la clinique prenne en charge les cycles que je n'avais pas réalisé que j'étais en retard.

Sans réfléchir, j'ai pris les tests de grossesse dans le tiroir du dessous du placard de la salle de bains. Ma main tremblait lorsque j'ai tenu le bâtonnet sous le jet pâle de mon urine. La deuxième ligne est devenue rose.

Pendant un bref instant, je me suis sentie abattue. Je n'allais plus me séparer de Mark. Puis je me suis sentie triomphante. Les choses ne pouvaient que s'arranger entre lui et moi, maintenant que nous allions avoir le bébé que nous espérions tous les deux.

J'ai prétexté une excuse faiblarde pour le report de la séance de thérapie ; nous avions besoin de plus de temps pour réfléchir aux forces de notre couple, un truc dans ce goût-là. Mark m'a crue sur parole. Je lui ai caché mes nausées matinales et j'ai attendu d'en être à douze semaines pour lui apprendre la nouvelle. Inutile de le faire espérer en vain une fois de plus.

« L'échographie a lieu demain, ai-je dit, debout devant le plan de travail, en coupant des citrons verts. C'est pour ça qu'on n'a plus besoin de thérapie.

— Sans doute que non, a-t-il dit, les sourcils légèrement froncés. Félicitations, Sash. »

La chair des citrons verts luisait comme des émeraudes lorsqu'il m'a attirée contre lui et soulevée en l'air, me serrant fort. J'étais heureuse, pas vrai ? Après tout, c'était exactement ce qu'on attendait, ce qu'on espérait, ce qu'on désirait plus que tout au monde, ce pour quoi on avait lutté pendant si longtemps.

JOUR 5, MERCREDI MATIN

Je me hâte dans le couloir, espérant qu'il n'y aura pas une croix noire devant mon nom pour signaler mon retard. Toutes mes erreurs sont susceptibles de reporter ma sortie. Et sortir d'ici – et rentrer à la maison – est essentiel pour récupérer Gabriel. Il va falloir que je sois considérée comme saine d'esprit avant qu'on me confie sa garde. Aujourd'hui, l'activité prévue, c'est yoga. Je ne vais pas pouvoir y participer si peu de temps après ma césarienne, mais j'imagine que ce qui intéresse le Dr Niles, c'est que je me plie aux horaires.

Pendant très longtemps, le yoga a été ma méthode de relaxation préférée. J'adorais la chaleur dans mes muscles lorsque je tenais les postures, le picotement du souffle dans tout mon corps, ma peau rougie à la fin du cours. Enfin, jusqu'à ce que je tombe enceinte, car alors le moindre mouvement me donnait l'impression qu'un bâton cuisant de douleur s'enfonçait dans mon bassin, même lorsque la prof me conseillait de lever mes jambes plus haut sur le mur, de laisser venir l'inconfort et de sentir la brûlure.

Les femmes en posture guerrière me jettent un regard lorsque j'entre dans le foyer. Un bout de moquette a été posé par terre, jonché de tapis de yoga bleus, et les chaises sont empilées contre le mur du fond, à côté de la bibliothèque. Je prends un tapis et pousse un petit glapissement involontaire sous le tiraillement de mes points de suture. Comme d'habitude, on dirait que j'ai surestimé mes capacités.

La prof m'encourage à m'allonger sur le dos, à fermer les yeux et à méditer sur mon corps post-bébé. Méditer sur mon corps post-bébé... c'est censé être drôle ?

Je me laisse aller sur le mince tapis de caoutchouc, près des fenêtres, pose mes mains sur ma poitrine et les visualise monter et descendre à chaque respiration. Les femmes autour de moi expirent, tout en naviguant d'une posture à l'autre – le chat en colère, l'arbre, le crabe.

À la fenêtre, les frondes des fougères grattent les vitres. Une ombre clignote derrière mes paupières closes. J'ouvre les yeux et vois Ondine, le visage rouge et constellé de taches, qui se dirige vers la porte sur la pointe des pieds. La prof, à quatre pattes dans la posture du chien, n'a pas remarqué.

Je roule sur le côté et me relève. Les autres femmes tiennent bien leurs inversions et, à elles toutes, elles ressemblent à une chaîne de montagnes. Je n'ai jamais été aussi agile qu'elles. Je vais les laisser à leurs chats et à leurs arbres.

La porte du foyer se referme doucement derrière moi. Un sanglot étouffé s'échappe des toilettes du couloir. Je pousse la porte et cligne des yeux dans la lumière éblouissante qui se reflète sur le carrelage. Le sac d'Ondine est posé à côté du lavabo, avec une enveloppe beige qui dépasse.

« Ça va ?

— Oui, oui. » Sa voix est rauque, chargée, derrière la porte du W.-C.

« Tu n'aimes pas le yoga ?

— Pas trop. » Elle pousse un rire sourd. Lorsqu'elle ressort, son visage est baigné de larmes.

« Je viens de recevoir une longue lettre, dit-elle, renfonçant l'enveloppe dans son sac. De Zach. Il veut me voir. Et il veut amener Henry.

— C'est une super nouvelle. Quand est-ce que tu vas le voir ?

— Je ne sais pas, dit-elle en se lavant les mains. C'est dur, après ce qui s'est passé. J'ai envie de les voir, tous les deux. J'ai envie de retrouver Henry. Mais j'ai peur.

— De quoi ? »

Elle blêmit. « De penser de nouveau à le tuer.

— Montre-moi une mère qui n'a jamais imaginé tuer son enfant, ne serait-ce qu'une fraction de seconde. Dans un accès de colère. Ou de peur. Mais il y a un gouffre entre la pensée et l'action, Ondine.

— Mais j'ai agi, dit-elle, d'une voix si faible que je dois me pencher pour l'entendre. J'avais commencé. » Elle serre son sac contre sa poitrine et laisse échapper un sanglot déchirant.

« Je ne dormais pas depuis près d'un mois. Henry hurlait. Il avait le derrière sale pour la dixième fois de la journée. J'ai fait couler un bain. Il était dans mes bras quand je l'ai imaginé sous l'eau. Son visage submergé. Comme il serait plus silencieux. Il ne se serait pas débattu du tout. » Elle inspire un coup bref. « Zach est entré au moment où je le plongeais sous la surface de l'eau. Il avait senti que quelque chose n'allait pas en partant travailler ce matin-là. Il m'a arraché Henry des bras et lui a soufflé de l'air dans la bouche. » Elle tressaille. « Au moins Zach communique de nouveau avec moi, même si c'est seulement par lettre. Et apparemment Henry va s'en sortir. »

De l'électricité statique passe entre nous lorsque je pose ma main sur les siennes.

« J'espère que tu arriveras à te pardonner un jour », dis-je, sans savoir tout à fait à qui je m'adresse.

Elle fait un sourire en coin. « En tout cas, je ne gagnerai jamais le prix de la meilleure mère du monde.

— Tu es suffisamment bonne. » Tandis qu'Ondine se redresse devant le miroir, je commence enfin à croire la même chose de moi-même.

« Au moins, j'ai été honnête. Au départ, j'avais raconté à l'équipe que j'étais tellement fatiguée qu'il avait glissé sous l'eau.

— Qu'est-ce qui t'a poussée à dire la vérité ?

— Je n'avais plus envie de mentir. » Elle baisse la tête.

« L'honnêteté aide toujours. Et Henry a besoin de toi. Quand tu te sentiras prête, tu ferais bien de le voir. Il sera tellement content. »

Ses joues se plissent en un mince sourire. « Je suis certaine que je vais me sentir mieux dans pas trop longtemps. Le Dr Niles dit que les cachets vont bientôt commencer à faire effet. Tu prends des médicaments ? »

J'hésite, et j'examine la peau gercée, fendillée de mes doigts, desséchés par le gel antiseptique de la nursery.

« En principe oui, mais je ne les prends pas.

— Ah bon ?

— Je ne supporte pas les médicaments. Tu ne diras rien, hein ?

— Bien sûr que non. »

Ondine est digne de confiance. C'est une alliée. Elle me croit.

« Laissons tomber la fin du cours de yoga, dis-je. J'ai une meilleure idée. Ça te dirait, de rencontrer mon bébé ? » J'ai envie de le montrer.

« Avec grand plaisir, dit Ondine, passant la manche de son pull contre sa joue. Allons voir ton fils. »

La porte de la nursery s'ouvre. Les bébés pleurent dans tous les coins, leurs cris suraigus noyant les bips et le ronron sourd des machines. Des lumières fluorescentes de toutes les couleurs de l'arc-en-ciel clignotent sur les écrans. Je porte

249

ma main à mon nez pour bloquer l'odeur de couches sales et de lait caillé.

« Par ici. »

Je conduis Ondine à Toby, le petit bout de chou qui est couché, immobile, sa poitrine se soulevant par à-coups dans sa cage en plastique.

« Lui, c'est le bébé qu'ils disent être le mien. »

Elle se penche sur lui et jette un coup d'œil dans la couveuse. « Pas le tien, je suis d'accord.

— Tu ne diras rien, hein ? je lâche soudain. Je ne veux paniquer personne pour l'instant.

— Bien sûr que non. » Elle semble blessée que j'aie pu même y penser. « Et alors, ton bébé, il est où ? »

Il n'y a pas de visiteurs près des autres couveuses ; pas d'infirmières non plus. Je presse le doigt contre mes lèvres et montre le petit lit où est couché mon Gabriel.

Ondine traverse le couloir à pas de loup, puis se penche devant la couveuse, et promène son regard entre Gabriel et moi.

« Il te ressemble comme deux gouttes d'eau. »

Je souris. « Je sais.

— Félicitations. Tu dois être très fière. Il est magnifique. » Elle me ramène doucement à la couveuse de Toby. Je lui explique : « J'essaie de comprendre comment ça a pu se produire. Il y a eu un cas en France où une infirmière avait fait une interversion par erreur. C'est vrai, le bracelet nominatif peut toujours glisser, non ? Et être remis au mauvais bébé ?

— Sans doute. Mais on dirait que le protocole est assez strict, ici. Toutes les infirmières que j'ai rencontrées au service mère-enfant sont hyper consciencieuses. Ce serait quasiment impossible, une erreur pure et simple.

— Mais les gens sont humains, non ? Enfin je veux dire, on en fait tous, des erreurs. »

Tandis que je regarde les cheveux luisants de Toby, son nez plat, ses yeux gris-bleu, je suis frappé par sa ressemblance avec Damien. La voix tonitruante de l'avocat dans la salle d'audience retentit toujours dans mes oreilles aux petites heures de la nuit. *Vous rappelez-vous que les parents de Damien vous ont alertée de la présence d'une lésion mauve d'aspect anormal derrière son oreille droite le soir en question ?*

Dans le box des témoins, j'ai retenu ma respiration et me suis agrippée à la barre de bois pour stopper mes tremblements.

À ce jour, je ne connais pas avec certitude la réponse à cette question. Et je ne sais toujours pas si j'ai pris la bonne décision lorsque j'ai finalement parlé.

J'ai renversé la tête en arrière, et les mains dures comme des cailloux sur la barre, j'ai parlé catégoriquement.

Est-ce que j'ai vu la lésion mauve ? Je ne me rappelle pas.

Ondine ouvre l'un des hublots de la couveuse de Toby et passe une main délicate à l'intérieur. Elle place l'ongle de son index sur le bracelet nominatif qui encercle le poignet du bébé et tire.

« C'est serré, Sasha. Difficile à casser. Et il ne peut pas tomber tout seul.

— On pourrait le couper, par contre, non ?

— Il faudrait le faire exprès. » Elle met la main sur le front de Toby. « Qui pourrait bien avoir l'idée de faire une chose pareille ? »

Un souffle chaud dans ma nuque. C'est Mark. Je ne l'ai pas vu entrer dans la nursery. Apparemment, il ne nous a pas entendues. Il s'adresse à Ondine.

« Bonjour, je suis le mari de Sasha, Mark. »

Ondine sourit. « Bonjour, je suis une amie de Sasha. » Elle pose la main sur la mienne. « Je vais vous laisser. Je suis sûre que vous avez plein de choses à vous dire. »

Mark la regarde s'éloigner, puis baisse les yeux sur Toby et lui passe la main dans les cheveux. Je m'affale sur une chaise à côté de la couveuse.

« J'ai une bonne nouvelle pour toi, Sash », dit-il ; son visage se fend d'un sourire, et une mèche de cheveux lui retombe sur le front. « Je n'ai pas eu le temps de te le dire le soir de l'accouchement. Au boulot, ils m'ont proposé de racheter des parts du restau. C'est une super opportunité de devenir décisionnaire dans la gestion du lieu. L'emmener dans une nouvelle direction. Un peu plus haut de gamme, peut-être. »

Ses iris sont du marron boueux de la source chaude dans laquelle nous avons nagé il y a des années dans le désert d'Australie centrale. L'étang semblait peu profond, vu de la berge, mais lorsque nous essayions d'avoir pied, nous étions sans cesse repoussés vers la surface, à cheval sur d'énormes bulles de gaz qui s'élevaient du fond, jusqu'à ce que nous n'ayons plus d'autre choix que de faire la planche sur l'émulsion sablonneuse. C'était chouette à l'époque, de flotter comme ça, librement, sans rien de solide sous nos pieds. Sans un abri sûr où se reposer.

« Mais tu n'aimes même pas ce qu'ils servent. Tu ne préfères pas la nourriture bio ? Et ton idée d'ouvrir ton propre café ? Ton rêve ? »

Mark plisse le front. « J'ai laissé tomber l'idée il y a longtemps, Sash.

— Tu ne m'as jamais dit ça. »

Il grimace. « Tu ne voulais pas le savoir. »

Je m'agrippe aux accoudoirs. Quand est-il devenu un étranger ?

« Mais je croyais que c'était toujours ton rêve. »

La bouche de Mark s'affaisse et il hausse les épaules.

« Bon, félicitations, alors.

— Je leur ai dit que j'allais en parler avec toi avant d'accepter.

— Apparemment, il n'y a rien à ajouter.

— Bon, super. Affaire conclue, alors. On va gagner beaucoup plus d'argent, d'ici quelques années. »

Il pense à l'argent en un moment pareil ?

« Ça suffira pour que tu puisses rester à la maison avec Toby plus longtemps qu'on ne l'avait prévu. Seulement si tu le souhaites, bien sûr. Je ne veux pas te forcer à faire quoi que ce soit. »

Je veux passer tout le temps du monde avec Gabriel.

Et une fois que je l'aurai ramené à la maison, je n'oserai plus jamais le laisser seul.

JOUR 5, MERCREDI MIDI

Je lève les yeux et le visage de Brigitte est devant moi, pâle comme de l'écume. Je ne l'ai pas vue entrer. Je me tiens à côté de la couveuse de Gabriel depuis peut-être une heure, mais j'ai l'impression qu'il ne s'est écoulé que quelques secondes depuis que Mark est parti appeler ses patrons.

« Votre bébé est magnifique », dis-je, contente d'être au moins partiellement honnête. Mais il y a autre chose. Sa peau est de la couleur d'une mandarine mûre, trop foncée pour son cinquième jour de vie. Et il n'est même pas sous les lampes fluorescentes. « Les infirmières savent que la jaunisse de Gabriel a empiré ? »

Elle lève des yeux plissés : « Gabriel ? »

Je retire mes mains du plastique à la hâte.

« Désolée, je voulais dire Jeremy. Ma sœur vient d'avoir un bébé, Gabriel.

— Votre sœur ? Je croyais que vous aviez dit que vous étiez fille unique ? »

Merde, elle est rapide.

« Bec est ma meilleure amie. On a grandi ensemble. Elle est comme une sœur pour moi. »

Elle hoche la tête, apparemment satisfaite.

« Gabriel, c'est un très joli prénom. »

Brigitte plie le plaid de Gabriel et le pose sur la paillasse. Je voudrais que ce soit moi qui aligne les coins à la perfection. Les couleurs font ressortir le bleu de ses yeux. Il sera sublime, enveloppé dedans, lorsque je le ramènerai à la maison.

« Les infirmières font des analyses de sang. Si les résultats sont bons, j'espère qu'il va sortir vendredi. »

On dirait qu'ils surveillent bien son état, au moins. Mais ils parlent encore de vendredi ? C'est seulement dans deux jours. J'espérais que sa sortie serait reportée à la semaine prochaine. Les résultats des analyses ADN ne seront jamais prêts vendredi. Et est-ce que ça ne risque vraiment rien de le renvoyer alors qu'il est tout orange comme ça ?

« Le pire, c'est que je n'ai pas réussi à contacter John. Il n'est au courant de rien. »

Son mari, m'apprend-elle, est en poste à l'heure actuelle en Papouasie-Nouvelle-Guinée, où il n'y a pas de réseau. Il ne sera pas rentré avant au moins une semaine.

« Il va être surpris d'apprendre qu'il a manqué la naissance, dis-je.

— Ah ça, oui. Il a choisi son nom. Il va adorer notre bébé. »

Mark aussi, quand il acceptera enfin la vérité.

Brigitte pose la main sur le plaid de Gabriel.

« Pendant un long moment, on a cru qu'on ne pourrait jamais avoir d'enfant. J'ai toujours pensé que c'était à cause des mines. La chaleur, la poussière, les produits chimiques qui détruisaient le sperme de John. Mais j'ai alors commencé à m'intéresser à l'hygiène de vie et aux régimes alimentaires. Nous avons essayé plein de trucs. Je me suis mise à étudier la naturopathie. » Elle fixe les yeux sur Gabriel. « Et nous voilà.

— Ce n'est pas trop dur, avec votre mari si souvent absent ?

— Non. Pas vraiment. Il a des congés tous les quelques mois. Et sa boîte me paie le voyage pour aller le retrouver dans des destinations exotiques plusieurs fois par an. Peu avant la naissance, on a eu droit à un séjour de rêve au Timor oriental. » Elle fait un sourire satisfait. « De toute façon, je trouve qu'avoir son compagnon à la maison, c'est surfait, en définitive. Mes copines n'arrêtent pas de râler sur leurs maris. Moi, je chéris tous les moments que je partage avec John quand il est à la maison. » Elle s'interrompt. « Mais, et vous ? Il ne vous agace jamais, votre mari ? »

Je scrute la vieille photo de notre voyage en Australie centrale que Mark a collée au mur à côté de la couveuse de Toby. Nous y sommes tous les deux accroupis à côté du lac Eyre, qui déborde. L'eau s'étale sur des kilomètres dans toutes les directions, comme infranchissable, alors qu'elle ne faisait que quelques centimètres de profondeur.

« Si, on a quelques problèmes en ce moment, Mark et moi. »

Brigitte tire sur sa longue natte.

« Je ne l'aurais pas deviné. Ça fait longtemps ? »

Je parle rarement de mon mariage à quiconque, à part Bec, mais le fait d'attendre ici, une heure après l'autre, dans cette nursery crée une intimité artificielle. Il devient de plus en plus dur de garder mes secrets.

« Je crois que ça a commencé quand je n'arrivais pas à tomber enceinte. Toutes ces années où on a cru qu'on ne pourrait jamais avoir d'enfants…

— … mais ça peut s'arranger, n'est-ce pas ? »

Je me détourne et défais ma queue de cheval cassante.

« Je suppose, oui.

— Enfin je veux dire, vous n'avez pas envie d'être une mère célibataire, si ? Si vous pouvez l'éviter ? »

Mère célibataire. Des mots que je n'avais jamais imaginé pouvoir s'appliquer à moi. Pendant des années je me suis crue incapable d'être mère, tout court. Après tout, on ne m'avait pas montré comment faire. Serais-je capable de rester là pour mon enfant même lorsque je me sentirais dépassée ? Quand je me suis finalement ouverte à l'idée de la maternité, je comptais sur Mark pour être le parent stable, celui qui compenserait tous mes manquements. L'idée d'être mère célibataire – le seul parent dans la maison – m'avait toujours terrorisée. Je voyais combien ça avait été dur pour mon père. Je ne sais pas si je serai plus douée que lui pour répondre aux besoins émotionnels de mon enfant.

« J'ai été élevée par une mère célibataire, dit Brigitte sans attendre ma réponse. Ne me faites pas dire ce que je n'ai pas dit, ça se passait très bien. Mais ce n'est pas ce que je veux pour mon enfant, par contre. Vous savez, c'est bizarre, je n'y avais jamais pensé avant, mais il y a des gens qui pourraient trouver que ma vie est pareille à celle d'une mère célibataire. C'est vrai, quoi, quand John est en déplacement, je suis seule à la maison pendant des semaines d'affilée.

— Vous ne vous sentez jamais seule ? »

Elle secoue la tête.

« Et vous n'avez jamais peur, toute seule, la nuit ? »

Les joues de Brigitte deviennent encore plus pâles tandis qu'elle ramasse ses aiguilles et son tricot rectangulaire.

« Si, ça arrive.

— Parce que vous avez un bébé.

— Oui, et après… » Elle plaque sa langue contre le large espace entre ses dents de devant comme pour contenir le flot de mots, puis reprend plus doucement : « J'ai eu une mauvaise expérience. Une chose affreuse s'est produite avant que je tombe enceinte. Dieu merci, c'est terminé maintenant. J'ai hâte de repartir de zéro. » Son corps est traversé d'une brève secousse. « Zut ! » Elle défait une maille ratée puis se remet à tricoter. « Je veux juste que Jeremy aille bien. »

Elle va sûrement assez mal le prendre lorsque je vais lui parler de l'interversion des bébés. C'est le genre de nouvelles que personne ne veut entendre. Mais il va bientôt falloir la mettre au courant, et quand le moment viendra, il n'y aura rien que je puisse faire pour amortir le choc.

Brigitte enroule la laine autour de la pelote au petit bonheur.

« Et comment va Toby ? » Sa voix est gaie, mais un accent de désespoir s'y tapit.

Je traverse le couloir et pose ma main sur le plaid orange par-dessus la couveuse de Toby, un geste de propriété feint, en examinant de nouveau la photo de Mark et moi.

« Très bien, merci. »

Si je n'ai pas le choix, je pourrais me débrouiller pour être une mère célibataire. *Ne t'en fais pas, Gabriel, je serai une bonne mère. Tu seras en sécurité avec moi.* Dès que je pourrai prouver qu'il est à moi. Mais comment vais-je dégotter la preuve dont j'ai besoin d'ici vendredi ? Je n'ai pas de temps à perdre dans cette enquête brouillonne. Il me faut un plan plus concret.

« Je suis contente que Toby aille si bien, dit Brigitte. Nos bébés. Ils sont la seule raison de notre présence, après tout. »

Je suis assise dans le coin le plus reculé de la cafétéria de l'hôpital, où les fenêtres sont recouvertes de grillage blanc. Le bavardage des membres du staff produit un bourdonnement plaisant. Aux autres tables, des visiteurs sirotent des cappuccinos et grignotent des gâteaux trop sucrés. À demi cachées derrière des piliers, à l'autre bout de la salle, deux femmes jouent à faire coucou avec leurs bébés, qu'elles font rebondir sur leurs genoux. Je ne suis pas censée être là – c'est interdit par le Dr Niles – mais j'ai besoin de m'échapper un peu de l'environnement confiné de la nursery et du service mère-enfant. Et j'ai besoin de m'isoler pour ce que je m'apprête à faire.

J'appelle ADNFacile. Jim répond au bout d'une sonnerie.

« Je suis extrêmement pressée, Jim. J'ai besoin de mes résultats.

— Bien sûr », dit-il. Il consulte sa base de données. « Je vois qu'ils ont été postés aujourd'hui. »

Déjà, plus vite que prévu ? C'est une nouvelle inespérée.

« Ils vont arriver quand ?

— Sous deux jours ouvrables, nous vous le garantissons.

— Lundi, c'est trop tard. Vous ne pourriez pas juste me les lire au téléphone ?

— Je suis désolé. Pour des raisons juridiques, nous ne pouvons les transmettre que par écrit. »

Mon cœur saute dans ma poitrine. « Non. Il me faut absolument ces résultats aujourd'hui. Vous pouvez me les envoyer par mail, s'il vous plaît ? »

La voix de Jim se durcit. « Aucune adresse mail n'a été fournie avec les formulaires. Notre règlement est extrêmement strict sur cette question, j'en ai peur. »

J'ai oublié de remplir une case, et voilà qu'à cause de mon omission et de leur bureaucratie absurde, je risque de retarder mes retrouvailles avec mon fils.

« Je vous présente mes excuses », dit Jim.

Je vois le numéro de mon père s'afficher sur mon téléphone. « Tant pis, ça ne fait rien », dis-je à Jim, et je prends l'appel.

« Papa. » J'agite l'écume blanche de mon chocolat chaud dans le liquide marron.

« Sasha. Il faut que je te dise une chose. Je voulais t'en parler hier, mais... »

Il laisse ses mots en suspens. Que va-t-il encore me balancer ? Tout ce que j'entends, c'est sa respiration, pendant plusieurs secondes, avant qu'il reprenne.

« Ta mère t'aimait. Je sais qu'elle ne voudrait pas que tu penses du mal d'elle. Elle a fait ce qu'elle croyait être le mieux. Pour nous deux.

— Je ne comprends pas. » Je bégaie dans le téléphone. « Qu'est-ce que tu essaies de me dire ? » Mais une partie de moi a déjà anticipé la suite, et ne veut pas l'entendre.

« Elle… Elle a pris des cachets, Sasha. Elle a avalé toute la boîte. »

Le bourdonnement morne de la cafétéria s'éteint, le silence se fait. *Des cachets.* Je m'en souviens, une éclaboussure de jolies couleurs, étalées sur le plaid comme un arc-en-ciel.

La douleur met quelques instants à m'atteindre. Ma mère s'est suicidée. Elle n'a pas pu supporter de rester, même pas pour moi. Je ne lui suffisais pas.

« Je te le dis seulement maintenant parce que je ne voudrais pas qu'il t'arrive quelque chose. »

Je pose bruyamment la cuiller sur la sous-tasse.

« Je ne suis pas comme elle, je m'entends dire. Je n'ai jamais été comme elle. »

Je ne fume pas. Je n'ai pas de dépression post-partum. Je ne négligerai pas mon enfant. Je ne me suiciderai jamais. Il y a eu une époque, cependant, une époque sombre, solitaire, où je me suis dit que je pourrais.

Après l'enquête sur Damien, je me traînais au boulot tous les jours, je voyais des enfants qui n'étaient pas malades et j'essayais d'adresser des sourires rassurants à leurs parents. Le soir, en rentrant, je m'écroulais sur le canapé devant la télé. Un jour, en particulier, a été plus éprouvant que les autres. Un bébé aux boucles châtain clair, atteint de pneumonie, qui me rappelait Damien. En écoutant ses poumons, j'ai été ramenée au chevet de Damien, à regarder, impuissante, l'ambulance qui le reconduisait aux urgences. C'était le matin, le lendemain du jour où je l'avais vu pour la première fois. Il était encore conscient, mais couvert des boutons purpuriques de la septicémie à méningocoques ; il avait des plaques sur son torse, son visage, même sur ses paupières tombantes. Il avait les yeux hantés, comme ceux d'un animal qui se sait sur le point de mourir.

Après avoir soigné le bébé atteint de pneumonie, j'ai prétexté une migraine et j'ai quitté l'hôpital en avance. Avant le retour de Mark, je suis allée dans le garage. J'ai placé notre escabeau le plus haut sous les poutres. La corde se trouvait derrière le chauffe-eau. J'étais en train de la sortir lorsque Mark m'a enlacée par-derrière.

« Sash, qu'est-ce que tu fabriques ? » Il m'a arraché la corde des mains. « Il faut que tu viennes avec moi, maintenant. »

Il m'a traînée au lit, a tiré l'édredon sur nous et s'est allongé à côté de moi, me berçant dans ses bras. Le lendemain matin, l'escabeau et la corde avaient disparu pour toujours.

Avec le recul, je ne sais pas si je serais allée jusqu'au bout. Je ne crois pas que j'y serais parvenue. Je voulais seulement que la souffrance dans ma tête cesse, que la déchirure dans mon ventre se dissolve, que le nœud dans ma poitrine se défasse. Je voulais disparaître.

Mark ne m'a pas laissée faire. J'en suis sûre tout à coup : il devait être au courant pour ma mère. Il l'a toujours su, et ça aussi, il me l'a caché.

« Sasha ? Ça va ? » Papa attend à l'autre bout du fil.

Non.

« Oui, oui. Ça va.

— J'ai quelque chose à te montrer. Je l'apporterai la prochaine fois.

— C'est quoi ?

— Tu verras. Je ne vais pas tarder à venir. »

Encore un plaid ? Un album de photos ? Un autre souvenir d'une mère qui ne m'aimait pas suffisamment pour s'accrocher ?

Après Damien, je voulais renoncer car je n'avais rien pour quoi me battre. Cette erreur a failli me coûter la vie. Mais cette fois, c'est différent. Je me battrai jusqu'à la mort, pour mon fils.

JOUR 6, JEUDI MATIN, TÔT

Le thermostat de la nursery a été baissé. Ma peau frissonne dans l'air frais. Tandis que je suis lentement le couloir pour me rendre auprès de la couveuse de Toby, je m'efforce d'oublier ce que j'ai appris sur ma mère. Toute la nuit, j'ai été poursuivie par des images d'elle, de mon enfance. C'est à peine si j'ai dormi. Mes yeux sont rouges et gonflés, soulignés d'épais cernes noirs. Par chance, j'ai pu décaler ma séance matinale avec le Dr Niles à ce soir pour me donner une chance de retrouver une apparence normale. Je n'ai pas encore tout à fait l'énergie de m'inventer des excuses, là.

Je sens les yeux des infirmières sur moi lorsque je passe devant leur bureau. Pas de doute, ils savaient tous. Pas seulement Mark. Les médecins. Tout le monde. C'est pour cette raison qu'ils se sont tant inquiétés pour moi. Qu'ils se sont tellement dépêchés de m'interner.

Brigitte est déjà assise à côté de la couveuse de Gabriel, un sourire forcé aux lèvres. Elle montre le siège à côté d'elle d'un petit signe de tête. On dirait qu'elle attendait quelque chose. Moi ?

« Vous auriez pu dire quelque chose », commence-t-elle.

Ma gorge se serre. Je ne veux pas m'asseoir. « Comment ça ? »

Les couleurs s'échappent de ma vision, les lumières bleues de la couveuse de Gabriel virent au noir, le visage de Brigitte se pare du même blanc dur que les murs de la nursery. Je finis par m'asseoir à côté d'elle.

« Vous auriez pu me dire que vous souffriez d'une dépression post-partum. Il n'y a pas de honte à ça. Ça arrive à beaucoup de femmes. J'aurais compris. Enfin je veux dire, je comprends maintenant. Mais je regrette que vous ne vous soyez pas sentie assez à l'aise pour me le dire. »

Alors elle n'est toujours pas au courant pour l'échange, c'est une bonne nouvelle. Mais comment a-t-elle conclu que je faisais une dépression, alors que c'est pour une psychose post-partum qu'ils m'ont internée ? Est-ce que c'est Mark qui lui a mis cette idée en tête ? Dieu merci, elle n'a pas compris. Les couleurs commencent à revenir, et lorsque je lève les yeux, la couveuse de Gabriel est turquoise, le visage de Brigitte couleur crème, pâle mais familier.

« Je suis désolée. C'est difficile d'en parler », dis-je. C'est la vérité.

« Ça commence à aller mieux ?

— Ça va. J'ai connu pire.

— Ce n'est pas bon, ça. Je comprends. J'ai vécu des moments difficiles, moi aussi. Je suis contente de savoir que vous recevez l'aide dont vous avez besoin. » Elle cligne des yeux. « Il y a eu des dépressions, dans votre famille ? »

Est-ce que Mark lui a dit ? Mon nez se met à couler.

« Ma mère.

— Je suis désolée. Elle va bien maintenant ? »

Je m'essuie les narines, hésitante. Le dire rend la chose plus réelle, je ne sais pourquoi. « Elle est morte.

— C'est terrible. C'était... ? »

Mark a dû la mettre au courant. Je hoche lentement la tête.

« Vous avez déjà eu ce genre d'idées, vous aussi ?

— Seulement une fois. » Autant tout avouer. Il n'y a pas de mal à discuter de mon passé avec elle. Qui sait ? Peut-être que ça m'aidera, en fait, d'être honnête. « Il y a des années.

— Même, c'est atroce. Je suis désolée. Vous avez dû vivre des choses difficiles.

— Oui... Au travail... c'était un peu trop.

— La médecine légale, ça doit être stressant. »

Mark ne lui a pas tout dit, alors.

« Hmm, hmm. Un de mes patients est mort quand je travaillais en pédiatrie. Ça m'a bouleversée.

— C'est dur. Je suis vraiment désolée. Et maintenant, comment ça va ? Ils vous donnent des médicaments ?

— Euh... » Je décide qu'il n'y a pas de mal à lui dire la vérité sur mon traitement. Je ne parlerai pas du lait que j'ai congelé. « Je ne les prends pas, en fait.

— Ah non ?

— Je suis sûre que vous savez ce que c'est. Les horreurs de la médecine occidentale. » Je tente un petit sourire.

« Oui », dit-elle, plongeant les mains dans la couveuse de Gabriel pour lisser ses mèches rebelles. Elle semble un peu plus calme. « Je sais ce que c'est. Je veux dire, j'ai tout essayé pour éviter de faire une dépression. Kinésiologie, homéo-pathie, chiropractie, tout.

— Chiropractie ?

— Ma colonne vertébrale n'est plus dans l'axe depuis l'accouchement. Celle de Jeremy non plus. »

Tandis qu'elle passe les doigts le long de son dos, je sens ma main caressant sa peau douce. J'ouvre le hublot de la couveuse de Toby et place ma main en coupe autour de son crâne frais, un bol de porcelaine sous ma paume.

« Alors vous allez amener Jeremy chez le chiropracteur ?

— Oui, une fois que je l'aurai ramené à la maison. Peut-être que vous devriez penser à y conduire Toby aussi ? Les bébés nés par césarienne sont particulièrement exposés. »

Elle ouvre le panneau latéral de la couveuse de Gabriel et le soulève contre sa poitrine. Je vois qu'il a toujours la jaunisse, mais au moins il est soigné. Et puis ça pourrait vouloir dire qu'il va rester à l'hôpital un peu plus longtemps.

Gabriel remue dans les bras de Brigitte. Elle passe sa paume contre son torse, jusqu'à son ventre.

« J'ai trop hâte qu'il sorte d'ici. Il a surtout besoin d'homéopathie, en fait. On va commencer les vaccins bientôt.

— Quels vaccins ?

— Des vaccins homéopathiques, bien sûr. Il sera en meilleure santé que tous les mômes qui reçoivent des injections de vaccins occidentaux. Je n'en reviens pas des saloperies toxiques que certaines personnes sont prêtes à donner à leurs enfants. »

Je me mords la lèvre inférieure pour me forcer à me taire. Je comprends ce qui peut pousser quelqu'un comme Brigitte à faire le choix de la médecine naturelle, mais je ne peux pas être d'accord avec sa conception de la vaccination. Par chance, je récupérerai Gabriel dans peu de temps. Puis je le protégerai avec tout ce dont il aura besoin pour se maintenir en bonne santé. Pour l'instant, j'avance la main en un geste que j'espère désinvolte.

« Je suppose que ça ne vous dérange pas que je le tienne un peu ? »

Elle me dévisage, l'air de ne pas comprendre.

« Jeremy. Je peux le prendre dans mes bras ? »

Elle se lève et le cale contre son épaule. Son visage s'est mué en un masque indéchiffrable.

« Euh... Je ne crois pas, non. Désolée.

— Ils m'ont dit que je ne pouvais prendre Toby dans mes bras que pour de brefs moments. Ça pourrait m'aider à me sentir mieux de tenir un autre bébé. » Ça, c'est certain que ça m'aiderait. Et je n'aurais besoin que d'une seconde ou deux pour vérifier qu'il a les pieds palmés. Une preuve supplémentaire. « S'il vous plaît ?

— Il est malade, répond-elle froidement. Apparemment, son niveau de jaunisse a augmenté. Il est sous triple lumière, maintenant. Je n'ai le droit que de lui faire de brefs câlins avant de le remettre dans son berceau. »

Merde. Ce n'est pas encore cette fois que je vais pouvoir regarder ses orteils.

Brigitte se tourne vers la fenêtre. Perché sur son épaule, Gabriel a un mince sourire aux lèvres, un sourire rien que pour moi.

« Il va guérir, n'est-ce pas ? » Je tente de parler d'un ton dégagé.

« Les médecins disent que oui, normalement. »

Elle fronce les sourcils et serre les lèvres. Soupçonne-t-elle quelque chose ? Je retire la main de la tête de Toby et la sors du berceau.

« Qui vous a parlé de ma dépression post-partum ?

— Personne. Quand Mark a dit que vous n'aviez pas encore la permission de sortir, je l'ai lu dans ses yeux. » Brigitte se tourne vers moi, si bien que je ne peux plus voir le visage de Gabriel. « C'est comment, là-bas ? »

Je hausse les épaules.

« Qu'est-ce que vous avez bien pu faire pour vous faire enfermer ? » Brigitte se balance d'un pied sur l'autre comme un arbre ballotté par le vent pour essayer d'endormir Gabriel.

« Je ne suis pas enfermée. Je me suis fait hospitaliser volontairement.

— Bon sang, vous êtes courageuse. Quand ils ont essayé de me convaincre d'y aller, moi, j'ai refusé. »

Sa réflexion retient mon attention.

« Ils ont essayé de vous convaincre d'aller dans le service psychiatrique ? Pourquoi ? »

Brigitte baisse des yeux vides sur Gabriel, niché dans ses bras. Il serait chaud, tellement chaud contre ma peau.

J'insiste. « Ils pensaient que vous étiez déprimée ? » Ça expliquerait ses larmes, sa froideur. Je suis forcée de me retenir de prendre le bras de Gabriel, qui dépasse de ceux de Brigitte.

« Non, dit-elle, les yeux soudain illuminés. Je n'ai pas de problème. Je vais bien. Mais vous n'avez pas répondu à ma question. Et vous ? »

Est-il possible qu'elle leur ait dit la même chose que moi et qu'ils ne l'aient pas crue non plus ? Sans réfléchir, je laisse échapper la vérité.

« Ils ne m'ont pas crue quand j'ai dit que je pensais que Toby n'était pas mon fils. »

Elle se fige en plein mouvement. Ses yeux s'écarquillent d'horreur.

« C'est pour ça que vous êtes en psychiatrie ? »

Je hoche lentement la tête, parcourue de chair de poule. Peut-être en ai-je trop dit, trop vite. Apparemment, elle n'avait pas du tout compris qu'il y a eu interversion. Et je ne l'ai pas interrogée sur ce qu'elle sait. Mark doit venir à la nursery un peu plus tard dans la journée. J'ai encore le temps. J'ai été patiente avec Brigitte, mais c'est l'occasion de lui poser quelques questions à mon tour.

« Vous avez remarqué quelque chose, le matin de la naissance de Jeremy ? Quelqu'un qui agissait de manière suspecte ? »

Elle s'éloigne de moi, mettant la couveuse entre nous comme pour se protéger.

« Pas du tout. Ursula est restée avec moi et Jeremy tout le temps. » Elle fait signe à Ursula au bureau des infirmières. A-t-elle compris que je pensais que Jeremy était mon fils ? Tandis qu'Ursula approche, Brigitte me parle lentement, sans me quitter des yeux.

« C'est bien que vous vous fassiez aider. Mais je ne crois pas vous avoir jamais vue prendre Toby dans vos bras.

— Il n'est pas en assez bonne santé. »

Ursula arrive à notre niveau. Elle nous jette tour à tour des regards furtifs.

« On dirait que vous vous entendez bien, toutes les deux. Peut-être que ce sera une bonne chose que Jeremy ne rentre pas à la maison aussi vite qu'on l'avait pensé, finalement. » Elle reste étrangement immobile en s'adressant à Brigitte. « Je suis certaine que Sasha est contente d'avoir de la compagnie, Brigitte. »

Brigitte se mord la lèvre inférieure.

« J'aimerais ramener Jeremy aussi vite que possible. Demain, je vous en prie, comme le Dr Green l'avait dit au départ. » Elle me montre du doigt. « Sasha dit que Toby n'est pas bien non plus. Elle a l'air de penser qu'il est trop malade pour qu'on puisse le prendre dans les bras.

— Nous ferons sortir Jeremy dès que possible, dit Ursula, en se tournant vers moi d'un air sévère. Mais Toby va suffisamment bien pour être pris dans les bras. Vous le savez, Sasha, non ? Vous n'avez qu'à demander. »

Un filet de soleil matinal traverse la fenêtre de la nursery et vient se poser sur ma nuque.

« Oui, je sais. »

Le visage d'Ursula est figé en un sourire sinistre.

Il faut que je sorte de cet endroit étouffant, oppressant. Tombant à pic, l'alarme de mon téléphone retentit.

J'essaie de sourire. « Je reviendrai dès que possible pour faire un câlin à Toby. Mais c'est l'heure de ma séance de thérapie de groupe. Je dois y aller. Je ne voudrais pas arriver en retard. »

JOUR 6, JEUDI MATIN

Ondine et moi, nous sortons par la porte principale de l'hôpital et dépassons une rangée de boutiques : laverie automatique, marchand de journaux, café. Un groupe de jeunes traîne sur le passage piéton à côté de l'arrêt de bus. Au loin, des petites maisons de mineurs sont alignées en rangées bien nettes.

En arrivant au foyer, j'ai trouvé une affichette collée sur la porte. *Promenade annulée à la suite d'un manque de personnel. Quartier libre ce matin.*

« Tu ne veux pas aller te balader quand même, par hasard ? a demandé Ondine, à côté de moi.

— Tu crois que ça ne pose pas de problème ? Le Dr Niles a bien insisté quand elle a signé mon admission : je n'ai le droit d'aller nulle part, sauf à la nursery.

— Tu as raison. Ils ne veulent pas qu'on sorte du service. Mais ils devaient nous emmener en promenade. » Ondine a haussé les épaules. « Je pense que c'est bon. La sécurité ici est assez relâchée. Ils ne vont même pas remarquer qu'on est parties. »

Je lui ai fait un grand sourire : « Bon, d'accord. »

Maintenant, tandis que je la suis, avec le soleil matinal qui me picote les joues, j'ai le sentiment que cette balade était exactement ce dont j'avais besoin.

« Le cimetière est sur la droite, dit Ondine. On va au lac ? »

Nous tournons à gauche. Une mère poussant un landau apparaît un peu plus loin sur le chemin.

« Ça ne te dérange pas, si on traverse ici ? » fait Ondine.

Nous changeons de côté de la route. Nous ne regardons ni l'une ni l'autre la femme avec son landau.

« Alors, ça avance, tes démarches pour récupérer ton fils ? demande Ondine.

— Non, pas encore. Mais mes plans sont en cours. Ça ne devrait plus être très long. » Je ne veux pas me porter la poisse en en disant trop. « Et toi ? Tu survis, dans le service ? »

Elle réfléchit un instant. « Tout juste.

— C'est quoi, le pire ?

— Tout. Les autres femmes. L'équipe soignante. Même les bébés qui pleurent. C'est plus facile de rester dans ma chambre avec mes écouteurs sur les oreilles.

— Qu'est-ce que tu écoutes ?

— Rien, dit-elle en me décochant un grand sourire inattendu. Juste mes propres pensées, j'imagine. » Elle accélère, en direction du lac.

Tandis que je la rattrape, l'eau marron apparaît devant moi. Depuis le retour de la pluie, ces dernières années, les roseaux qui bordent les rives ont été avalés par les eaux en crue. Leurs tiges emmêlées, d'un vert profond, sont maintenant submergées et n'affleurent à la surface que par instants, tels des serpents de mer.

« Et qu'est-ce qu'elles disent, tes pensées ?

— Que je suis la personne la plus malade du service. Que je ne mérite pas de récupérer mon bébé. Que je devrais être enfermée jusqu'à la fin de mes jours. C'est ce que je veux, d'ailleurs. » Elle regarde vers le lac, dont des joggeurs font le tour.

« Ton fils a besoin de toi pour aller bien, Ondine. Il faut que tu te rétablisses et que tu sortes, pour lui. Un jour, quand il sera assez grand pour comprendre, il te pardonnera tout. Je te le promets.

— J'ai du mal à le croire.

— Bien sûr. Mais tu n'as pas toujours besoin de croire tes pensées, tu sais. »

Elle secoue imperceptiblement la tête. « Et toi ? Comment ça va ? »

De nulle part, des souvenirs de la nuit de l'accouchement émergent dans mon esprit. Le cœur de mon bébé, sur l'écran du moniteur. Le brancard, avec moi allongée dessus, roulant dans les couloirs froids et blancs vers la salle de travail. Les effluves d'antiseptiques à base d'alcool. Les pointes de douleur dans mon dos. Puis les tentatives répétées de trouver le pouls de mon bébé. Le Dr Solomon, sa voix paniquée : « Il faut faire une anesthésie générale. Immédiatement. » La bouffée sèche de l'oxygène entre mes lèvres. Le propofol me piquant le bras en pénétrant la veine tel un courant glacial. Le reflet miroitant de mon corps demi-nu sous les lampes de la salle d'opération. Mark, debout à côté de moi tandis que la pièce est plongée dans le noir. Autrefois, les conjoints n'avaient pas accès aux salles d'opération. Les règlements ont dû changer. Je suis certaine que c'est sa présence que j'ai sentie au dernier moment. Je n'ai pas eu le temps de dire au revoir.

Tout à coup, l'image du corps d'un bébé mort se glisse dans mon champ de vision. Je sursaute et trébuche, me rattrapant juste à temps pour ne pas m'étaler de tout mon long. La vision se dissipe tandis que de la poussière se soulève sous mes pieds.

« Tout va bien ?

— Oui, oui. »

Ondine s'arrête au bord du lac, à l'ombre d'un eucalyptus. Elle se penche pour ramasser un caillou sur le sentier. « Tu dois penser que je suis vraiment folle.

— Non. Je ne te trouve pas folle du tout.

— Ce n'est même pas ton opinion professionnelle ?

— Ça fait longtemps que j'ai arrêté de voir des patients vivants. »

Sur le lac, des canards avancent en dodelinant de la tête. Je me penche pour ramasser une pierre plate, de la taille de ma paume, et pousse un grognement de douleur en me redressant.

« Beaucoup d'entre nous sont fous, d'une manière ou d'une autre.

— Pas toi. »

Le galet fait le bon poids, il a une forme idéale pour faire des ricochets. Je le tourne entre mes doigts, palpant ses courbes et ses arêtes, tentant de trouver la bonne prise.

« Bien sûr que si, je le suis. Ou du moins je l'étais.

— Comment ça ?

— J'ai pensé à en finir.

— À en finir pour de bon ?

— J'y ai *pensé*. C'est tout. » Je ne lui dis pas à quel point je suis passée près de l'acte. À quel point je voulais mourir. « Mais je suis vraiment contente de ne pas l'avoir fait. » Ça, au moins, c'est vrai.

Les yeux d'Ondine s'obscurcissent tandis qu'elle étudie la surface chatoyante du lac.

« Je n'en suis pas encore à me réjouir d'être en vie », dit-elle.

Je serre fort le galet dans ma main. « Ça viendra. »

Je le lance. Le galet rebondit sur l'eau, faisant un, deux, trois ricochets avant de couler dans les profondeurs du lac, générant des cercles concentriques qui deviennent de plus en plus larges avant de se dissiper.

Lorsque j'ai fini par trouver le courage de quitter la salle d'audience, il y a toutes ces années, c'était une journée de printemps. Des abeilles bourdonnaient dans les jardins. L'air était chargé de pollen. Les parents de Damien se tenaient à l'entrée du tribunal. Sa mère avait le dos voûté, le visage contracté par la rage, et son père se tenait très droit, avec un regard perçant, le bras pressé contre le bas du dos de sa femme, comme pour l'aider à tenir debout. Ils m'ont suivie des yeux.

J'ai pensé à m'arrêter pour leur présenter mes excuses. Mais qu'est-ce que je pouvais dire, au fond ? Il n'y avait rien que je pourrais faire pour leur ôter leur douleur. Je n'aurais fait que l'aggraver. Il valait mieux ne pas essayer du tout.

Lorsque je suis arrivée à ma voiture, j'ai jeté un coup d'œil par-dessus mon épaule et vu qu'ils avaient toujours les yeux fixés sur moi. La mère de Damien s'est écartée de son mari et s'est mise à hurler.

« Après ce que vous avez fait à mon fils, vous ne méritez pas d'être mère... »

Pendant très longtemps, je l'ai crue. Les fausses couches étaient ma punition. Tout était ma faute.

Ondine lâche le caillou qu'elle a ramassé, qui retombe par terre avec un bruit sourd.

« Le Dr Niles parle de me faire des séances d'ECT. »

ECT, des électrodes sur ses tempes, un protège-dents en plastique, des convulsions imperceptibles de ses membres, de l'électricité à haute tension dans son cerveau. *Ne le fais pas*, j'ai envie de lui dire.

« Tu ne pourrais pas attendre, laisser passer encore un peu de temps ?

— Je ne sais pas. Mais tu as raison, c'est vrai que mon fils a besoin que je me rétablisse. Je pense que je dois tout essayer, ne serait-ce que pour lui. »

Si elle peut le faire, moi aussi. Le Dr Solomon est censé me rendre visite avant le déjeuner. Je prends Ondine par le coude. « Rentrons. Je vais essayer de trouver comment cette histoire a pu arriver à mon fils. »

JOUR 6, JEUDI, FIN DE MATINÉE

Je suis en train de vérifier l'état de mon lait dans le freezer, m'assurant qu'il ne s'est pas décongelé, lorsque le Dr Solomon frappe à la porte. Je laisse claquer la porte du freezer, referme le réfrigérateur et parviens à me donner une contenance.

« Je vous ai trouvée, dit-il. C'est un vrai labyrinthe, ce bâtiment. Je vous ai cherchée partout hier, sans succès. Et quelle chaleur ! C'est impensable. »

Comme j'ai besoin de l'écarter de ma liste de suspects, j'ai demandé une consultation hier, mais il l'a reportée à aujourd'hui. Je ne l'ai pas vu depuis cinq jours, depuis que j'ai été transférée de la maternité. Entre-temps, ses manières brusques n'ont pas changé. Je suis sous la garde de je ne sais combien de médecins et d'infirmières, mais absolument personne ne s'intéresse à moi. C'est vraiment affreux d'être une patiente, dans ce système. Affreux d'être médecin aussi : de perdre son humanité sous l'effet de la surcharge de travail et du stress.

Le Dr Solomon désigne mon ventre et je soulève mon tee-shirt pour lui montrer mon pansement. Il le retire afin d'examiner ma cicatrice ; il n'en reste qu'une ligne rouge bien propre au-dessus de mon pubis.

« Bien, dit-il, remettant en place ma culotte de maternité en coton. De mon point de vue, vous pouvez rentrer chez vous.

Je vais en toucher un mot au Dr Niles. Elle a dit qu'elle envisageait de vous laisser sortir demain. »

Sortir demain. C'est un choc pour moi, mais un choc fabuleux. Je pensais que je serais forcée de rester enfermée ici pendant encore des jours. Peut-être mes prestations auprès du Dr Niles ont-elles été plus convaincantes que je ne l'avais cru.

« Excusez-moi, docteur Solomon ? »

Il s'arrête à la porte.

« Vous pourriez m'en dire un petit peu plus sur l'accouchement, s'il vous plaît ? »

Sa bouche se pince.

« Je suis certain que vous savez que c'était une césarienne d'urgence tout ce qu'il y a de plus ordinaire. Avec anesthésie générale, oui. En urgence, oui, mais il n'y a pas eu de complications. Votre bébé est sorti à la perfection. Un petit peu d'oxygène une fois qu'il a été monté en néonat, je crois, mais ça n'a rien d'inhabituel. » Il commence à tourner la poignée de la porte.

« Donc la sage-femme a dû rester avec mon bébé tout le temps ? »

Il renifle, les doigts toujours sur la poignée.

« Bien sûr. Une de nos sages-femmes était présente à l'accouchement. Ursula. Elle l'a escorté à l'étage.

— Il n'est pas possible qu'il soit resté tout seul à un moment ou à un autre ?

— Cela me paraît très peu probable. Franchement, je trouve ça inquiétant que vous soyez toujours bloquée là-dessus. Je vais être obligé d'en parler au Dr Niles, je le crains. »

Je serre les poings sur mes genoux, à m'en faire blanchir les jointures.

« Je vous en prie, vous n'avez pas besoin de dire quoi que ce soit au Dr Niles. J'étais seulement curieuse. Je sais que Toby est mon bébé. Je sais que Mark était avec lui dès son premier souffle. Je voulais juste vous demander…

— Votre mari n'a pas pu être là pour le premier souffle de votre bébé. »

Le Dr Solomon lâche la poignée de la porte et penche la tête vers le mur, touchant presque les nymphéas de Monet.

Mon cœur se serre. « Comment ça ?

— La famille et les conjoints ne sont pas admis en salle d'opération lorsque la césarienne nécessite une anesthésie générale. Vous le savez forcément ? On a demandé à votre mari d'attendre en haut, dans la nursery. J'y suis monté moi-même après l'opération pour lui annoncer que tout s'était bien passé. »

Mon souvenir fragmenté de Mark me tenant la main tandis qu'ils injectaient le liquide d'un blanc laiteux dans mes veines, tandis qu'ils tenaient un masque à oxygène contre mon visage, tandis que le blanc du plafond se faisait gris, puis noir, est-ce une construction a posteriori de mon cerveau ? Mon cœur trépide dans ma poitrine.

« Il a peut-être assisté à la réanimation en néonat, mais pas à la naissance. C'est le protocole de l'hôpital », ajoute le Dr Solomon.

Je presse mes genoux l'un contre l'autre jusqu'à ce qu'ils me fassent mal. Peut-être ai-je placé trop de foi en Mark et en mon propre esprit. Mais la culpabilité de l'hôpital – le manque de personnel, les nombreuses urgences imprévues et leur mépris de mes inquiétudes – ne se trouve pas dans mon imagination. J'ai déjà entendu des rumeurs sur des hôpitaux qui dissimulaient des choses. Il se peut que je sois seulement une femme qu'on veut faire taire, une de plus.

Le Dr Solomon enfonce les mains dans ses poches. Se peut-il qu'il soit impliqué dans un complot pour couvrir l'échange des bébés ? Je ne veux pas lui demander directement où il se trouvait vendredi soir et samedi matin. Il est assez malin pour voir clair dans mon jeu.

« Vous avez vu quelqu'un agir de façon suspecte dans la salle d'opération ? »

Il se balance en arrière sur ses talons. « Non, Sasha. Et dans le cas contraire, j'aurais alerté un membre du personnel. »

Pour ma part, je n'en suis pas si sûre. Mais je vois que sa patience est à bout.

« Est-ce que quelqu'un d'autre était responsable de mon bébé entre la salle d'opération et la nursery ?

— Sans doute. Les infirmières. » Il pousse un soupir. « Mais on a apposé des bracelets d'identification à votre bébé dès sa naissance. À la cheville *et* au poignet. Il les a toujours, j'imagine ? » Sa bouche se tord en une grimace d'incrédulité tandis qu'il se penche vers la porte.

« Que se passe-t-il si les bracelets tombent ? La personne qui les a remis a très bien pu se tromper. Je n'en reviens pas qu'on n'ait pas fait davantage de recherches. Il y a déjà eu d'autres interversions de bébés dans votre hôpital. »

Les yeux du Dr Solomon ressemblent à des nénuphars flottant sur un étang étincelant.

« Vous savez que nous n'avons pas le droit de cacher les incidents fâcheux, de nos jours, Sasha. Il n'y a jamais eu d'interversion de bébés dans cet hôpital, ni dans aucun autre hôpital où j'ai travaillé. C'est extrêmement rare. C'est pour cette raison que nous nous inquiétons tellement pour vous. »

Après le départ du Dr Solomon, je me demande si je me suis trahie, si la perspective d'une sortie demain est désormais à exclure. Mais il est toujours possible qu'il oublie, ou qu'il ait la flemme de remplir les papiers – je ne suis qu'une mère « difficile » comme tant d'autres. Avec un peu de chance, les fils du téléphone arabe de l'hôpital sont un peu emmêlés, et le message se perdra en route.

Pas le temps pour le moment de m'attarder sur ces éventualités. Il me faut voir mon fils.

Dans l'annexe de la nursery, je gratte le rebord de mes cuticules et les membranes entre mes doigts avec du désinfectant, grimaçant sous le picotement, puis me rince à l'eau claire. Il vaut mieux tout éliminer dans ces crevasses ; qui sait quelles bactéries pourraient se cacher au fond ?

Dans la nursery, je trouve Mark, les mains plaquées sur la couveuse de Toby. Il a les cheveux lissés en arrière, et il porte son pantalon large de cuisinier. Il n'est quand même pas allé bosser ?

« Il va bien », annonce-t-il avec un sourire solennel. D'un signe de tête, il me montre un sac en plastique posé sur la paillasse. « Je t'ai préparé quelque chose à manger. »

Je regarde à l'intérieur. Un Tupperware de gnocchis maison. Je lui en suis reconnaissante, mais il aurait pu réfléchir. « La nourriture est interdite dans la nursery, Mark. Le risque d'infection est trop grand. Il faut que tu fasses plus attention. » Je fais un nœud au sac plastique. « Le Dr Solomon est venu me voir tout à l'heure. Il m'a tout dit. Pourquoi m'as-tu menti après l'accouchement ?

— Je ne sais pas ce que tu racontes, Sasha.

— Tu m'as menti quand tu m'as dit que tu étais resté avec Toby tout le temps.

— Je ne t'ai jamais menti. » Il hausse la voix. Mais il évite mon regard. Encore une autre trahison. Il ne va pas me dire la vérité. Je vais devoir laisser couler pour l'instant.

À travers le Plexiglas, les joues de Toby sont roses, de plus en plus rebondies. Il pourrait, à peu de chose près, passer pour un bébé né à terme. Je sens la main de Mark sur mon épaule, pressant la chair entre mes omoplates comme s'il voulait me traverser la peau. Je ne saisis pas le message qu'il tente de me transmettre.

« J'ai fait un saut au boulot ce matin. Et ils vont avoir besoin de moi à partir de la semaine prochaine.

— Tu ne devais pas prendre deux semaines après la naissance ?

— Ils manquent de personnel, Sash. Je ne peux rien y faire. » Il déplace sa main pour masser ma nuque tendue. « Rien ne se passe exactement comme on avait prévu. »

Lundi, je sais qu'il sera de retour dans la cuisine du restaurant, à découper des dés de betteraves, saisir des côtelettes, hacher des herbes. Un travail simple, honnête. Il s'y sentira davantage chez lui qu'ici, où les bips des machines, les chiffres et la couleur de la peau des bébés ne révèlent chacun qu'une parcelle de la vérité. Je repousse sa main d'un haussement d'épaules.

« Alors, c'était comment, au travail ?

— Normal. » Sa voix est inexpressive.

« Qu'est-ce que tu leur as dit, exactement ?

— Que notre bébé était né en avance. »

Je fixe Toby, ses poings qui s'ouvrent et se ferment dans le vide.

« Rien à mon sujet. »

Il ne répond pas.

« Ils te laisseraient peut-être quelques jours supplémentaires si tu leur disais.

— Peut-être. » Il tire sur le col de sa chemise. « Si tout se passe bien, tu vas pouvoir rentrer bientôt. Peut-être demain, d'après ce qu'ils disent. »

Je voudrais bien que tout le monde arrête de parler de moi dans mon dos.

« Peut-être », je marmonne. Dans l'absolu, je serais ravie de rentrer chez moi. Mais retourner à Mark, à mon ancienne maison, à mon ancienne vie ne me paraît pas si formidable après tout. « Et pour devenir associé dans le restaurant ? Tu leur as donné une réponse définitive ? »

Il se détourne et fait non de la tête.

Je consulte la feuille de température de Toby. Il est stable. Son pouls est normal. Il a réussi à surmonter ses six premiers jours de prématuré avec aisance, même en l'absence de sa mère pour le réconforter.

Mark m'observe.

« Tu n'as pas besoin d'être son médecin aussi, tu sais. Tout ce que tu as à faire, c'est d'être là pour lui. Tu es sa maman, rappelle-toi. Je sais que tu peux y arriver. » Il s'efforce de sourire.

Je peux enfin voir la vérité. Depuis le début, je ne suis pas la seule à douter de ma capacité à être mère, de ma capacité à être présente pour mon enfant. Pendant toutes ces années de vie commune, Mark s'est fait du souci : allais-je tenir le coup ? Il craignait que je ne finisse comme ma mère.

« Tu savais pour ma mère, pas vrai ? Tu pensais que j'allais me buter et te laisser seul avec le bébé. »

Il me regarde avec une telle tristesse que je me tais, interdite.

« Tu sais que j'adore notre fils, dit-il doucement. Je n'en reviens pas d'avoir la chance d'être son père. Je suis certain que tu apprendras à l'aimer, toi aussi. Et je sais que tu ne nous abandonnerais jamais. » L'alarme de son téléphone sonne, rappel de l'heure du repas de Toby. « L'infirmière vient de vérifier que sa sonde nasogastrique était bien en place. Ce serait peut-être bien pour toi de lui donner le biberon, cette fois. »

Il me tend un biberon qu'il a déjà fait chauffer et se rend dans l'annexe pour préparer le suivant. Je ne sais pas pourquoi j'ai tant de mal à lui faire confiance. Bien sûr qu'il n'a pas interverti Toby et Gabriel. Il n'a pas de mobile, pas d'intention malveillante. Je verse le lait maternisé dans la seringue. Selon les infirmières, c'est un des bons côtés de ma condition de médecin ; elles me font déjà confiance pour m'acquitter de cette tâche. Elles pensent que ça m'aidera à créer le lien, aussi. Je soulève bien la sonde de Toby au-dessus de la couveuse et regarde le liquide s'écouler dans sa narine comme un serpent à la peau blanche. Sans réfléchir, je tourne les yeux vers Gabriel.

Brigitte tricote à ses côtés, enfonçant ses aiguilles dans le rectangle rouge posé sur ses genoux. Un brin de laine, tel un filet de sang, descend le long de sa jambe jusque dans un sac par terre. Ursula règle les lumières de Gabriel. Elle porte une tunique grise, comme une gardienne de prison. Elle me tourne le dos.

Gabriel donne des coups de pied dans les parois de la couveuse et soulève les bras. La moindre parcelle de moi voudrait pouvoir lui donner le sein. Mes mamelons me picotent. Je sens l'humidité avant de la voir, dégoulinant de mes seins, fuyant à travers mon soutien-gorge pour former deux taches mouillées, instantanément visibles sur mon tee-shirt en coton blanc. C'est un réflexe, une réaction corporelle naturelle à la vision de mon magnifique bébé. Ça ne dépend pas de moi.

Brigitte lève les yeux. Les promène de moi à Gabriel, aux cercles mouillés sur ma poitrine. Ses aiguilles restent figées en plein mouvement. Oh, non ! Maintenant, elle va en conclure que j'ai eu une montée de lait parce que je suis toujours obsédée par son bébé. Je vais encore m'attirer des ennuis.

Elle tapote la manche d'Ursula et siffle quelques mots indéchiffrables. Ursula se retourne pour inspecter mon tee-shirt, ferme les hublots de la couveuse de Gabriel d'un coup sec – *Pas si fort*, j'ai envie de lui lancer – et se dirige vers le petit groupe d'infirmières rassemblées au bureau.

Je verse davantage de lait maternisé dans la seringue de Toby, mais c'est trop, trop rapide, ça déborde, et une flaque blanchâtre se forme sur le sol. Je m'accroupis pour tenter d'éponger, mais j'ai beau sortir Kleenex après Kleenex de la boîte, pas moyen de tout essuyer.

Ursula est soudain devant moi, son torse gris me bloque la vue et je ne peux pas voir Gabriel. Elle attend que je me relève, le tas de mouchoirs dégoulinants dans les mains.

« Je crois vous avoir dit très clairement que vous ne devez pas inspecter les autres bébés.

— Je n'ai rien fait du tout. » Ma langue colle à mon palais.

« Peut-être, mais votre réaction (elle baisse les yeux sur le devant de mon tee-shirt) nous oblige à mettre en place des mesures préventives. »

Des bruits métalliques retentissent tout près. Les autres infirmières tirent des paravents autour du berceau de Gabriel, et autour de Brigitte, les cachant tous deux à ma vue.

« Si je constate encore des comportements inquiétants, je serai forcée de vous interdire l'accès de la nursery, conclut Ursula.

— Il va bien ? »

Ursula plisse les yeux. Je réalise soudain que je ne l'ai pas encore écartée de la liste des suspects.

« Est-ce que vous êtes tout le temps restée ici avec Toby le matin de sa naissance ?

— Bien sûr. » Elle essuie un mince filet de transpiration sur son front.

« Et vous n'avez rien constaté de suspect ?

— Non, Sasha. En réalité, la seule personne qui se comporte bizarrement, depuis le début, c'est vous. » Elle fronce le nez avant de reculer vers le bureau, sans me quitter des yeux.

« Que se passe-t-il ? » Mark ressort de l'annexe, le biberon chaud à la main. « Pourquoi ont-elles mis les paravents ? »

Il écarquille les yeux en voyant les taches mouillées sur ma poitrine, et je lui explique la conclusion à laquelle Ursula et Brigitte sont arrivées.

« Je sais que ça fait mauvais effet, dis-je, tirant sur mon cardigan. Mais je ne peux pas me tromper sur ce genre de choses. »

Mark se laisse tomber sur une chaise à côté de Toby et se prend la tête entre les mains. Sa voix semble inaudible.

« Peut-être que le moment est venu d'admettre que parfois, Sash, même toi, tu te trompes. »

J'enfonce mes jointures dans mes yeux jusqu'à ce que des points lumineux se mettent à danser devant moi. Je ne donnerai à personne la satisfaction de me voir pleurer.

La peinture vert pistache s'écaille par pans entiers sur le Placo. Les lavabos sont en porcelaine verte, les sièges des toilettes en plastique noir. On dirait que celles de la nursery n'ont pas été refaites depuis les années 1970, et à l'odeur, on pourrait croire qu'elles n'ont pas été nettoyées à fond non plus.

Les autres parents ne se servent jamais de ces toilettes : apparemment, ils préfèrent celles, plus modernes, qui se trouvent à côté de l'ascenseur. J'aime bien venir m'enfermer dans ces box étroits pour m'isoler, à l'abri des regards indiscrets.

J'examine le plafond. Il n'y a pas de caméras, ni de micros. À première vue, en tout cas. Des ampoules fluorescentes clignotent, comme des signaux au bord d'une voie ferrée. Mais bientôt, je sursaute : la porte s'est ouverte. Des talons claquent sur le carrelage. Zut.

Lorsque le verrou du W.-C. voisin se referme, je me précipite au lavabo. Tandis que je m'égoutte les mains, la porte de l'autre W.-C. se rouvre. C'est Brigitte. Sa jupe est remontée d'un côté. Ses cheveux pendent, détachés, autour de son visage.

« Je peux expliquer la montée de lait, dis-je. C'est un réflexe corporel. Ça ne voulait rien dire du tout. Je ne le contrôle même pas.

— Je comprends que c'est dur pour vous, dit-elle sans me regarder. Mais je préférerais que vous évitiez de m'adresser la parole.

— J'essaie seulement de comprendre ce qui s'est passé. Je n'essaie pas de voler votre bébé.

— Je vais m'assurer que vous n'en ayez pas l'occasion. » Ses sourcils froncés se rejoignent au-dessus de son nez.

Il faut que je demande combien de temps il me reste pour arranger les choses.

« Quand Jeremy va-t-il sortir ?

— Ne vous approchez pas de lui, s'il vous plaît. Ni de moi. »

Comment vais-je bien pouvoir empêcher Gabriel de sortir ? Ce n'est que lorsque la porte claque derrière Brigitte que je m'en aperçois : dans sa hâte, elle a oublié de se laver les mains. Je me demande si elle se rend compte de l'importance de ce geste, en particulier après l'épidémie de *serratia* il y a quelques années. Il est toujours possible que la bactérie contamine les robinets, les poignées de portes, les surfaces carrelées. Mais si je la suis, elle va encore m'accuser de je ne sais quoi ; de la harceler, peut-être.

Je m'effondre contre les lavabos, prenant garde à ne pas toucher la porcelaine avec mes mains stériles. Depuis le début, je fais tout comme il faut. Pourtant, Brigitte a la seule chose que je désire, la seule chose que je ne peux pas encore réclamer : mon enfant. Mon fils.

Ma seule solution : m'en tenir à mon plan initial. Faire semblant de croire que Toby est à moi. Éliminer la dernière suspecte. Attendre l'arrivée des résultats des analyses ADN. Puis montrer à tout le monde que j'ai raison depuis le début, leur montrer la cruauté inouïe dont ils ont fait preuve à mon égard.

JOUR 6, JEUDI MIDI

De retour dans la nursery, je trouve Toby endormi, les lèvres ouvertes sur sa cavité buccale béante. Je prends une boule de coton et l'humecte avec de l'eau salée, puis la passe sur ses paupières. Il sursaute et renverse la tête, pour m'esquiver. Puis, derrière moi, j'entends un bruissement.

C'est mon père, les bras chargés de sacs plastique. Je ne m'attendais pas à le voir aujourd'hui. Il se penche pour me faire la bise, sa moustache m'effleure la joue, et il me tend les sacs.

« Je t'ai acheté des habits pour bébé. À l'amie d'un ami à moi. Elle pensait que tu pourrais en avoir besoin.

— Merci, papa. »

Il me dévisage.

« Tu sais, tu as les yeux de ta mère.

— Je ne crois pas que je lui ressemble du tout. »

Son nez se plisse. Puis il fouille dans sa poche et en sort un morceau de papier plié en quatre, chiffonné.

« J'aurais dû tout te dire il y a des années. J'en avais l'intention. Je suis tellement désolé. Ça... c'est la dernière chose que je t'ai cachée. Je l'ai gardé pour le jour où je penserais que tu serais prête. C'est pour toi. »

Je déplie la feuille. L'écriture de ma mère.

« Qu'est-ce que c'est ?

— Lis. »

Je pensais que j'aimerais être mère. Je me trompais…

C'est sa lettre d'adieu. Je n'arrive pas à croire qu'il me la donne ici, maintenant. Je sais que mon père est déconnecté de ses émotions, c'est le moins qu'on puisse dire, mais il ne peut pas ne pas savoir que c'est le comble de l'insensibilité, là. Je ne veux pas en lire davantage… je ne peux pas. Je replie le mot et le lui rends. « Je… Je n'en veux pas.

— Désolé, je ne pensais pas que tu allais la lire tout de suite. Je me disais juste que tu devais savoir toute l'histoire, surtout maintenant que tu es mère. Je vois bien que j'aurais dû tout te dire il y a longtemps. » Il essaie de me redonner la lettre.

« Je sais que tu essaies seulement de m'aider. Mais je ne veux pas la lire, jamais. » Je repousse le papier entre ses mains.

À côté de moi, Toby sursaute dans son sommeil, et ses membres tressaillent derrière le plastique.

« J'ai compris, dis-je. Tout. »

Papa inspire un grand coup. « Comment ça ?

— Je me souviens, maintenant. » Quand j'étais couchée près d'elle, la torpeur qui descendait sur moi. Je l'ai entendue cesser de respirer. J'ai senti ses bras, autour de moi, devenir froids. « J'étais là quand elle est morte, n'est-ce pas ? »

Papa s'écroule sur la chaise à côté du berceau de Toby.

« Tu aurais vraiment dû tout me raconter il y a longtemps, papa. »

Il tremble. « Ils ont dit que les médicaments qu'elle t'avait donnés ne laisseraient pas de séquelles. Ils m'ont dit qu'une fois que le plus difficile serait passé, tu t'en remettrais. »

Les médicaments. Quels médicaments ?

Il y avait une tasse. Une tasse couleur argent, luisante, qui reflétait le soleil. Pleine à ras bord de liquide brun.

Du chocolat, chérie. Du lait chocolaté. Bien chaud. Bois-le en entier, chérie. Bois-le en entier.

Sa voix pâteuse. Son haleine fétide.

Le liquide a empli ma bouche de chaleur et tapissé ma langue en glissant dans mes entrailles, comme si j'étais submergée dans un bain de chocolat. Je me suis allongée à côté d'elle, pelotonnée contre son corps froid. Elle m'a serrée contre elle, respirant dans ma nuque. Je m'étais déjà habituée à l'odeur de son vomi sur le plaid.

Maintenant tout va aller mieux. Tout ira bien.

J'étais avec elle. Bien sûr que tout irait bien.

Laisse-moi réparer ce que j'ai fait. Et pardonne-moi ce que je suis sur le point de faire.

Je lui pardonnais toujours. C'était ma mère. Je l'aimais plus que quiconque. Je pensais que je l'aimerais toujours.

Ma vision se brouille. Je pense que quelque part je l'ai toujours su. Que quelque part j'ai essayé de toutes mes forces d'oublier.

Je m'étrangle : « Comment elle a pu faire ça ? »

Papa laisse tomber sa tête sur sa poitrine.

« Je ne peux pas l'expliquer, Sasha. Elle était... malade. »

Mon corps me semble vide, comme un gouffre, comme les confins les plus reculés de l'espace.

« Et j'ai failli mourir ?

— Les médecins ont dit que c'était limite. »

J'ai l'impression que ce liquide sombre, bouillonnant, remonte en moi, écumant au bord de mes lèvres.

« Tu ne m'as pas protégée. Tu m'as laissée avec elle. Pourquoi tu n'as pas compris ce qu'elle allait faire ?

— Je suis tellement désolé. Je ne m'étais pas rendu compte que quelque chose clochait ce jour-là. Ce n'était pas comme de nos jours. On ne savait pas parler de ces choses-là. » Il enfonce sa tête entre ses mains.

Une alarme retentit plus loin dans la file de couveuses. Un instant plus tard, un essaim de blouses blanches entre dans la nursery. Le Dr Green ausculte le bébé avec son stéthoscope tandis qu'Ursula prend les opérations en main, donnant des consignes aux autres membres du personnel, le doigt tendu.

« Il devait bien y avoir des signes qu'elle n'allait pas bien », je marmonne.

Papa tourne son dos voûté à la scène qui se déroule devant nous, sans broncher.

« Moi, je trouvais qu'elle avait l'air normale. » Lorsqu'il sort la tête de ses mains, ses joues sont inondées de larmes.

« Je sais que j'aurais dû te le dire, mais comment veux-tu annoncer à quelqu'un que sa mère… ? J'espère juste que tu pourras me pardonner un jour. »

Les infirmières s'empressent d'emmener le bébé malade en salle de réanimation. En cet instant, je donnerais n'importe quoi pour m'évaporer dans l'air et m'enfuir par la fenêtre, dans le ciel. Je ne peux qu'espérer qu'un jour, dans le futur, je serai capable de me rappeler en détail comment c'était d'être tenue serrée dans les bras de ma mère quand elle ne faisait que me vouloir, et m'aimer.

QUATORZE ANS PLUS TÔT

MARK

Quand il est devenu clair que la chimiothérapie de Simon ne marchait pas, les médecins se sont mis en quête d'un donneur de moelle épinière. On avait parié sur son jumeau : moi. Mais lorsque les analyses sont revenues, il s'est avéré que je n'étais pas compatible. J'ai cru que mon cœur s'arrêtait de battre. Je l'abandonnais. Je ne pouvais même pas tenter de l'aider à s'en sortir.

Puis, au grand dam de ma famille, les médecins n'ont pas trouvé d'autre donneur.

La dernière fois que je suis allé rendre visite à Simon, il était dans sa chambre individuelle à l'hôpital, avec vue sur un parc verdoyant. À l'époque, je ne savais pas qu'ils donnaient la meilleure chambre aux patients en phase terminale.

« C'est fini, Marky Mark. Tu ferais bien de me faire tes adieux.

— Ne sois pas ridicule, ai-je répondu en me tordant les mains. Tu ne peux pas abandonner. Et la finale, au fait ?

— Saleté de Collingwood ! Ils ne seront jamais champions. En tout cas pas de mon vivant. » Il a gloussé à sa blague, qu'il trouvait excellente.

Il me paraissait encore relativement en forme, calé contre son oreiller, son visage pas tout à fait de la couleur du drap qui dissimulait son corps squelettique. S'il n'était plus là, je ne serais plus un jumeau. Je serais un enfant unique. Je n'aurais personne à protéger. Personne sur qui veiller. Rien ne serait comme avant.

« Ne dis pas ça, l'ai-je supplié.

— Je peux dire ce que je veux. Essaie donc de m'en empêcher. » Il a ri de nouveau, comme si c'était encore une blague.

« Tu ne peux pas baisser les bras. Ton heure n'est pas venue.

— Il y a un moment où il faut savoir dire que ça suffit. Un moment où c'est bien de lâcher. »

J'ai serré les poings.

« On n'en est pas là. »

Les paupières de Simon se sont fermées brusquement. J'ai cru qu'il faisait ça pour que j'arrête de le harceler. Par la suite, je me suis demandé si c'étaient les médicaments ; il souffrait énormément. En tout cas, je suis sorti de la chambre en trombe. Je n'étais pas prêt à le laisser partir.

Lorsque maman m'a appelé plus tard dans la soirée pour m'annoncer que c'était fini, mon visage s'est mis à me brûler. Les médecins ont dit qu'il était prêt à mourir. Il était en paix.

Peut-être était-il prêt. Je ne l'aurais jamais été. La chose que je regrette le plus, la chose que je donnerais n'importe quoi pour changer ? Je regrette de ne pas avoir été là pour entendre ses derniers mots. De ne pas avoir pu dire au revoir.

JOUR 6, JEUDI, DÉBUT DE SOIRÉE

Un bruit dense, harmonieux remplit ma chambre. Ce sont les femmes qui psalmodient en chœur dans le foyer, et leurs voix retentissent tout le long du couloir. Je devrais y être, mais j'ai commencé à faire mon sac, tablant sur la supposition qu'ils allaient tout de même me permettre de rentrer chez moi demain. Malgré ma montée de lait réflexe à la nursery et mes questions au Dr Solomon, je n'ai pas entendu dire que ma sortie n'était plus d'actualité. Peut-être que, comme je l'avais espéré, les soignants n'ont pas communiqué ; la bureaucratie de l'hôpital fonctionne en ma faveur, pour une fois. J'espère que ça restera le cas jusqu'à ce que je sois sortie pour de bon.

Aucune trace de moi sur les surfaces dures, luisantes de ma chambre : la table de chevet, le meuble télé, la table et la chaise. Le placard, c'est autre chose, et mes affaires, entassées au petit bonheur après la fouille frénétique de Mark, tombent sur le sol comme des entrailles s'échappant d'une plaie lorsque j'ouvre la porte.

Mon téléphone émet un bruit strident dans ma poche. Bec. Je garde un doigt hésitant au-dessus du bouton « répondre » jusqu'au dernier moment.

« Comment ça va, Sash ? Tu tiens le coup ?

— Pas terrible. Mon père t'a appelée ?

— Non, personne ne m'a appelée. »

Aujourd'hui, je comprends pourquoi Lucia s'est montrée si gentille avec moi. Tous les adultes avaient pitié de moi ; tout le monde devait avoir pitié de moi, forcément.

« Papa m'a enfin dit toute la vérité sur ma mère. » Je m'interromps. Je n'aurais jamais cru devoir un jour dire ces mots. « Tu savais qu'elle s'était tuée ? Et qu'elle avait essayé de me tuer aussi ? »

Bec pousse un petit cri étouffé. « Quoi ?

— Elle m'avait droguée, Bec. Elle voulait m'emmener avec elle.

— Mon Dieu ! C'est pas possible ! Pourquoi ? »

Je n'en ai pas la moindre idée. Je ne le saurai sans doute jamais.

Puis cela me revient, encore une chose que j'ai refoulée pendant toutes ces années. Lucia, léchant une larme de pâte sur une cuiller en bois, les yeux pétillants lorsqu'elle a pris le pot de sucre sur le plan de travail. J'avais confondu les cristaux blancs avec du sel.

« Des erreurs, ma chérie. Ne t'en fais pas. On en fait tous. Moi aussi. J'aurais dû mettre un terme à ma grossesse comme me l'avait suggéré Mario. »

Mais mettre un terme à sa grossesse, ça aurait signifié avorter de Bec. Ça ne peut pas être ce qu'elle voulait dire, si ?

« Ta mère aussi, a-t-elle ajouté en jetant la pâte sucrée à la poubelle. Elle trouvait qu'elle n'aurait pas dû avoir d'enfant. » Elle m'a attirée contre elle. « Mais crois-moi, Sasha, tu n'es pas une erreur. »

Toutes les nuits où je sanglotais dans mon oreiller après le départ de ma mère, Lucia venait me trouver. Elle envoyait mon père chez elle, la porte à côté, pour veiller sur Bec, et elle grimpait dans mon lit et m'entourait de ses bras, me pressait contre son corps épais et chaud, me chuchotait des mots que je ne comprenais pas. Elle sentait l'ail, le savon à la rose, et l'amour.

« Je crois que Lucia savait ce que ma mère a essayé de faire.

— Elle ne me l'a jamais dit. » La voix de Bec est comme un murmure. « Maman demandait toujours pourquoi je ne te ressemblais pas davantage. Elle t'aimait plus que moi.

— N'importe quoi ! » Lucia ne m'a jamais présentée comme sa fille. Lucia n'a jamais pris la place de ma mère. Je ne l'ai jamais appelée maman, même si j'aurais aimé.

« Tu étais sa fille unique. Elle voulait le meilleur pour toi. » Bec renifle. « Elle me manque, Sash. Tout le temps.

— Bien sûr. »

Et curieusement, malgré tout, ma mère me manque aussi.

Comme si elle lisait dans mes pensées, Bec souffle : « Ta mère t'aimait.

— C'est ça. C'est pour ça qu'elle a essayé de… tu sais.

— Sash, on est tous capables du pire. »

Ça, du moins, je veux bien le croire.

« Damien, je soupire. Je n'en reviens pas d'avoir fait ce que j'ai fait. C'est ma plus grosse erreur.

— Sash. Ce n'était la faute de personne. »

Techniquement, Bec a raison. Elle était dans la salle d'audience lorsque les conclusions de l'enquête ont été rendues, au bout de quelques semaines.

« J'espère que tu n'y penses plus, poursuit-elle. Tu ne te rappelles pas ? Le coroner a déclaré que sa mort n'aurait pas pu être évitée. Rien de ce que toi ou quelqu'un d'autre auriez pu faire n'aurait changé l'issue. C'est la faute à pas de chance : il a eu une maladie mortelle, et voilà. Tu n'y es pour rien. »

Il n'y a qu'un seul problème : Bec ne sait pas que mon erreur n'a pas seulement été de ne pas voir que son pronostic vital était engagé lorsque j'ai établi le diagnostic. Le pire, c'est ce que j'ai omis lorsque le coroner m'a interrogée.

« Sash, revenons au plus important : ton bébé. Ça progresse ? »

Je repousse Damien dans le fond de mon esprit, où il demeurera toujours.

« C'est de pire en pire, Bec. Ils ont installé des paravents autour de la couveuse de Gabriel, du coup je ne peux même pas le voir. Ils ont l'air de penser que je vais lui *faire du mal*. Et apparemment, il est toujours prévu qu'il sorte demain, et je ne peux pas supporter l'idée de ne pas le voir tous les jours. Je ne sais pas ce que je vais faire.

— Respire, Sash. Respire bien. Ça va aller. Je sais que ça a dû être extrêmement stressant d'apprendre la vérité sur ta mère. Et les suspects, ça avance ? »

Je respire un grand coup et passe mentalement la liste en revue.

« Brigitte, qui croit être la mère de Gabriel, et l'infirmière Ursula corroborent leurs versions respectives. Elles ont toutes les deux passé la matinée dans la nursery et elles n'ont rien remarqué de louche. Le Dr Solomon et le Dr Niles sont blanchis aussi. Et ce n'est pas Mark, bien sûr. »

Bec renifle bruyamment. « Je te l'avais dit.

— Donc il ne reste que le Dr Green. La pédiatre.

— C'est toujours la personne que l'on soupçonne le moins. Ou une simple erreur, comme tu le pensais au départ.

— Ou c'est juste que je suis folle.

— Ne va même pas envisager ça, Sash. Il faut que tu croies en toi. Apparemment, personne d'autre ne te croit. Sauf moi. Respecte le plan. Tout ira bien, d'accord ? Ensemble, quoi qu'il arrive, on va trouver une solution. »

Une fois que nous avons raccroché, je révise la liste des tâches dont il me reste à m'acquitter avant ma sortie. Numéro 1 : interroger le Dr Green sur son alibi la nuit de la naissance de Gabriel. Numéro 2 : ranger dans ma valise le sachet plastique contenant le cordon ombilical. Pour l'instant, il est caché dans mon soutien-gorge, aussi près de mon cœur que possible. Numéro 3 : me débarrasser de mon lait dans le congélateur. Je n'ai pas moyen de le rapporter à la maison à l'insu de Mark. De toute façon, Gabriel sera parfaitement capable de prendre le sein lorsque je le récupérerai. J'ai accompli mon but, à savoir d'empêcher mon lait de se tarir, donc je n'ai plus besoin des récipients congelés. Numéro 4 : dire au revoir à Ondine. Elle est plus qu'une relation, maintenant. Je n'hésiterais pas à dire que c'est une amie.

Tandis que j'attends le Dr Niles, les rideaux de ma chambre s'agitent dans la brise du soir. Il y a quelque chose qui ne va pas tout à fait dans les fleurs imprimées sur le coton blanc : les œillets et les violettes ne fleurissent jamais à la même saison.

Le Dr Niles apparaît enfin sur le seuil, son téléphone dans une main, son stylo-plume dans l'autre. Elle s'assoit sur la chaise sous la fenêtre.

« Comment ça va, Sasha ?

— Bien. » Je commence à me ronger les ongles mais m'interromps aussitôt. « Pas de souci.

— Vous devez être contente que Toby aille si bien.

— Oui, très contente. » Je me force à sourire.

Elle part dans un laïus sur une étudiante en médecine il y a plusieurs années, une ancienne patiente. Les fleurs sur le rideau ondulent dans le vent jusqu'à ce que le mot *suicide* vienne piquer mes oreilles.

« … J'ai réalisé que c'était juste sous mes yeux, mais que je n'avais rien vu. » Le Dr Niles me jette un regard dur, et ses yeux couleur ambre deviennent plus foncés. « Vous avez eu des idées suicidaires depuis que vous êtes avec nous, Sasha ?

— Non.

— C'est juste que, étant donné votre histoire… Et d'après ce que j'ai compris, vous avez eu un épisode il y a environ dix ans ?

— Qui vous a raconté ça ? »

Mark. Il m'a encore trahie. Je lui faisais confiance pour ne pas communiquer ça aux médecins. Il aurait dû savoir que le fait de révéler ma tentative de suicide à une professionnelle risquait de peser auprès de l'ordre des médecins – plus encore qu'un diagnostic de psychose post-partum – et d'affecter profondément ma carrière.

« La personne qui vous l'a dit s'est trompée, en tout cas.

— Alors vous n'avez jamais pris d'antidépresseurs non plus ?

— Eh bien, si. Ça, si. » Une fois de plus, elle a omis de mettre du fond de teint sur un rond pâle de peau, au niveau de sa tempe. « Après une tragédie. »

Le Dr Niles met sa main sur son menton. « Un enfant qui est mort. »

Un sanglot gronde en moi, mais je le refoule. « Un bébé. »

Le Dr Niles vient me rejoindre sur le lit et pose sa main sur la mienne.

« Ça va, dis-je en me redressant avec un sourire forcé. Ça s'est passé il y a tellement longtemps. »

Elle me fixe d'un regard insistant et retire sa main.

« Vous n'êtes pas la seule à avoir commis une erreur. Ça nous arrive à tous. Même aux meilleurs d'entre nous.

— J'ai eu tort. » C'est difficile à dire à haute voix. « Et je ne crois pas pouvoir jamais me le pardonner. »

Une fois que le coroner a rendu ses conclusions, une fois que j'ai été blanchie, je suis demeurée figée sur mon siège. Si je restais comme ça, immobile, sans un geste, je pouvais prétendre être une parente du défunt, ou une inconnue qui s'intéressait à l'affaire. Pas le médecin responsable de la mort de Damien. Dans toute cette confusion, j'avais oublié pour qui je faisais semblant. Était-ce pour sa famille, ou pour moi ?

Le Dr Niles se tourne vers moi. Des rides profondes soulignent ses yeux, héritage de tout ce qu'elle a vu. Le fait d'aider d'autres patientes l'a-t-elle aidée à surmonter ce suicide dont elle a parlé ? Fais-je partie de sa guérison ?

« Vous savez, avoir de la compassion pour soi-même, ça se travaille. C'est l'une des choses les plus difficiles à apprendre. Pour un médecin. Pour n'importe qui. »

Je croise les bras et mens :

« Ça va, je vous assure, ça va. Je n'y pense pratiquement plus.

— Hmm-hmm. Et je suppose que vous prenez bien votre traitement tous les jours ?

— Bien sûr. » J'essaie de prendre l'air choqué.

« Et ça vous aide ?

— Je suppose.

— Vous pensez que Toby est votre bébé. »

C'est une affirmation, pas une question, et je sais la réaction qui convient.

« Absolument.

— Et vous n'avez pas envie de vous faire du mal ?

— Bien sûr que non.

— Vous me le direz, si ça change ? Je ne veux pas réitérer mes erreurs passées.

— Moi non plus. » Je lui fais un bref sourire complice. C'est incroyable, ce que sont prêts à voir les médecins quand ça leur chante : un succès, une rédemption réussie. Et bien sûr, en tant que médecin, le Dr Niles se reconnaît en moi.

« Il faut aussi que je vous prévienne, Sasha... Ne vous alarmez pas si vous commencez à éprouver le désir d'être auprès de votre bébé en permanence. »

Elle entreprend de décrire l'instinct maternel primaire, un état psychologique bien connu dans lequel la mère et l'enfant se fondent en l'équivalent d'un seul être durant une brève période immédiatement après la naissance, un stade où la mère est en phase avec le moindre besoin de son bébé. Sa manifestation en sera peut-être différée pour moi, explique-t-elle, mais je dois quand même m'attendre à ce que ça arrive.

Ma mère s'est trouvée dans une position similaire, séparée de moi alors que je n'avais que six mois. Lui ai-je manqué, lorsque nous étions éloignées l'une de l'autre ? Ou était-elle soulagée d'être libérée des exigences sans fin d'un nourrisson ? Peut-être est-ce son séjour en hôpital psychiatrique qui l'a convaincue qu'elle ferait mieux de m'emmener avec elle dans la mort.

Le Dr Niles me couve d'un regard bienveillant, comme si elle comprenait. Peut-être que c'est le cas, après tout. Elle se lève et lisse sa jupe.

« Je vais rassurer votre mari, et lui dire que vous allez bien. Il s'inquiète pour vous. »

À la fenêtre, les rideaux se gonflent soudain, et nous sommes toutes deux distraites un instant.

Le Dr Niles s'apprête à partir, mais elle fait une pause à la porte.

« Vous vous en sortez très bien, Sasha. Les membres du personnel soignant avec qui je me suis entretenue me l'ont confirmé. Vous avez fait des progrès énormes, et en moins d'une semaine. Je suis contente d'autoriser votre sortie pour demain. Je vais prévenir les infirmières. »

Je m'efforce de sourire. J'ai dû garder en moi tant de choses pour tromper mon entourage, pour qu'on me perçoive comme saine d'esprit.

Le Dr Niles appuie la main contre le chambranle. « Vous serez ravie d'apprendre qu'étant donné que vos symptômes se sont résorbés si vite et n'ont pas eu d'effet sur votre travail médical, je n'ai pas l'obligation de signaler votre admission au Conseil de l'ordre. Et nous avions toutes les deux raison, au fait. J'ai vérifié. Les jonquilles sont une variété de narcisses.

— La saison est presque finie.

— Oui, mais je les sens encore quand je passe devant les fenêtres ouvertes. Sans doute est-ce mon imagination. Quoiqu'il y ait des parfums plus persistants que d'autres. »

Elle me fait un petit salut de la main et éteint la lumière en quittant la pièce.

Je continue de sourire jusqu'à ce que le bruit de ses pas s'évanouisse au loin, puis je laisse retomber les coins de ma bouche. Je tire les rideaux pour voir une tranche de ciel nocturne. La nouvelle lune brille pour moi dans la pénombre.

JOUR 7, VENDREDI MATIN

En arrivant à la nursery ce matin, j'ai un plan en tête. Avant de rentrer chez moi, j'ai besoin de prendre mon fils dans mes bras. Je me dois de prendre ce risque, car je ne sais pas quand l'occasion se représentera.

La couveuse de Gabriel est toujours entourée de paravents, mais cette fois ils ne sont pas complètement fermés. Lorsque je l'entraperçois sous les lumières turquoise, dans l'interstice entre les panneaux de tissu, mes mamelons se mettent à me picoter, et une montée chaude de lait se met à se répandre dans mon soutien-gorge. Le liquide imprègne mon tee-shirt, mais après ce qui s'est passé hier, j'ai compris l'importance de m'habiller en noir.

Ursula, penchée sur un bébé dans un berceau ouvert à l'autre bout de la nursery, est la seule personne en vue lorsque j'y jette un coup d'œil ; les autres infirmières doivent être en train de faire les transmissions. Je retourne auprès de la couveuse de Gabriel à pas de loup et regarde par la fente. À l'intérieur, personne, à part lui. Je me glisse derrière les paravents. Par un mince espace entre les panneaux, j'ai une vue dégagée jusqu'au bureau des infirmières. J'aurai largement le temps de sortir de là si quelqu'un arrive.

Gabriel est immobile, la bouche retroussée en un sourire imperceptible, les paupières closes, ses longs cils effleurant ses joues de chérubin. Il est difficile d'évaluer l'état de sa jaunisse sous les lampes bleues. J'avance la main pour écarter ses orteils. S'il a les pieds palmés, ce sera un élément de preuve supplémentaire, qui forcera Mark lui-même à se remettre en question.

Encore une fois, avant que j'aie le temps de vérifier, il y a un grincement et quelqu'un écarte brutalement les paravents. Le visage rasé de frais de Mark apparaît entre les panneaux.

« Je t'ai cherchée partout. » Il baisse les yeux sur Gabriel, puis sur moi, les mains passées dans les hublots, posées sur les pieds de Gabriel. Sa bouche s'ouvre grand et se referme comme celle d'un poisson rouge.

« Bon sang, mais qu'est-ce que tu fous ? »

Je retire vivement mes mains de la couveuse et referme les hublots. « Rien. » Je pousse Mark et sors dans la partie ouverte de la nursery.

Mark rabat violemment les panneaux et se met à faire les cent pas devant moi. On dirait un fauve en cage : un lion, peut-être.

« Je croyais que tu avais compris que tu ne devais pas t'approcher de Jeremy.

— Ce n'est pas ce que tu crois. »

Il continue son manège, marmonnant dans sa barbe.

« Tu n'es pas forcé de le répéter. Je n'ai rien fait de mal. »

Il s'arrête net. « Combien de fois tu t'es postée à côté de son berceau ? Combien de fois tu l'as touché ?

— C'est la première fois. »

Il se remet à arpenter le couloir, la main sur le front.

« Je t'en prie, ne le dis à personne. »

Il s'arrête et me dévisage comme si je représentais une menace. Un frisson me parcourt tout le corps, de ma poitrine à mes pieds, qui sont figés par terre.

« Je t'en prie, n'en parle pas. *Je t'en prie.* »

Son corps est tout raide.

« C'était une erreur.

— Une erreur. » Les plis autour de son nez et de sa bouche se transforment en crevasses.

Il ne me croira pas tant que je n'aurai pas de preuve irréfutable. La seule chance qu'il me reste, c'est d'essayer de mentir.

« Jeremy pleurait toutes les larmes de son corps, les infirmières étaient occupées et personne ne l'aidait, ce pauvre bébé, et je me suis dit que c'était le moins que je puisse faire pour donner un coup de main à Brigitte et...

— Tu n'essayais pas de lui faire du mal, n'est-ce pas ?

— Bien sûr que non ! » Comment peut-il seulement l'envisager ?

« Tu ne peux pas refaire un coup pareil. Tu comprends ? » Il referme brusquement la bouche à l'approche d'Ursula.

« Il y a un problème, ici ? » Ursula tire sur le col de sa blouse en s'adressant à Mark. Il lui fait un mince sourire.

« Sasha me disait que Toby était en pleine forme. » Il ne me regarde pas. « N'est-ce pas, chérie ?

— Oui. Il va vraiment bien. »

Ursula retourne dans le fond. Mark, les jointures blanchies sur la barre métallique de la couveuse, regarde Toby comme s'il était un bijou inestimable.

« Il faut que tu me croies, Sash. Toby est notre fils. Ce truc qu'il fait avant d'éternuer. » Il lève les yeux, fronce le nez. « Et ce pli sur son front. » Il montre l'espace entre mes sourcils. « Tu as le même. » Il me fixe, ses pupilles tels des tunnels noirs qui ne mènent nulle part. « S'il te plaît, promets-moi que tu ne ferais jamais de mal à un bébé.

— Tu ne me demanderais pas ça si tu m'aimais vraiment.

— Tu ne comprends pas, n'est-ce pas ? » Sa voix est douce, d'un calme terrifiant. « Je t'aime, oui. C'est pour ça que j'ai menti, pour ça que je t'ai dit que j'étais resté tout le temps avec lui après l'accouchement. »

Ursula a les yeux tournés vers nous, cependant ce n'est pas nous qu'elle regarde, mais la fenêtre à côté de la couveuse de Toby, où des grêlons aussi gros que des balles de golf se sont mis à tomber.

« Je n'ai pas eu le droit d'entrer dans la salle d'opération, poursuit Mark, observant l'averse de grêle. Ils m'ont fait attendre dehors, alors je suis monté directement à la nursery. Dès qu'il est arrivé ici, je suis resté avec lui, pendant la réanimation, pendant tout le reste. Je ne l'ai pas laissé tout seul. »

Je ne sais plus qui croire.

« C'est toi qui m'as fait interner ? Tu voulais que je sois enfermée là pour que tu puisses tranquillement devenir associé dans ton restaurant sans avoir à te prendre la tête avec ta femme cinglée ? Comme ces maris d'autrefois, qui mettaient leur femme à l'asile quand ils en avaient assez d'elle ?

— Là, tu débloques complètement, dit-il, serrant sa prise sur la barre. J'ai fait tout ce qui était en mon pouvoir pour te faire sortir d'ici. »

Dehors, dans la rue, les voitures freinent sous la grêle. Le temps lui-même s'est ralenti. Nous sommes entrés dans un univers parallèle où les choses ne sont pas telles qu'elles devraient être. Puis la grêle s'arrête. Voletant, tourbillonnant, s'élevant dans l'air avant de retomber en vrille sur le bitume, des flocons de neige ; un événement extrêmement rare au cœur d'un printemps si doux.

« Et si tu as tout dit sur moi au Dr Niles, c'est aussi parce que tu m'aimes, c'est ça ? »

Mark secoue la tête. « Qu'est-ce que tu vas chercher ?

— Tu lui as parlé de Damien. Tu lui as dit que j'étais suicidaire. Que j'avais entendu parler les fœtus. Quel besoin avais-tu de tout lui raconter ? »

Les flocons maintenant drus s'amassent sur le toit de l'arrêt de bus, le sentier bétonné et la route avant d'être écrasés et transformés en boue par les voitures qui passent.

« Je ne lui ai rien dit du tout. À part pour les fœtus. Elle m'a tiré les vers du nez. » L'expression de Mark se fond dans toutes les autres versions de son visage ; les fois où il m'a gratifiée de son sourire figé, les fois où il a évité mon regard.

« Tu as toujours su pour ma mère, avoue-le.

— Sash, *je t'en prie*. Je ne sais vraiment pas de quoi tu parles.

— Je ne peux plus croire un mot de ta bouche. »

Mark referme les hublots de la couveuse. Son visage est si contracté qu'il a pris une forme que je ne lui ai jamais vue auparavant, au-delà de l'inquiétude ou de l'agacement, à la limite du dégoût.

« Je suis censé te ramener à la maison ce matin. » Il jette un regard aux paravents de Gabriel. « Je pense que je ferais bien de te laisser un peu de temps pour t'éclaircir les idées. »

Il ne sait pas la moitié de ce que j'ai dans la tête.

Une fois Mark parti, j'examine Toby. Il ne bouge pas. Ses membres sont d'un blanc crémeux, sa respiration rapide et superficielle. Ses yeux papillotent dans la lumière faible. Est-il trop immobile ? Y a-t-il quelque chose qui ne va pas ?

J'inspecte les graphiques. Je ne suis pas satisfaite par les résultats qui y figurent. Il y a une variabilité de sa température et de son pouls. Un accroissement subtil – je comprends pourquoi il a échappé aux infirmières – mais réel.

Le Dr Green, la pédiatre, prend des notes au bureau des infirmières. Je ne lui ai pas vraiment reparlé depuis dimanche, quand elle a refusé les analyses ADN. Je l'appelle. Ses talons claquent sur le sol jusqu'à ce qu'elle s'arrête devant le lit de Toby, ses cheveux retombant en mèches bien nettes, droites. Son parfum floral agréable me chatouille les narines.

« Il y a un problème ? »

Je lui montre les graphiques et indique les fluctuations, les anomalies.

« Je me suis dit qu'il fallait que vous le sachiez. »

Elle suit les courbes des diagrammes du bout du doigt. Puis elle ouvre la couveuse de Toby, lui palpe l'abdomen, pose son stéthoscope sur sa poitrine. Lorsqu'elle a terminé, elle relève les yeux sur moi.

« Vous venez juste de remarquer ces... irrégularités ? »

Je fais oui de la tête.

Le Dr Green prend la feuille et retourne au poste des infirmières où elle décroche le téléphone. J'étais censée l'interroger sur son alibi et ses mobiles, mais je ne peux pas trop le faire maintenant. Toby a besoin de quelqu'un à ses côtés. Lucia n'était pas ma mère biologique, elle n'en a pas moins été présente pour moi. Je peux être présente pour Toby ce matin. Il est innocent dans toute cette affaire, et il a besoin de quelqu'un pour l'aimer aujourd'hui.

Je baisse les yeux sur la couveuse. La poitrine et l'abdomen de Toby semblent fonctionner de manière désynchronisée, avec l'un qui inspire pendant que l'autre expire. Respiration paradoxale. C'est mauvais signe.

Après Damien, j'ai cessé de faire confiance à mon instinct en matière de maladie. J'ai décidé que l'intuition n'était pas mon point fort. Dépourvue de confiance en mes capacités, chaque fois que j'ai été de nouveau confrontée à un enfant malade, j'ai demandé des analyses, des radios, des scanners en veux-tu en voilà. Si j'ai abandonné la pédiatrie, c'est que j'ai réalisé que les analyses n'avaient pas le pouvoir de me protéger de moi-même.

Mais revenons à Toby ; il n'est pas comme hier. Il a l'air malade. Le Dr Green revient, les joues pâles cette fois.

« On va l'emmener en salle de réanimation. Il faut que je lui pose une perfusion, que je lui fasse une prise de sang, et que je le mette sous antibiotiques. On aura plus de place là-bas. »

Poser une perfusion, faire des analyses de sang, commencer les antibiotiques ; c'est ce que j'aurais dû faire pour Damien.

Mais non, je l'ai envoyé chez lui – et à sa mort. À cette époque, j'étais certaine que je ne pouvais pas me tromper.

Le Dr Green soulève Toby et me le passe.

« Portez-le, vous. » J'ai le sentiment que ça fait bien trop longtemps que je ne l'ai pas pris dans mes bras. Sa peau est moite et froide. Je pourrais facilement le tenir d'une main, mais je le cale sur mes deux bras pour soutenir sa colonne. Ses bras et ses jambes pendent comme ceux d'une poupée de chiffon. Je presse sa petite carcasse contre moi pour le réchauffer.

Le Dr Green marche à côté de moi. « Je me rappelle à quel point c'était dur, de voir d'autres bébés en difficulté alors que l'état de ma fille s'améliorait. Mark vous a dit que j'avais eu un enfant prématuré ? »

Je fais oui de la tête, me rappelant le jour de mon internement.

« Cassie. Vous imaginez que je me sentais coupable quand elle allait bien ? » Elle marque une brève pause. « Je me sentais coupable pour tout, à l'époque. Je m'étais même convaincue que l'accouchement prématuré était ma faute. Il m'a fallu plus longtemps que je ne l'aurais cru pour cesser de m'auto-flageller, pour accepter que c'était le hasard. Que ça arrive. Que ce n'était pas du tout ma faute. »

La salle de réanimation est cachée derrière une porte coulissante opaque. J'espérais ne jamais me retrouver dans cet environnement. La plupart des murs sont entièrement couverts d'étagères d'équipements : seringues, aiguilles, masques, boîtes de médicaments. Tout ce dont un bébé malade est susceptible d'avoir besoin. La couveuse de réanimation, constellée de boutons et d'interrupteurs divers, est au milieu de la pièce, contre un mur. Deux bombonnes sont fixées à l'arrière, prêtes à envoyer de l'oxygène ou de l'air au bébé malade. Une lampe à infrarouge plane au-dessus de la couveuse comme un hélicoptère d'urgence. Je n'ai pas travaillé en pédiatrie depuis des années ; je ne serais plus en mesure de réanimer Toby selon les normes en vigueur. Il est entre les mains du personnel soignant, dorénavant.

Le Dr Green piétine entre les étagères, ouvrant des sachets plastique, préparant une canule sur un plateau. J'étends Toby sur le matelas de la couveuse de réanimation. La lampe à infrarouge est réglée au maximum et sa chaleur me picote les avant-bras tandis que je lui caresse la tête. Sur le mur, des organigrammes détaillent les étapes de la réanimation. Un tableau blanc montre encore les doses administrées au dernier bébé qu'ils ont ramené d'entre les morts, et le timing.

Le front du Dr Green est plissé par l'inquiétude, et ses mains tremblent imperceptiblement tandis qu'elle prépare l'intraveineuse. « J'aurais bien aimé que quelqu'un puisse me donner un bébé en bonne santé, plutôt qu'un prématuré. » Son parfum floral riche se mêle à sa transpiration dans la salle exiguë. « Ce n'est juste pour personne de devoir souffrir comme ça : ni les parents, ni les bébés. C'est pour ça que je fais ce métier, vous savez ; pour soulager la souffrance des autres. »

Elle me passe un petit tube de liquide transparent. « Donnez-lui ça pendant que je lui pose la perf. C'est de la saccharose. » Elle se penche sur Toby et prend son bras minuscule ; il n'est pas plus épais que son pouce. Ses doigts laissent des traces blanches sur sa peau lorsqu'elle lui retourne le poignet. Ses veines se muent en traits mauves, qui ressortent. Je mets une main à plat sur sa poitrine pour le maintenir, et de l'autre, je fais couler la saccharose dans sa bouche. Malgré la chaleur de la lampe, il est tout froid. J'entoure son poignet de ma main. Sa bouche s'ouvre et se referme tandis qu'il avale le liquide sucré, à bout de souffle. Le Dr Green tapote une veine saillante du bout des doigts, puis enfonce l'aiguille. Toby pousse un petit cri.

« Tout va bien », dis-je, une couche de sueur perlant sur mon front. Mon pouls s'est emballé.

Les cris aigus de Toby résonnent dans toute la pièce. Mes doigts tressautent et se contractent, mais je ne relâche pas ma prise sur sa poitrine ou le tube de saccharose.

Enfin, l'aiguille disparaît, remplacée par un capuchon vissé et le tuyau de la perfusion. Le Dr Green remplit quelques minuscules tubes du sang rose de Toby, les larmes aux yeux. « J'ai toujours voulu une grande famille, vous savez. Dès que Cassie est née, j'ai été obsédée par l'idée d'avoir aussitôt un autre enfant. Je crois que c'était en partie pour me prouver et prouver aux autres que j'étais capable de le faire correctement la fois suivante. Mais quand j'ai vu ce qu'a dû endurer Cassie en néonat, j'ai trouvé qu'un seul enfant, ça suffisait. »

Toby gémit doucement maintenant, et ses pleurs s'élèvent et retombent comme un grand orgue. Un pli profond, familier, se forme entre ses sourcils tandis que le Dr Green attache son bras à une attelle. Sentant son cœur nerveux contre ma paume, ma tête se met à tourner et mes pieds semblent se dérober sous moi. Je lâche sa poitrine et quitte la salle à la hâte, ne sachant plus de quel côté m'enfuir.

La nursery est vide ; pas de personnel, pas de visiteurs en vue. Dehors, des flocons de neige tombent toujours. Je me glisse de nouveau derrière les paravents pour voir Gabriel, endormi dans sa couveuse. Sa peau est d'un bleu fluorescent sous les lampes. J'appuie mon front contre le Plexiglas. Il est de plus en plus potelé, son visage s'arrondit, des petits bourrelets se développent au niveau de ses poignets. J'ouvre l'un des hublots et avance la main pour toucher sa peau.

« Je le savais. »

Ursula. Ses épaules sont remontées jusqu'à ses oreilles, on dirait un serpent prêt à attaquer.

« Vous savez parfaitement que vous n'avez pas le droit de vous approcher de ce bébé. » Elle s'avance, un stéthoscope noir se balance sur sa poitrine tel le pendule d'un hypnotiseur. « J'étais très favorable à vous laisser créer un lien avec Toby. Je pensais que vous aviez toutes les chances de vous rétablir, Sasha. Je vous ai même défendue quand les autres infirmières voulaient vous interdire l'accès de la nursery. » Elle fixe Gabriel. « Mais cette fois, vous êtes vraiment allée trop loin. »

Une main sur mon épaule, Ursula me pousse hors de l'espace clos, vers la sortie de la nursery. Elle me fait passer la porte et m'assoit de force sur une chaise dans le couloir, à côté d'une fougère en plastique.

« Attendez là. »

En face de moi, des photos de bébés nés à l'hôpital couvrent un panneau en liège, une masse de visages joufflus, de doubles mentons et de grands yeux. Les bébés que je connais ne sont pas parmi eux. Pas encore, du moins.

Toby, dans la nursery, ses aliments passant dans son nez et son estomac par un tuyau, manipulé jour et nuit par des inconnus.

Gabriel, avec la femme assise à côté de sa couveuse jour après jour, qui croit qu'il est son fils, et l'appelle par un prénom qui ne lui va pas.

Enfin, moi, moi portant Gabriel contre mon cou, inhalant l'odeur sucrée de sa peau.

Trois bébés, quatre noms : Damien, Gabriel, Jeremy, Toby. Seul l'un d'entre eux est le mien.

Le pli entre les sourcils de Toby, celui dont Mark est convaincu que j'ai le même ; ça ne peut pas être génétique, si ? Il n'est tout de même pas envisageable que Toby soit mon fils ?

Depuis le début, le Dr Niles a dit qu'elle avait vu des femmes avec des réactions semblables à la mienne, en particulier après une naissance traumatisante. Elles font de la dissociation, elles ont du mal à établir un lien avec leur bébé. Je n'ai pas l'impression que Toby est à moi. Or j'ai essayé, non ? Essayé de l'aimer, essayé de ressentir quelque chose pour lui. Rien.

Je compte le nombre de fois où je l'ai tenu dans mes bras à proprement parler. Une. Une fois en sept jours.

Peut-être que c'est ce qu'ils ont dit : ça pourrait être ma faute. Peut-être que je n'ai pas fait suffisamment d'efforts.

Si Toby était mon fils, je pourrais m'arranger des reproches silencieux de Mark. Et je pourrais apprendre à vivre avec mon erreur monumentale.

Qu'est-ce que je suis censée faire, bon sang ?

La porte de la nursery crisse comme un chien qui gémit en s'ouvrant et se refermant sur ses gonds. Il n'y a pas de réponse à la question dans ma tête, ou dans mon cœur. Quant à Damien, cela fait maintenant des années que je le porte avec moi, me réveillant de mes cauchemars en griffant l'édredon. Mark a cessé de me demander pourquoi.

Dans la salle d'audience du coroner, j'ai dit que je ne me souvenais pas de la lésion derrière l'oreille de Damien. Mais en fait si. J'ai examiné cet endroit le soir précédant sa mort, tenté de le faire blanchir en appuyant dessus du bout de mon index. Mais il ne blanchissait pas. La rougeur était encore là lorsque j'ai retiré ma main de sa peau. J'ai attribué le phénomène à une tache de naissance que ses parents n'avaient pas remarquée. Il n'en avait pas d'autre – j'ai bien vérifié – et une lésion unique ne justifiait pas de demander des examens supplémentaires, c'était du moins ce que je croyais alors. J'avais appris en fac de médecine que les éruptions à méningocoques étaient toujours la dernière chose à apparaître avant la mort, or Damien n'avait pas l'air d'être sur le point de mourir – pas ce soir-là, en tout cas.

Mais le plus gros problème n'est pas le fait que j'avais sous-estimé la signification de la lésion. C'est ce qui s'est produit ensuite.

Le coroner m'a interrogée sur cette tache. Je me suis figée. Mon incompétence était mise en évidence par cette audience, exposée aux yeux de ses parents, des médias, des inconnus assemblés là, et de moi-même. J'ai eu le sentiment que je n'avais pas le choix. Ma réponse retentit dans ma tête toutes les nuits depuis ce jour-là, ma voix faible, métallique.

Je ne me rappelle pas.

« Je suis tellement désolée, Damien », je murmure dans le couloir chaud et humide. Les mots restent suspendus en l'air, autour de ma tête, mais lorsque le visage solennel de Toby se présente à moi, si semblable à celui de Damien, je me demande s'il se peut que Damien soit prêt à me laisser tranquille. Et je prie pour accepter Toby – le fils que je pourrais bien avoir rejeté parce qu'il me rappelait Damien, et mes erreurs – à sa place.

Tandis que la porte de la nursery s'ouvre et que le Dr Green se plante devant moi, le visage grave, je comprends tout : tout ce que j'aurais dû savoir depuis le début, ce que je n'ai plus besoin d'analyses pour confirmer. Ce que j'ai refusé de croire.

Encore une chose à ajouter à ma longue liste d'erreurs.

Mon cœur se contracte et se relâche sous mes côtes. Je me laisse glisser de la chaise en plastique et tombe à genoux, incapable de porter mon propre poids, mais le Dr Green s'est précipitée vers moi et m'a rattrapée avant que je m'étale de tout mon long.

Le revêtement du sol sous mes genoux est sale, constellée de vieilles taches sombres. Je frissonne. Il n'est pas trop tard. Certaines femmes mettent des mois, voire des années, pour établir un lien avec leur bébé. Certaines n'y arrivent jamais. Il me faudra peut-être affreusement longtemps pour apprendre à aimer Toby. Mais au moins, comme ça, nous aurons tous les deux une chance.

Je me relève tant bien que mal.

« J'ai besoin de voir Toby, je m'écrie. J'ai besoin de le prendre dans mes bras. Je vous en prie. Vous devez me laisser le voir. »

Le Dr Green secoue la tête. « La maladie de Toby a soulevé certaines questions, dit-elle. Nous allons devoir vous demander de vous abstenir de lui rendre visite pour l'instant, j'en ai peur.

— Je vous en prie. Je n'ai rien fait à Toby. Je vois bien que je me suis trompée. Si je peux seulement le prendre dans mes bras...

— Je suis navrée, me coupe le Dr Green. Vraiment navrée. Mais pour le moment, nous n'avons pas le choix. »

Elle me guide vers l'ascenseur, après le lavabo en longueur.

« Nous vous ferons savoir quand vous pourrez revenir. »

Mes genoux sont tellement faibles que j'ai l'impression que je vais m'écrouler. Ce n'est pas possible ; pas quand j'ai enfin découvert la vérité. J'ai fait tant de choses de travers. Mais je ne suis pas ma mère. Je n'ai pas volontairement fait du mal à Toby. Je peux aimer mon fils et être une meilleure mère que je ne l'aurais espéré de moi, une meilleure mère que la mienne. J'espère de tout mon cœur qu'il n'est pas trop tard pour lui, et pour moi. Mes jambes commencent à se dérober sous moi.

Je sens une main sous mon aisselle, qui me retient.

« Il est temps de rentrer, Sash », dit Mark.

Pour la première fois depuis longtemps, il est là au moment où j'ai le plus besoin de lui.

JOUR 7, VENDREDI FIN DE MATINÉE

Lorsque Mark m'aide à monter dans la voiture devant l'entrée principale de l'hôpital, je sens un creux dans ma poitrine. Je ne devrais pas m'en aller, pas quand une partie de moi reste ici.

Le trajet du retour se fait en silence. Mark passe un nouveau CD de jazz expérimental qui me donne envie de hurler. Une fois que nous arrivons dans les faubourgs, je promène mon regard sur les bas-côtés de la route, où s'accumulent encore des poches de neige qui fondent au soleil printanier réapparu derrière les nuages d'orage. Par endroits, des cadavres d'animaux s'alignent sur le bitume, si putréfiés qu'ils n'en sont plus reconnaissables, dévorés par les insectes jusqu'à ce qu'il n'en reste que des petits tas d'os et de fourrure. Je me demande ce que ferait Mark si nous croisions un animal blessé ; s'il me demanderait de l'aider à sauver la vie de la bête. L'idée d'un bébé kangourou suçant une mamelle, sans pouvoir en tirer suffisamment de liquide pour se maintenir en vie tandis que le corps de sa mère refroidit peu à peu, m'est insupportable.

Dans le rétroviseur, le siège bébé que nous avons installé il y a des semaines repose à l'arrière telle une boîte d'œufs vide.

« Mark ? » J'ai le sentiment de lui devoir une explication. Il hoche la tête.

« Ça t'a rendu les choses très difficiles, n'est-ce pas ? »

Nous quittons le bitume et nous engageons sur le chemin de terre, des cailloux cognent le dessous de la voiture et les suspensions tressaillent sous nos fesses.

« Je pensais que ça se passerait autrement.

— Moi aussi », dit-il.

Les éoliennes sur les collines au loin tournent à toute vitesse comme des fouets de cuisine. Nous passons devant le fil à linge d'une ferme, où un drap-housse se gonfle dans le vent. Puis la maison avec la cour pleine à craquer de voitures rouillées, de châssis de tracteurs et de ferrailles en tout genre. Je monte le chauffage et allonge mes jambes sous le tableau de bord. Nous sommes tout près de chez nous. Il faut que je le dise maintenant, avant qu'il ne soit trop tard.

« Quelque chose s'est passé après ton départ... » Mais il est trop difficile de tout expliquer en quelques mots. « Je suis désolée d'avoir fait de ta vie un enfer. Je pense que je me suis trompée. Je pense vraiment que Toby est notre bébé. On va pouvoir le voir bientôt, n'est-ce pas ? Ils nous autoriseront de nouveau l'accès à la nursery ? J'ai besoin de le prendre dans mes bras. Il va s'en sortir, pas vrai ? »

Mark pousse un soupir et ses mains se relâchent sur le volant. « Je vais retourner voir Toby cet après-midi. Le Dr Green a l'air de penser que ça va aller pour lui. Avec un peu de chance, ils vont te laisser le revoir très bientôt. Tout ira bien. » Je crois qu'il se parle à lui-même plus qu'à moi.

Les pétales de cerisier se froissent sous les pneus tandis que nous tournons dans notre allée pavée de pierre blanche. La tempête de neige n'est pas arrivée jusqu'ici. Notre maison me semble étrangère après la semaine passée au loin, avec ses auvents dentelés et ses poteaux sculptés sur la terrasse, son style édouardien bien net, beaucoup trop élégant pour la zone forestière où nous vivons, comme transportée du centre-ville sur la remorque d'un camion et déposée au milieu du bush. Nous sommes entourés d'arbres de tous côtés, et la maison est invisible depuis la route. « Située dans une clairière magique », a proclamé l'agent immobilier. « Un piège mortel en cas de feu de brousse », a corrigé Mark. J'ai insisté pour que l'on saute tout de même sur l'occasion, emballée par le fantasme d'une retraite au cœur du bush, comme si la sérénité pouvait s'acheter, ou même se posséder.

Mark a passé les cinq premières années à se plaindre de l'installation électrique, du plancher abîmé, des plafonds inclinés. « Les vieilles maisons », marmonnait-il en se glissant dans la bouche d'égout. Il préfère les habitations modernes : lignes épurées, toits droits, tout bien dans l'ordre et maîtrisé.

Moi, j'aime les maisons qui ont une histoire. Une atmosphère. Je pouvais presque sentir la présence des gens qui avaient habité là avant nous. Je n'aurais pas pu rêver mieux. Après huit ans, je m'y sens chez moi.

Une fois à l'intérieur, je remarque que des petits tas de poussière et de cheveux ont été poussés tout le long du couloir. Ça doit être Mark. Il n'a jamais compris l'utilité de passer l'aspirateur ou le balai avant la serpillière. Je jette un coup d'œil à la statuette de femme enceinte sur la table de l'entrée. Je m'en suis fait cadeau au début de ma grossesse. Pour commémorer ces neuf mois, c'est ce que je disais à l'époque.

Au-dessus de la table est accrochée une reproduction de Monet, *Le Pont japonais*. Elle va devoir disparaître. Des murs vides, ça suffira. Nous les avons fait repeindre en prévision de l'arrivée du bébé. Coquille d'œuf. Mark m'a laissée choisir la couleur.

Je retire mes chaussures et inspecte le plafond. Des toiles d'araignées pendouillent entre les moulures et nos appliques en vitrail. Dans le salon, des bouquets de fleurs fanées s'alignent sur le manteau de la cheminée – gerberas, lis et œillets –, leurs pétales brunis au bord. Elles sentent le moisi, la mort.

« Je me suis dit que j'allais les laisser pour que tu puisses les voir en rentrant », explique Mark. Il me tend une pile de cartes. Elles sont écrites par des amis, des collègues, des parents éloignés, et contiennent toutes de joyeux messages de félicitations et de vœux de prompt rétablissement, toujours pleins d'espoir. Rien de sombre. Rien de réel. Je balance les pires dans la cheminée.

Les cadeaux ont été disposés cérémonieusement sur les meubles du salon. Des hochets, des vêtements en coton bio, un coffret de DVD *Baby Einstein*. Mark ramasse une barboteuse bleu pâle et l'allonge contre sa poitrine pour voir la taille.

« J'ai mis tes médicaments à côté de ton lit, dit-il. Pour que tu ne les oublies pas.

— Je ne les ai même pas pris. »

Mark laisse tomber la barboteuse par terre.

« Et pourquoi ? J'y crois pas ! Tu pourrais le dire au Dr Niles quand tu la verras, s'il te plaît ? Je n'ai pas envie d'être obligé de m'en charger moi-même.

— Elle a signé ma sortie. Elle a dit que j'étais guérie. »

Mais Mark se contente de secouer la tête en se penchant pour passer la porte et quitter la pièce.

Une fois que je suis certaine qu'il est parti, j'étale le plaid en patchwork de ma mère sur le dossier du canapé. Le rouge des camions de pompiers est assorti avec le cuir bordeaux. Le plaid fait la taille idéale, en longueur et en largeur, même si les motifs enfantins jurent un tantinet avec le décor de la maison.

Un peu plus tard, nous préparons le déjeuner côte à côte dans la cuisine, comme autrefois. Après une semaine d'absence, notre cuisine me donne l'impression d'un espace stérile, avec ses appareils en acier inoxydable, ses placards gris luisants, et ses plans de travail de couleur claire. C'est comme si j'étais de retour au labo.

Il reste encore des gnocchis crus de l'autre jour. L'eau bouillante crachote sur la gazinière tandis qu'il pousse des poignées de pâtes blanches dans la casserole.

« J'ai vu un podarge fauve hier soir, dit-il.

— Hmm-hmm.

— Il était perché sur la souche d'arbre à côté du garage. J'ai réussi à grimper jusqu'à son niveau. J'ai approché de ses plumes. Il ne s'est envolé qu'au tout dernier moment. »

J'entaille une tomate, la lame tel un scalpel dans ma main lorsqu'elle s'ouvre sur la planche à découper en verre. Le jus gicle sur moi.

« Attention », dit-il.

Les placards de la cuisine, de gris, deviennent noirs tandis que le sang quitte ma tête. Je me laisse tomber sur un tabouret.

« Tu sais ce qu'on dit, fait Mark avec un sourire. Si vous ne supportez pas la pression, n'entrez pas dans la cuisine. »

Je pose la main sur la cicatrice au-dessus de mon pubis.

« Je plaisantais », ajoute-t-il. Puis, plus doucement : « Ça va ? »

Je ne réponds pas. Il remue les gnocchis.

« Le Dr Niles a téléphoné. Elle veut te voir au service mère-enfant cet après-midi.

— Déjà ?

— Elle a insisté. Écoute, si tu ne vas pas au rendez-vous, elle risque de te faire de nouveau hospitaliser. Sans consentement, cette fois. »

Un moineau s'envole de la vasque à oiseaux dans la cour.

« Et Toby ? Tu sais comment il va ?

— Pas de nouvelles du Dr Green.

— Tu ne pourrais pas l'appeler, toi ?

— Je ne veux pas la harceler, Sash. Elle est occupée. Je suis sûre qu'elle va nous contacter dès que possible.

— Peut-être qu'on pourra aller voir Toby, après mon entretien avec le Dr Niles.

— Je ne crois pas, Sash. Il faut qu'on attende le feu vert de la pédiatre. »

Il me cache quelque chose.

« Pourquoi veut-elle me voir ? Qu'est-ce que tu lui as dit ?

— Rien. Elle avait l'air de s'inquiéter pour toi. »

Merde. Elle a eu vent de mon intérêt pour Jeremy. Il va falloir que je la convainque de nouveau que je crois que Toby est mon fils, en repartant de zéro.

« Tu as bien dû lui dire quelque chose.

— J'essaie de t'aider, Sash, je te le promets. La dernière chose dont j'aie envie, c'est de te voir retourner à l'hôpital. »

Assise à la table commune avec les femmes mâchonnant en silence leurs repas trop cuits, comme une prisonnière. Sanglotant dans la salle de bains, tandis que l'eau tiède dégouline le long de mon dos. Fermant les yeux pour méditer, tandis que les femmes autour de moi font les cent pas en reniflant.

Mark égoutte les gnocchis dans la passoire au-dessus de l'évier. De la vapeur s'élève, embuant la fenêtre de la cuisine. J'imagine Toby, tout seul dans sa couveuse, et j'enfonce mon visage dans mes mains.

« Je n'ai pas envie de déjeuner.

— Dis-moi quand tu auras faim. Je te réchaufferai une assiette. »

Dans notre chambre, les vêtements sales de Toby, dans un sac plastique par terre à côté de ma valise, attendent que je les lave et les plie. Je presse un de ses bodys contre mon visage. Il sent vaguement la terre, comme les plumes marron et blanc, duveteuses, que je ramassais lors de mes promenades dans le bush, à l'époque où je n'arrivais pas à tomber enceinte. Je les mettais dans ma poche et les serrais entre mes doigts telles des amulettes aux propriétés magiques.

J'essaie de me représenter notre chambre une fois que nous aurons ramené Toby. Je mettrai le fauteuil d'allaitement à côté de notre lit. La table à langer devrait tenir sous la table. Et nous pourrons y installer son berceau. Il pourra dormir près de nous, de mon côté du lit.

Des vêtements me jaillissent au visage lorsque j'ouvre ma valise. Quant à mon placard, il est en pagaille : les hauts et les pantalons roulés en boule et emmêlés débordent des tiroirs ouverts. Le sol est jonché de cintres en métal.

Je lance à Mark : « Tu n'aurais pas pu éviter de mettre toutes mes affaires en bordel ? » Caché au fond de l'étagère du dessus, je trouve le plaid de ma mère. Il l'a déjà ôté du canapé.

Je retire le sachet plastique de la poche avant de ma valise. Le cordon ombilical est encore plus noirci et ratatiné que la dernière fois que je l'ai examiné. J'ouvre le sachet. L'amas noir et rabougri de cellules n'a plus d'odeur. Je l'emporte dans la salle de bains et le jette à la poubelle. Il y a un grincement derrière moi.

Mark est sur le seuil, brandissant son blouson et une lettre à l'en-tête d'ADNFacile dans ses mains tremblantes. J'avais oublié que, espérant être libérée plus tôt, j'ai demandé que les résultats soient expédiés à mon domicile.

« Ça m'est adressé. »

Je tends la main pour attraper le papier, mais il l'écarte violemment.

« Tu as fait les tests. Tu les as faits dans mon dos. Tu n'allais même pas m'en parler. Comment as-tu pu ? »

J'ai les genoux qui s'entrechoquent.

« C'est compliqué.

— Moi, ça ne me paraît pas compliqué. Rien d'étonnant à ce que tu sois tellement sûre que Toby est notre fils. Je n'ai même pas besoin de lire ça pour connaître la réponse. »

Il froisse la lettre dans sa main.

Alors il ne l'a pas lue. Je n'éprouve pas le besoin de la lire non plus. Je sais déjà ce qu'elle dira, les résultats en gras et en noir qui m'accuseront encore d'une erreur de plus. Maintenant, je n'ai plus qu'à espérer que Toby se remette.

Mark fourre la lettre dans la poche de son blouson. « Et moi ? Tu as pris un échantillon de mon ADN, aussi ? »

Le motif du carrelage est monotone, des carrés noirs et blancs disposés en damier, à l'infini. C'est Mark qui a choisi ce motif. Je ne lui ai jamais dit que je ne pouvais pas le supporter.

Il jure dans sa barbe.

« Si le Dr Niles n'avait pas insisté pour que je maintienne le calme pour toi à la maison... » Il respire un grand coup, serre les poings. Je sens son haleine, sucrée et écœurante, à côté de moi.

« Tu as caché mon plaid, tout à l'heure. »

Mark me dévisage. « C'est un plaid d'enfant, Sasha. »

Mon cœur sombre dans ma poitrine, et mon estomac se soulève en même temps. « *Mark.* » Je tremble de tout mon corps, à tel point que je me balance un peu d'avant en arrière. « Il faut qu'on parle. »

Mark fourre les mains dans ses poches. Je pourrais me retenir, ne rien dire, et vivre la vie que nous nous sommes créée dans notre maison cachée dans le bush comme un abri anti-incendie. Ce serait sans danger. Confortable. Convenable.

Je vois des gens se rassembler devant nous, comme sur les photos joyeuses qui ornent les murs du salon : mon père, des amis, des collègues, de la famille éloignée, tous groupés, les yeux plissés. Comment puis-je tous les décevoir ainsi ?

Je ne me suis jamais autorisée à imaginer la vie sans Mark, même les semaines précédant notre mariage, lorsque la pression d'avoir un mari qui vivait sa vie pour son jumeau mort commençait à me peser.

« Ne recule pas maintenant, m'a dit Bec tandis que je pleurais dans mes Martini le soir de mon enterrement de vie de jeune fille. Tu le regretteras. »

Aucune relation n'est parfaite. Bec avait raison sur ce point. Le mariage vous maintient ensemble en dépit des mauvais moments. Comme celui-ci, j'imagine. C'est juste que cela fait tellement longtemps que nous n'avons pas été heureux ensemble.

« Je... »

Mark lève une main, secoue la tête.

« Je voulais... »

Il y a tellement de choses que je voudrais dire sur toutes les façons dont nous nous sommes déçus, lui et moi, mais j'ai le sentiment que ça fait trop de sujets à aborder. Il n'ouvre pas la bouche, alors je continue.

« Nous n'avons pas été honnêtes l'un envers l'autre. »

Les joues de Mark sont enfoncées dans son crâne, ses yeux dans leurs orbites.

« Ce n'est pas toi, Sash. C'est tes hormones qui parlent. Ou ta maladie. »

Mes mains frémissent sur le lavabo.

« Ça fait très longtemps que j'y pense, Mark. Ça me semblait plus facile de continuer, de voir si les choses allaient s'arranger entre nous une fois que tu serais plus heureux, que nous aurions un bébé. Ça fait une éternité que je fais semblant que tout va bien dans le meilleur des mondes, que je n'ai pas de soucis. Toi aussi, d'ailleurs. Tu vois forcément que nous ne sommes pas heureux en l'état. Je ne peux pas continuer. J'espère qu'un jour tu comprendras. »

Je m'arrête, je n'ai plus rien à dire.

« Je me suis donné le plus grand mal pour être le mari que tu voulais.

— Je ne peux pas être la femme dont tu as besoin. »

Il se tourne vers moi. Il a l'air accablé.

« Tu ne peux pas nous sauver, dis-je. Pas plus que tu n'aurais pu sauver Simon. »

Son visage se contracte.

« Simon n'aurait pas dû baisser les bras. Il n'aurait pas dû abandonner. Je le lui ai dit le soir où il est mort. »

À cet instant, avec ses yeux en feu, sa bouche figée par la peur, je ne reconnais plus mon mari. Je me demande qui il a aimé, et s'il m'a jamais aimée, moi.

« Fait chier, dit-il. Je t'attends dans la voiture. » Il traverse le couloir à pas lourds jusqu'à la porte d'entrée.

Il a raison. Ça fait chier. Tout ça. Je veux être avec mon bébé. Je veux tenir Toby dans mes bras. Par-dessus tout, je devrais avoir le droit de voir mon fils.

Toby. C'est un bon bébé ; meilleur que je ne le mérite. Nous aurons un lien, finalement, qui me semblera réel et authentique. Il ira mieux de jour en jour. Il le faut, c'est tout : il a déjà tellement souffert, et je ne peux pas supporter d'envisager la possibilité de le perdre maintenant.

Une giclée de bile me remonte dans la gorge. J'ai besoin de le tenir. Alors, je serai absolument certaine qu'il est à moi. Je voudrais seulement qu'il y ait un autre moyen de le savoir.

JOUR 7, VENDREDI APRÈS-MIDI

« Comment allez-vous, Sasha ? »

Brigitte est derrière moi dans le hall de l'hôpital. Elle serre son sac dans une main, son pochon plein d'affaires de tricot – pelote rouge, aiguilles, carrés de laine – dans l'autre.

« Plus vite on rentre à la maison, tous, mieux c'est, hein ? »

Pourquoi est-elle heureuse de me parler maintenant ? On n'a pas dû lui dire qu'on m'avait encore retrouvée à côté de la couveuse de Jeremy. Et après ce qui s'est passé avec Mark, je ne sais pas trop si c'est à la maison que j'ai envie d'être pour l'instant. Nous avons à peine échangé un mot sur la route. Lorsque je l'ai laissé dans la voiture, il était blême. Je me demande s'il croit même que je vais me rendre à mon rendez-vous avec le Dr Niles.

Je chasse Mark de mon esprit, je voudrais faire preuve de générosité à l'égard de Brigitte.

« Je suis sûre que Jeremy va bientôt rentrer chez vous.

— Peut-être. » Elle se mord la lèvre inférieure. « Comment va Toby aujourd'hui ?

— Il est sous antibiotiques. J'espère que ça va aller. » Je suis attendue au service mère-enfant, où je tenterai d'apaiser le Dr Niles avant de me rendre à la nursery. Je suis prête à tout pour aller vérifier l'état de Toby. S'ils m'interdisent encore l'accès à la salle, je vais devoir inventer un autre plan pour le voir. Donc la dernière chose qu'il me faut, c'est de continuer à parler à Brigitte. Elle a eu raison de se méfier de moi ; il n'y a pas de sens à tenter de renouer la relation que nous avons commencé à établir auparavant.

Avant que je puisse m'échapper, Brigitte me fait un grand sourire. « Ursula vient de tout m'expliquer. Je suis vraiment navrée. Je ne savais pas du tout ce que vous enduriez. Si j'avais su que vous croyiez que mon bébé était le vôtre... » Elle ne cesse pas de sourire. « Ça a dû être affreux pour vous. Je suis vraiment contente que vous ayez changé d'avis. » Elle a l'air sincère. « Au fait, votre plaid est un peu élimé... Je serais toujours ravie de vous aider à le réparer, si vous voulez. »

J'hésite, et Brigitte s'approche davantage.

« Écoutez, j'ai pensé à tout ce qui vous est arrivé. J'ai fait des recherches. Vous saviez que les toutes premières couveuses étaient faites en métal ? »

Je serre le blouson de Mark plus étroitement autour de moi ; il a insisté pour que je l'enfile lorsque je me suis mise à grelotter dans la voiture.

Brigitte continue son laïus. « Apparemment, à l'époque, quand ils ont commencé à mettre des bébés dans des couveuses, les mères les abandonnaient tout le temps. Elles laissaient leurs bébés à la nursery et ne revenaient jamais. Alors ils se sont mis à faire des couveuses en verre. Les mères pouvaient rendre visite à leur enfant tous les jours. D'après les médecins, c'est que les mères parvenaient désormais à créer un lien avec leur bébé parce qu'elles le voyaient mieux. » Elle baisse la voix. « Peut-être qu'ils se sont trompés ? Peut-être que c'était le verre lui-même qui aidait ? C'est une matière naturelle, pas comme le Plexiglas, ou le métal. Peut-être que vous devriez demander une couveuse en verre ? »

Il n'y a même pas l'ombre d'un sourire sur ses lèvres.

« C'est vrai, on voit beaucoup mieux son bébé à travers du verre qu'à travers du Plexiglas, non ? Qui il est. Qui on veut qu'il soit. »

Je m'interroge sur sa santé mentale, et je me demande si la naturopathie et la chiropractie suffisent vraiment à juguler la dépression post-partum.

« Merci, Brigitte, mais je vais bien, maintenant. Tout va bien. Et je dois y aller. »

Elle recule d'un pas.

« Je suis contente de savoir que vous allez mieux. Je voulais vous dire, au fait : j'adore le prénom Toby. C'est bizarre, les prénoms, hein ? J'ai toujours pensé que les gens se mettaient à ressembler à leur prénom jusqu'à ce qu'en fin de compte il devienne inimaginable qu'ils en portent un autre. » Elle me fixe d'un œil curieux.

J'ai une bouffée de chaleur et je desserre le col de mon chemisier. Si la situation était inversée – si elle avait touché mon bébé à mon insu –, je voudrais qu'elle me le dise. Je respire un grand coup.

« Je suis désolée, je…

— C'est bon. Inutile d'ajouter quoi que ce soit. Je sais ce que vous vous apprêtez à dire. Et je sais ce que c'est. C'est facile de faire des erreurs parfois. Quand on voudrait que les choses soient autrement. Quand on voudrait tout recommencer. Quand on a le sentiment qu'on n'a pas d'autre choix. » Elle fouille dans sa poche. « Je voulais vous donner mon numéro. Ce serait super de se donner des nouvelles une fois que nous aurons ramené nos bébés chez nous. Jeremy va sortir d'un jour à l'autre, maintenant. Je craignais de ne pas vous revoir avant de partir, alors j'ai pris votre numéro dans votre dossier. J'étais sûre que ça ne vous dérangerait pas. » Elle me tend un bout de papier. « J'aimerais beaucoup garder le contact. Peut-être que nos fils pourront être amis.

— Mon dossier médical ? Vous l'avez trouvé où ? » Des sonnettes d'alarme retentissent dans ma tête.

Elle plisse les lèvres. « Je n'ai regardé que votre numéro de téléphone. Ils conservent les dossiers des femmes comme nous, les femmes dont les bébés sont en néonat, à la maternité. Au bureau des infirmières, tiroir en haut à droite. Facilement accessible quand les infirmières sont occupées. Vous savez ce que c'est. » Elle me fait un clin d'œil.

Son écriture sur le bout de papier m'est bizarrement familière. Et soudain, je me rappelle : ce sont les mêmes grosses lettres bien distinctes qui remplissaient toutes les cartes à côté de la couveuse de Jeremy. Pourquoi se serait-elle envoyé des félicitations à elle-même ?

« Il faut vraiment que j'y aille », je marmonne.

Brigitte est en train de fouiller dans son sac à main.

« Les livres disent qu'autrefois, avant les premières couveuses, on appelait les prématurés des avortons. Je suppose que ça servait de justification pour les abandonner à la mort. Vous imaginez un peu ? Heureusement que ce n'est plus comme ça ! Nos bébés ne pourraient pas avoir plus de chance ! Et nous non plus. » Elle sort un tout petit body rouge en tricot du fond de son sac à main et le place dans mes mains. « Je l'ai fait pour Jeremy, mais je pense que Toby devrait l'avoir. »

Je passe le bout de mes doigts sur le col torsadé, les poignets tressés. C'est du mérinos, plus doux qu'il n'en a l'air à première vue. Le body est trop grand pour le torse minuscule de Toby, mais je suis sûre qu'il lui ira bientôt.

« C'est très gentil. Vous êtes sûre que ça ne vous ennuie pas ?

— Absolument, dit Brigitte, me gratifiant de nouveau de son sourire affectueux. Et n'oubliez pas de m'appeler. »

Je fais une pause devant le mur de moniteurs dans le service mère-enfant, où une douzaine de haut-parleurs vissés à une plaque de plâtre émettent les cris des nourrissons qui sont dans une salle à part. On les utilise quand on leur apprend à faire leurs nuits. Les mères, derrière la porte, écoutent les pleurs de leurs bébés, et s'efforcent de reconnaître les signes de détresse. Je n'ai jamais fait tellement attention à ces haut-parleurs lorsque j'étais hospitalisée. Maintenant j'appuie mon oreille contre le plus proche. Des reniflements. Un petit gémissement. Le silence. Puis un cri perçant qui se répercute dans ma poitrine. Je ne voudrais à aucun prix que mon enfant se trouve dans un endroit comme celui-ci.

« Sasha, bonjour. » L'haleine chargée de café du Dr Niles me parvient et, quand je me retourne, elle se tient à mes côtés. « Merci d'être venue à ma demande. »

Elle me fait entrer dans la salle d'entretien à côté du bureau des infirmières. Une fois de plus, il y règne une chaleur étouffante. Je retire le blouson de Mark et m'assois sur le rebord de la chaise en plastique, le dos bien droit. Les plafonniers me font l'effet de lampes d'interrogatoire braquées sur mon visage.

Le Dr Niles s'installe en face de moi. Elle tient son stylo au-dessus de mon dossier, la pointe aussi piquante qu'une aiguille. Je me demande si elle en sait long sur mon obsession maintenant disparue pour Jeremy. *Notre équipe est là pour vous*, me rappelle la pancarte au-dessus de sa tête, en caractères gras et noirs.

« Vous ne prenez pas vos médicaments. » Une affirmation, pas une question.

« Si, la plupart du temps. Quand j'y pense. »

Je mens. Elle me fusille du regard.

« Il vous faut prendre vos cachets régulièrement. Sinon nous allons devoir envisager de vous réhospitaliser.

— Pas de problème », je réponds en me levant. Ses ongles sont coupants contre ma peau lorsqu'elle me saisit par le bras et me fait signe de me rasseoir. Tout ce que je veux, c'est prendre Toby dans mes bras pour être sûre qu'il va bien ; mais apparemment je n'ai pas d'autre choix que d'obtempérer.

« Il y a autre chose dont nous devons parler, dit le Dr Niles. Vous avez montré un intérêt particulier pour un autre bébé de la nursery. Vous avez demandé à le prendre dans vos bras. » Ce n'est pas une question non plus.

Je fronce les sourcils.

« Vous le niez ?

— Je voulais juste voir ce que ça faisait de porter un bébé qui était un peu plus grand que Toby », dis-je prudemment.

Je ne suis pas complètement certaine que c'est une réponse qui convient, mais pour l'instant, je n'ai pas mieux.

« Vous vouliez porter un bébé plus grand. » La pointe acérée de son stylo est en équilibre au-dessus d'une page blanche sur le bureau.

« Oui, dis-je, saisissant l'occasion. Je ne m'attendais pas à ce que Toby soit si petit. Il est très délicat. Et fragile. J'ai le sentiment que je risquerais de l'écraser rien qu'en le touchant.

— L'écraser en le touchant. » Le Dr Niles serre son stylo si fort que la peau sous ses ongles devient toute blanche.

Oh, merde.

« Non, ce n'est pas ce que je voulais dire. Je voulais dire que je ne veux pas faire de mal à Toby. Au contraire, je ne veux que le meilleur pour lui, en tout. » Je jette les yeux sur une affichette accrochée au mur : une mère, l'air serein, en train de donner le sein à son bébé, un sourire placide aux lèvres. « Mon lait, par exemple.

— Vous aviez l'intention de donner le sein à Jeremy ? »

J'ai soudain le sentiment que les murs de la pièce minuscule se referment sur moi. Mon chemisier est trempé de sueur et me colle au dos. J'ai l'impression d'être un animal en cage sur lequel on fait une expérience, observé à travers une vitre sans tain, avec un projecteur braqué sur lui. Peut-être suis-je pareille à ces macaques rhésus qui s'accrochaient à des substituts maternels dans les expériences. Les singes préféraient les mères en tissu aux mères en fil de fer, je m'en souviens.

« Ça ne me viendrait jamais à l'idée de donner le sein à Jeremy. Ce n'est pas mon bébé. Je ne sais pas ce que je peux dire d'autre pour que vous me croyiez. » Un filet de sueur dégouline sur ma tempe. « Je sais depuis que vous m'avez hospitalisée que Toby est mon bébé. Vous pouvez poser la question à n'importe qui. Ils vous le diront. Je me suis rendue auprès de lui tous les jours. J'ai tiré mon lait pour lui alors même que vous aviez dit que je ne pouvais pas. Je lui ai acheté des cadeaux... » Je réalise qu'il n'y a pas grand-chose à ajouter. Ma voix s'éteint jusqu'à ce que je manque m'étrangler. « Je l'aime. »

Le Dr Niles m'observe comme un scientifique aurait observé ces fameux singes. Elle me voit comme une mère en fil de fer, j'en suis persuadée.

« Toby va bien ?

— Je ne suis pas au courant de tout dans le détail. Il faudra que vous demandiez aux pédiatres. »

C'est ce que je ferai dès que possible. Rien de tout cela n'aurait dû se produire, ce film d'horreur hospitalier. Ma poitrine se serre.

« Mark est responsable de tout ça, n'est-ce pas ? C'est à cause de lui que j'ai été internée, et c'est lui qui vous a tout raconté de mon passé. »

Le Dr Niles cligne des yeux. « Mark s'est toujours montré votre plus fervent soutien.

— Mais il me ment depuis le début.

— J'en doute. »

Le visage de Mark apparaît devant moi. Sa grimace de culpabilité, tandis qu'il était accroupi dans ma chambre, en train de fouiller mes affaires. Son regard désespéré tandis qu'il essayait de m'éviter l'internement en m'encourageant à faire comme si tout allait bien. Ses yeux écarquillés par l'horreur lorsqu'il a découvert l'étendue de mon obsession pour Jeremy. Les roses, les gnocchis maison, le sablé à l'abricot. Finalement, son visage tel qu'il était le jour de notre mariage : ses yeux brillants, ses joues rouges, le sourire qui fendait ses lèvres. Est-il possible qu'il se soit battu pour moi pendant tout ce temps ?

« Alors qui ? Qui vous a tout raconté ? »

Le Dr Niles hausse les sourcils.

« Bec ? »

Le Dr Niles secoue légèrement la tête, et ses cheveux se remettent en place. « Bec, c'est cette amie à vous ? Celle qui a enfin cessé de m'appeler ?

— Mon père, alors.

— Je n'ai pas parlé avec votre père.

— Ça ne peut pas être Ondine. »

Elle fronce les sourcils. Pas Ondine... Il ne reste qu'une seule personne qui me connaisse et soit au courant de mes erreurs. Mais elle n'a rien à voir avec le service mère-enfant.

« Brigitte ? »

Le visage du Dr Niles reste impénétrable.

« Mais pourquoi aurait-elle fait une chose pareille ? »

Elle hausse les épaules.

Mon cerveau passe en revue ce que j'ai dit à Brigitte, ce que je lui ai tu ; j'ai l'impression d'examiner un tas de papiers détrempés en train de se désagréger entre mes mains. Je ne comprends pas pourquoi elle a parlé au Dr Niles. Rien de tout cela n'a de sens.

« Je dois y aller », dis-je.

Il se passe quelque chose, là. J'ai besoin de découvrir les raisons pour lesquelles Brigitte m'a trahie auprès du Dr Niles. Peut-être que si je lis son dossier, je pourrai me faire une idée de ses mobiles. Puis je pourrai enfin essayer de voir mon fils.

Le Dr Niles remet en place le capuchon de son stylo-plume.

« Je suis sûre que vous êtes consciente que nous avons de solides raisons d'estimer que vous représentez un danger potentiel pour les bébés, Sasha. Croyez-moi, à partir de maintenant, nous allons vous surveiller de très près. »

QUATRE MOIS PLUS TÔT

MARK

Le soir où je suis passé leur annoncer que Sash était enceinte, maman se tenait devant l'évier, en train d'essorer une éponge. Papa était à la table du dîner, une poignée de canettes de bière vides devant lui.

« Tu perds les pédales, ou quoi ? a fait mon père, d'une voix pâteuse. Simon n'aurait jamais fait ça. »

À sa mort, tous les reproches qu'ils faisaient à Simon se sont évaporés. Ils se sont mis à le vénérer, l'enfant parfait dans leur mémoire ; le fils parfait. Cela ne me gênait pas. C'était toujours comme ça que je l'avais vu, moi : le frère le plus génial ; mon meilleur ami. Le seul problème, c'était que, pour mes parents, j'étais celui qui restait pour commettre toutes les erreurs. C'était une mauvaise idée d'ouvrir mon propre café, disaient-ils. D'épouser une femme dont la mère avait abandonné sa famille, et qui risquait de faire la même chose. À présent, on aurait dit qu'avoir un bébé avec Sash était la pire décision de toutes.

Mais il me restait une carte maîtresse.

« C'est un garçon. »

Je n'étais pas certain que c'était un garçon, bien sûr, mais j'avais le fort pressentiment que l'échographie à

332

vingt semaines me donnerait raison. L'intuition ne me frappait pas souvent, mais quand c'était le cas, elle était toujours juste. C'est comme ça que j'avais su dès le tout début que Sash était la femme qu'il me fallait.

Quant au bébé, j'étais sûr que maman et papa se réjouiraient d'avoir un petit-fils. Le bébé serait comme un autre Simon. Pas un remplaçant, non, mais une forme de réconfort.

J'avais vu juste. Maman a laissé tomber l'éponge dans l'évier plein de mousse et plaqué ses deux mains sur ses joues.

« Un garçon ? C'est magnifique. Tu entends ça, Ray ? C'est comme un cadeau de Simon. Un petit garçon. »

Papa a posé lourdement sa bière sur la table et s'est levé pour me serrer la main.

« Félicitations, mon garçon. Un petit-fils pour perpétuer notre nom de famille. »

En rentrant à la maison ce soir-là, je fonçais à travers la campagne lorsque j'ai été submergé par une vague de chaleur dans tout mon corps. J'avais une sensation très étrange, comme s'il y avait quelqu'un sur le siège passager.

« Simon », ai-je dit tout haut, sachant qu'il était ridicule de m'adresser à mon frère mort depuis longtemps, mais éprouvant tout de même le besoin de lui parler. « Merci pour le bébé. On va être une famille, maintenant, Sash et moi. » J'ai écouté le moteur bourdonner dans la nuit silencieuse. « J'ai ma vie à vivre, maintenant, petit frère. Je ne peux plus vivre ta vie à ta place. Mais je veux toujours que tu sois près de moi. Comme un mentor. Un guide. »

Au bord de la route, j'ai repéré une ombre énorme sur la colline devant moi. En m'approchant, j'ai distingué un kangourou dans les phares, droit sur ses pattes arrière. Un mâle, tout seul. Je l'avais déjà vu dans le secteur, mais jamais de si près. Il était assez gros pour exploser le pare-brise, m'emmener avec lui à notre fin.

333

J'ai appuyé sur les freins, et je me suis arrêté à côté du kangourou dans un dérapage. Il a tourné la tête pour m'observer. Sa fourrure avait des reflets roux dans les phares. Ses yeux étaient des épingles de lumière cernées de noir. Il y avait une sorte de défi dans son regard ; une attente. Une absence totale de peur.

Avant que je puisse détacher ma ceinture de sécurité, il avait sauté d'un bond par-dessus la clôture et s'était enfoncé dans l'obscurité dense du bush. Je suis descendu de voiture, clignant des yeux dans le noir en le cherchant du regard. Il n'y avait pas trace de lui parmi l'armée de troncs épais. J'ai été tenté de le suivre, mais quelque chose m'a retenu.

Sash. Elle avait besoin de moi. Elle aurait toujours besoin de moi.

Le bitume crissait sous mes pieds. Le siège en cuir de la voiture était encore chaud. Sash. Et le bébé dans son ventre. Je devais rentrer à la maison. Ils m'attendaient, tous les deux.

JOUR 7, VENDREDI APRÈS-MIDI

À grands pas, je me dirige vers l'ascenseur et je monte au premier étage : la maternité. Je n'y suis pas entrée depuis près d'une semaine, depuis le matin suivant l'accouchement. Le couloir et les bureaux des infirmières sont déserts. Quelques instants me suffisent.

Le tiroir en haut à droite, a dit Brigitte. Je me glisse derrière le bureau et l'ouvre.

Les deux dossiers rouge sang que je cherche sont au sommet de la pile. S. Moloney. Et B. Black.

J'hésite devant le dossier qui porte mon nom. Aucun doute, il doit y avoir une multitude d'observations insultantes, inexactes, à passer en revue. Je pousse un soupir. Je suis pressée. Mark m'attend toujours dans la voiture, j'imagine. Je ne veux pas qu'il me soupçonne d'essayer de voir Toby. Et je peux être certaine que je vais être interrompue d'une minute à l'autre par une autre patiente ou par une infirmière. Je n'ai pas le temps de me soucier de ce que le personnel soignant dit et pense de moi pour l'instant.

Je sors le dossier de Brigitte et l'ouvre à la première page.

Brigitte, naturopathe, célibataire. Deux fausses couches, un enfant mort-né à 24 semaines.

Tant de choses qu'elle ne m'a pas dites. Tant de fois où elle ne m'a pas dit la vérité.

Je tourne la page. Une note écrite à la main, en majuscules, soulignée en rouge :

*AGRESSION SEXUELLE PRÉSUMÉE PAR UN INCONNU
À SON DOMICILE ANTÉRIEUREMENT À LA GROSSESSE.
ÉVITER LES EXAMENS VAGINAUX SAUF
EN CAS DE NÉCESSITÉ ABSOLUE.*

Je referme le dossier. Je n'ai pas besoin d'en lire davantage.
« Je suis désolée », dis-je tout haut. J'adresse ces mots à Toby, mais ils pourraient aussi bien être adressés à Brigitte, à nous toutes, toutes les femmes avec nos secrets et nos mensonges indispensables.

Mon esprit tourne à toute vitesse.

Brigitte m'a interrogée sur ma conception de la maternité, elle m'a demandé si je comptais avoir d'autres enfants, elle m'a posé des questions sur mon mariage.

Elle m'a empêchée de voir Jeremy après que j'ai évoqué l'éventualité d'une interversion de bébés.

Elle m'a offert un body tricoté à la main pour Toby.

Pas vraiment une preuve concrète de ce qu'elle pourrait bien avoir fait.

J'essaie de me rassurer en me disant que je ne pourrais jamais échanger mon bébé avec celui d'une autre. Mais je sais aussi que je ne peux guère imaginer ce que Brigitte a enduré.

Un message de service résonne dans les haut-parleurs de l'hôpital : *Alerte bleue, service de néonatologie.*

Toby. Non. Ce n'est pas possible.

Je fourre le dossier dans le tiroir et le referme violemment, puis je me précipite vers l'ascenseur au bout du couloir et j'appuie encore et encore sur le bouton d'appel. Les portes s'ouvrent enfin et je me rue à l'intérieur. Au niveau cinq, je me frotte les mains dans le lavabo, puis je m'avance vers la porte de la nursery. Elle s'ouvre avec un sifflement.

Brigitte se tient devant moi. Je manque la renverser dans ma hâte. Elle détourne le regard et sort dans le hall, se dirige vers l'ascenseur. Je n'ai pas le temps de lui parler pour l'instant.

Par la porte ouverte de la nursery, j'entends des sons chaotiques qui s'élèvent de la salle de réanimation : des voix pressantes, le bip des moniteurs, des alarmes qui gémissent. À travers le panneau de verre de la porte, je vois l'équipe médicale agglutinée autour d'un chariot. Ils sont tellement serrés qu'ils cachent le bébé en danger à ma vue.

Ursula s'approche de moi, toute blême. « Vous allez devoir attendre dans le couloir, dit-elle en me tirant par le coude.

— C'est Toby ?

— Vous allez devoir attendre », répète-t-elle. Elle me repousse dans le couloir froid, derrière la porte de la nursery. « Asseyez-vous. » Elle a l'air fatiguée, tourmentée. « Nous ne laissons pas entrer les parents pour l'instant. Je reviendrai vous parler dès que possible. »

Mais comment pourrais-je m'asseoir ? Je fais les cent pas. Mes doigts sont gelés sous l'effet du choc. J'enfonce mes mains dans les poches du blouson de Mark. À l'intérieur, mes doigts rencontrent une boule de papier froissé. Je la retire. Une lettre toute blanche, celle que Mark a planquée dans sa poche tout à l'heure. Les analyses ADN. Je m'appuie contre le panneau où sont épinglées les photos de bébés et défroisse les pages. C'est ce que je pensais devoir attendre. Ce dont je pensais avoir besoin, depuis le début. Ce que j'ai tout risqué pour obtenir. Mark n'a même pas pris la peine de lire les résultats.

Mon cœur cogne comme un tambour. Lorsque Mark a sorti la lettre, à la maison, j'ai pensé que je n'avais pas besoin de la lire non plus, que je pouvais faire confiance à mon intuition. Ce n'est que maintenant que je réalise que j'ai besoin de la preuve irréfutable, pour démontrer aux autres, autant qu'à moi-même, qui est vraiment mon enfant. Il me faut plus que ce que mon cœur, mon cerveau ou mon ventre peuvent savoir. Il me faut la certitude que seule une preuve scientifique peut donner, celle que Toby est, en fin de compte, mon fils.

Les doigts tremblants, je lisse les feuilles de papier et les tiens devant moi. J'hésite. Une petite partie de moi préfère ne pas savoir. Mais je ne peux pas revenir en arrière.

Je baisse les yeux sur les résultats. Mes yeux se brouillent tandis que le papier tremble violemment dans ma main. Les résultats ne sont pas du tout ceux auxquels je m'attendais.

Jeremy – Gabriel – est mon fils.

Dans la salle de réanimation, la clameur se réduit à un murmure, puis à un silence épais. Les soignants émergent de la nursery par petits groupes, la tête baissée, et s'éloignent à pas lents dans le couloir. Le Dr Green les suit, les yeux sur l'ascenseur. Aucun d'entre eux n'a remarqué ma présence près du tableau de photos.

Je m'appuie contre le mur pour garder mon équilibre. Une fois que le hall s'est vidé, je remets les résultats dans la poche du blouson. Mon cœur bat à toute vitesse.

Je me dirige vers la nursery. Lorsque la porte coulissante s'ouvre, Ursula se plante tel un tronc devant moi.

J'essaie de la contourner. « Il faut que je voie mon fils.

— Ce n'est pas le bon moment. » Sa main se pose sur mon épaule comme une pince de crabe, puissante, tandis qu'elle me guide vers le coin le plus éloigné de l'annexe, derrière le lavabo, loin de l'entrée.

Ursula. Elle me traite mal depuis mon hospitalisation. Est-elle au courant de l'interversion ?

« C'est vous ? Vous saviez depuis le début que Toby n'était pas à moi ?

— On a déjà parlé de ça. » Elle baisse les yeux et lisse sa blouse sur ses cuisses.

« Vous saviez. Vous saviez et vous n'avez rien fait ? »
Je tire la lettre de ma poche, l'agite sous son nez. « J'en ai
la preuve, Ursula. » Je déplie le papier et le plaque contre le
mur, désignant les résultats écrits noir sur blanc. « Regardez.
Jeremy est mon fils. Comme je le dis depuis le début. »

Tandis qu'elle inspecte la lettre, son menton s'affaisse.
Elle hésite, comme si elle réfléchissait aux options qui lui
restent, puis reprend lentement : « Je... Elle n'a personne,
vous savez. Elle est toute seule.

— Elle a dit qu'elle avait un mari. Des amis. »
Ursula secoue la tête. « Il n'y a pas de mari. Brigitte est
célibataire. Et elle n'a pas d'amis. »

Les cartes qui entourent la couveuse de Jeremy, toutes
écrites de la même main, c'est bien Brigitte qui les a rédigées.

Je ne peux voir qu'une seule issue à tout cela. « Laissez-
moi ramener Jeremy à la maison. Rien de tout cela n'a besoin
de se savoir. Sans quoi je ferai éclater la vérité au grand jour :
la culpabilité de l'hôpital, le fait que vous étiez au courant
de la situation. Vous perdrez votre travail. »

Ursula s'adosse au mur, les yeux baissés sur ses pieds.

« Comment avez-vous pu la laisser faire ça ? »

De l'eau goutte dans le lavabo en métal, un battement
régulier.

« Ce... Ce n'était pas Brigitte. » Elle déglutit, la voix rauque. « C'est moi qui ai fait l'échange. »

Ursula ? Mon cœur menace de lâcher. J'ai la sensation
que le sang se coagule dans ma poitrine.

Blottie contre le mur de l'annexe, elle est pathétique. Son
explication commence, hachée. « L'hôpital m'a retiré mon
poste d'infirmière chef après l'épidémie de *serratia*. Ils m'ont
collée dans l'unité prénatale, en roulement, comme si j'étais
la honte du service. C'est là que j'ai rencontré Brigitte, à
sa première visite. Elle en était à vingt semaines quand sa
grossesse a été détectée. Elle était dans le déni après ce qui

s'était passé, je suppose. Le viol. » Elle crache le mot tandis que la colère enfle dans sa voix.

« Malgré son dégoût de la façon dont elle était tombée enceinte, elle ne pouvait pas supporter l'idée d'avorter. Elle en a bavé pendant toute sa grossesse. Bien sûr qu'elle en a bavé ! Elle avait affreusement peur de ne pas parvenir à aimer son fils après sa naissance. Un lien s'est formé entre nous. Nous nous comprenions. Je lui ai parlé d'une chose similaire qui m'était arrivée il y a des années ; une chose que je n'avais jamais racontée à personne. Nous sommes devenues proches. Amies, même. »

Je suis muette d'incrédulité.

« J'ai programmé le déclenchement artificiel de l'accouchement dans l'espoir d'être de service à l'heure de la naissance. Le plan a fonctionné à merveille. La salle de travail manquait de personnel, alors on m'a demandé de prendre mon service en avance et j'ai été chargée de m'occuper de Brigitte. Dès que son bébé est né, et que je l'ai placé dans ses bras, j'ai su que ses craintes étaient fondées. Il ne lui ressemblait pas du tout. Elle n'a pas dit un mot ; elle s'est contentée de se tourner vers le mur.

» Elle était tellement déchirée qu'on a dû lui faire des points ; pendant ce temps, j'ai emmené son bébé à la nursery. Elle a eu l'air soulagé lorsque je l'ai sorti de sa chambre dans son berceau.

» Plus tard, quand je l'ai emmenée le voir, elle n'a pas voulu s'approcher de sa couveuse. Au lieu de ça, elle s'est mise à regarder les autres bébés. Je l'ai prévenue que ce n'était pas une bonne idée, que ce n'était même pas permis. Elle aurait dû se concentrer sur le sien. Mais aussitôt que ses yeux sont tombés sur Jeremy, elle s'est mise à l'aimer comme je savais qu'elle ne pourrait jamais aimer son fils. »

Elle se tait le temps qu'une infirmière sorte de la nursery. Celle-ci nous jette un bref coup d'œil puis continue vers l'ascenseur.

Les mots jaillissent de ma bouche. « Mais j'aimais mon fils. Même avant qu'il soit né. Comment avez-vous pu – comment a-t-elle pu – me faire ça à moi ? À ma famille ? »

Une ombre gagne le visage d'Ursula tandis qu'elle se redresse contre le mur. « Je savais que *vous*, vous pourriez aimer n'importe quel bébé. J'ai lu votre dossier au moment de votre césarienne. Je me le suis fait faxer par le Royal. Vous vouliez un bébé à tout prix. J'ai vu ça chez beaucoup de femmes. Après l'infertilité, après en avoir tellement bavé, et pendant si longtemps, n'importe quel bébé vous rendrait heureuse.

» Quand Brigitte m'a suggéré d'intervertir vos bébés, j'ai cru qu'elle disait ça comme ça. Ce n'est que lorsqu'elle m'a proposé une somme confortable que j'ai compris qu'elle ne plaisantait pas. Et j'avais désespérément besoin d'argent. » Elle se penche en avant, pose ses mains sur ses cuisses. « Ce n'est pas si facile de s'en sortir, par les temps qui courent. Vous êtes médecin légiste, vous ne pouvez pas comprendre ce que c'est d'être infirmière dans un hôpital public. Notre salaire et nos conditions de travail empirent d'une année sur l'autre, et en plus, j'ai été rétrogradée. *Essayez* un peu de payer les factures, de rembourser votre prêt, après ça. *Essayez* un peu de survivre. Et Brigitte était une ancienne infirmière, elle comprenait parfaitement ma situation.

» Mais elle avait reçu des indemnités, à cause de ce qui lui était arrivé. Elle avait les moyens de me payer. C'était tellement facile, vous comprenez. Plus que vous ne l'imaginez. Les bracelets nominatifs ont glissé tout seuls, sur les deux bébés. Je les avais attachés moi-même. C'était simple d'en écrire deux autres et de jeter les anciens.

» Ensuite, tout s'est déroulé comme je l'avais espéré. Brigitte a insisté pour faire votre connaissance, afin de s'assurer que Toby grandirait dans un foyer aimant. Elle était sûre que vous lui donneriez tout ce qu'il faut. Elle a seulement commencé à se méfier de vous lorsque vous avez demandé à prendre Jeremy dans vos bras. J'ai balayé ses inquiétudes et je ne lui ai pas parlé de vos soupçons jusqu'à ce qu'elle assiste à votre montée de lait. J'avais espéré que vous finiriez par vous persuader que vous vous étiez trompée. Vous étiez la seule personne à avoir remarqué qu'il y avait un problème. En fait, le plus gros problème, c'était vous. »

Le regard perçant d'Ursula, comme celui d'un rapace prêt à fondre sur sa proie, m'arrache brutalement à ma torpeur.

« Quelqu'un d'autre aurait dû remarquer. Les bébés n'avaient pas le même âge gestationnel. Ils n'en étaient pas aux mêmes étapes de développement.

— On voit tous ce qu'on a envie de voir. Vous ne croyez pas ? » dit-elle.

Le Dr Solomon. Le Dr Niles. Le Dr Green. Même Mark. Il était plus facile pour eux de croire que j'avais perdu la tête que de voir la vérité.

« C'est vous qui m'avez dénoncée au Dr Niles ? Qui lui avez dit que je pensais que Jeremy était mon fils ?

— Vous faisiez tout ce qu'il ne fallait pas. Vous violiez le règlement de la nursery. Bien sûr que le Dr Niles devait être mise au courant. »

Je tressaille. « Que lui avez-vous dit, exactement ?

— Je lui ai simplement raconté ce qui s'était passé, et ce que vous aviez dit à Brigitte. La vérité, et rien d'autre. » Elle poursuit en énumérant les faits sur ses doigts. « Que vous et votre mère aviez été suicidaires. Que vous ne preniez pas votre traitement. Que vous vous sentiez coupable de la mort d'un enfant. Que vous aviez essayé de prendre Jeremy dans vos bras. Que vous aviez dit à Brigitte que vous vouliez le porter. Que vous aviez eu une montée de lait réflexe en le regardant. Que vous considériez toujours Jeremy comme votre fils.

— Et sur mon mariage ? Vous lui avez dit quoi ?

— Ce que Brigitte m'a répété. Le Dr Niles a des problèmes elle aussi, je crois. Des problèmes conjugaux. Des problèmes d'infertilité. Peut-être pensait-elle pouvoir apprendre quelque chose auprès de vous. »

Je n'avais rien à enseigner au Dr Niles, si ce n'est peut-être ce que j'ai appris en médecine légale : que tout le monde a quelque chose qui cloche sous son mince manteau de peau.

« Et Toby ? Il va bien ? »

Dans le couloir, près de la cage d'escalier, un gémissement de désespoir. C'est un cri de femme. Ursula dresse la tête. « Je dois y aller. Attendez-moi ici. » Elle recule, lisse sa blouse et se hâte vers l'escalier.

Elle n'a pas répondu à ma question. Mais je peux saisir cette occasion pour voir mon Gabriel. Je me glisse à l'intérieur de la nursery, remonte le couloir à toute vitesse et écarte les paravents.

Sa couveuse est vide. Où est-il ? Ils n'ont pas pu le laisser sortir. Il avait la jaunisse, il était un peu malade. Il avait besoin de rester à l'hôpital, de recevoir des soins.

Sur le matelas, une seringue à demi-pleine de liquide transparent. Un capuchon de perfusion abandonné.

Je plaque ma main contre ma bouche, pousse un cri étranglé entre mes doigts.

Toby était plus mal en point que Gabriel. Ce n'était pas Toby, en réanimation ? Alors pourquoi Gabriel n'est-il pas dans son berceau ?

Le tube à oxygène, fixé au mur, traîne comme une peau de serpent sur le sol.

Dieu, faites que ce ne soit pas vrai. Ce ne peut pas être lui. Ce ne peut pas être Gabriel. Mon fils.

Une minuscule tache de sang sur le drap. À cause de la perf ? Je la touche du bout du doigt.

Mes doigts glissent de la couveuse et je m'avachis contre la paillasse. Mes jambes cèdent sous moi et je m'écroule par terre, à quatre pattes.

Mes genoux cognent le vinyle froid. Puis, mon front heurte le sol en une vaine prière. C'est le sol que ses yeux ont vu. Les cellules de sa peau doivent se trouver sur ce lino. Un souvenir cellulaire. Je passe ma main sur la surface, récoltant des grains de poussière noirs et gris, et les plus précieux, les flocons blancs de peau. Je dépose un baiser sur ma main. Il y a de la poussière et de la saleté sur mes lèvres. Mais sa peau, aussi. C'est sec, et chaud.

Je me redresse en m'agrippant aux pieds de la couveuse et passe les doigts sur son pourtour métallique, sur les boutons qui l'ont maintenu en vie, au chaud.

Le Plexiglas est lisse. Trop lisse. Je voudrais le pulvériser en éclats si coupants qu'ils pourraient me percer le cœur.

Je soulève le volet de la couveuse et j'enfonce mon visage dans le petit drap de coton. Il est toujours là avec moi, avec son odeur de miel, de cannelle et de toast beurré. Je l'aspire profondément, jusqu'au fond de mes poumons.

Le drap colle lorsque j'essaie de me dégager. Je tire et il se détache de moi. Je le plie en un minuscule carré de tissu et le fourre dans mon soutien-gorge, contre mon sein, où il sera en sécurité.

Je me penche de nouveau et berce le matelas dans mes bras, entre mes coudes. J'enfouis mes lèvres dans sa protection en plastique, qui pourrait être une peau de bébé.

Je caresse le plastique, glissant sous ma paume, et j'imagine que mon bébé est là avec moi. Je me dis qu'il a trop chaud. Il faut le rafraîchir.

Les lingettes sont rangées sur une étagère au pied de la couveuse. J'en humecte une sous le filet d'eau froide du lavabo à côté du lit et je fais mine de la lui passer sur le front.

Il a moins chaud maintenant. Il est plus à l'aise. Peut-être va-t-il s'en sortir.

Une alarme retentit près d'une couveuse de l'autre côté du couloir.

Le plastique me colle aux coudes. Je le détache, remets le matelas en place. Ce n'est pas mon bébé. Pas du tout.

Je referme le volet de la couveuse d'un coup sec. Il faut que je voie Gabriel. J'ai besoin de le bercer, de le serrer contre moi. De prendre dans mes bras son corps froid, son corps mort.

La salle de réanimation est vide. L'urgence est terminée depuis longtemps.

La lampe à infrarouge accrochée au-dessus de la couveuse de réanimation est toujours allumée mais il n'y a pas de bébé en dessous. Je pose mon visage sur le matelas. Je sens son odeur ici aussi, je perçois sa présence par tous les pores de ma peau. J'ai dû le manquer d'à peine une fraction de seconde.

La couveuse grince lorsque je laisse tomber mon visage sur le drap. La chaleur de la lampe me brûle la peau.

C'est là qu'il était couché. Là qu'il a rendu son dernier souffle.

Avec ma tête penchée selon un certain angle, sur le tableau blanc accroché au mur, je vois la liste des procédures et l'heure à laquelle elles ont été appliquées. Insertion de la perfusion. Tentatives d'intubation. RCP. Doses de médicaments : suxaméthonium, propofol, adrénaline, amyodarone, bicarbonate. Des ampoules de médicaments à moitié vides sur les paillasses. Des sachets de plastique tels des emballages de sucettes sur le sol. Ils lui ont donné tout ce qu'ils ont pu pour tenter de le maintenir en vie.

Je pousse un cri. C'était tout ce que je voulais, tout ce que je demandais. Un bébé. Une famille. Quelqu'un à aimer, quelqu'un qui m'aimerait en retour.

Je ne sais pas comment supporter ça. Je t'en prie, maman, je t'en prie, aide-moi. Je ne sais pas comment arranger ça.

Je plonge les yeux dans la buée qui remplit la pièce, et j'imagine le visage de Lucia devant moi, je l'imagine en train de me caresser le dos, de me dire que tout ira bien.

Gabriel avait confiance en moi, il pensait que je le retrouverais. Il m'appelait en pleurant. Il comptait sur moi pour être là, pour le rassurer. Je l'ai trahi.

À travers mes larmes, je tends l'oreille pour l'écouter, pour écouter ses pleurs, sa voix.

Rien que du silence.

Des pas feutrés à la porte. Ursula, le visage aussi indéchiffrable qu'un masque. « Vous ne devriez vraiment pas être là. » Elle m'aide à me redresser.

« Je vous en prie, dis-je, m'agrippant au rebord de la couveuse, tentant de me retenir. Non.

— Vous devez venir avec moi », dit-elle. Elle détache mes doigts, un par un, de la barre de la couveuse. Sa main bien ferme sur le creux de mes reins, elle me guide vers la nursery.

Ma mère. Que pourrait-elle bien dire ? Que j'ai trop insisté. Que j'ai déployé trop d'efforts pour avoir un bébé. Que d'une manière ou d'une autre, tout est ma faute. Elle, à ma place, elle aurait laissé tomber, laissé venir sa fin. Je ne suis pas comme elle. Je ne veux pas de fins. Je veux des débuts. Il faut qu'ils comprennent ce qu'ils ont fait, tous, jusqu'au dernier. Mais pas Brigitte, cependant. Je comprends ce qu'elle a fait, elle. Et elle n'avait pas l'intention de rendre mon fils malade. C'est trop, tout ça va trop vite. Ce que je sais, c'est que c'est l'hôpital qui devrait payer. Je devrais les faire tomber, *eux*. Les faire tomber pour toutes les autres femmes que le système a refusé de croire au fil des années, les femmes dont on s'est moqué, qu'on a méprisées, ignorées. Les faire tomber pour ce qui a été fait.

Ursula me pousse vers Mark, qui se tient près de la porte de la nursery. Son menton est couvert d'une ombre de barbe, et, malgré sa carrure, il semble flotter dans ses vêtements froissés. Il était censé m'attendre dans la voiture. Que fait-il là ? Et, je me surprends à me poser la question une fois de plus, comment sait-il pour notre fils ?

Il me prend le bras, m'attire tout contre lui. « Sash, regarde. »

Un bébé qui hurle, le visage tout rouge, les poings serrés. Je m'écarte de lui. « Laisse-moi. C'est trop. »

Sa main est ferme sur mes vêtements. « Regarde. »

Le bracelet nominatif. C'est Toby.

« Il va bien, Sash. Il a juste été transféré dans un berceau ouvert. »

À l'époque de mon stage, les médecins disaient que plus ils étaient près de la porte, plus ils étaient près de rentrer chez eux.

Le front de Toby est plein de sueur sous ma paume. Mon doigt glisse le long de l'arête de son nez, jusqu'à la pointe. Ses pleurs s'apaisent un peu.

Toby n'est pas mon fils. Mais il a besoin d'une mère, d'une mère qui le désire, qui l'aime, qui l'adore. Qui l'aime de façon inconditionnelle. Comme Lucia m'aimait. Je me demande si je pourrai être suffisante pour lui, et lui pour moi.

« Chut, dis-je. Chut, Toby, tout doux. »

Je l'enveloppe dans les couvertures, pas trop serré, et je le soulève contre ma poitrine. Il est plus lourd que je ne l'imaginais lorsqu'il se laisse aller contre moi, et son visage pâlit, prenant une teinte de pêche. Il me cherche, prend mon petit doigt dans sa main, et les plis de sa paume se referment sur moi, si bien que je ne peux pas le retirer.

Ses yeux ont la couleur du crépuscule, chatoyant. Autour de son iris, un océan profond de bleu, impénétrable.

Pourrai-je jamais vraiment te connaître ? Et pourras-tu jamais me connaître ?

Toby me rend mon regard.

Je crois que je pourrais le tenir comme ça pendant une éternité.

Puis du brouhaha à la porte.

Brigitte entre dans la nursery d'un pas martial. Toute mince, elle flotte dans sa robe bleue à fleurs, et elle a les épaules voûtées comme une vieille dame. Ses longs cheveux hirsutes se sont détachés et lui pendouillent dans le dos.

Ursula délaisse le bureau des infirmières pour s'approcher d'elle, comme pour la consoler, mais Brigitte lui tourne le dos et pivote vers moi. « Comment osez-vous ? » hurle-t-elle d'une voix suraiguë.

Je serre Toby contre ma poitrine. Il n'a pas mérité tout ça.

« C'est vous, n'est-ce pas ? » Sa mâchoire est contractée, le blanc de ses yeux rouge foncé. « On m'a dit qu'il est mort d'une infection. C'est vous qui l'avez contaminé. » Des postillons s'échappent de l'écart entre ses dents de devant.

« Non. Je n'ai rien fait de mal. » Tout à coup, je saisis comment c'est arrivé. J'ai vu Brigitte oublier de se laver les mains dans les toilettes de la nursery. Sans le vouloir, elle est responsable de la mort d'un bébé. Mon fils, que j'ai porté en moi durant trente-cinq semaines. Je devrais être plus que furieuse, j'imagine ; mais j'ai seulement l'impression qu'une couverture d'horreur vient de fondre sur moi, comme les fois où j'ai commis des erreurs catastrophiques.

Les traits de Brigitte sont distordus par le chagrin. Elle siffle entre ses dents, trop bas pour que les autres l'entendent : « Vous savez ce que j'ai fait, n'est-ce pas ? » Elle me dévisage. « Si elle en avait l'occasion, n'importe quelle bonne mère tenterait de réécrire le passé. » Plus fort maintenant :

348

« Comment se fait-il que ce bébé ait le droit de vivre, lui ? Vous ne l'aimez même pas. J'ai vu la façon dont vous le regardiez. »

Mark s'avance, mais il est trop loin pour nous atteindre. Je n'avais pas remarqué que Brigitte était parvenue à s'approcher si près. Elle est juste devant moi, maintenant, son haleine fétide me rentre dans les narines tandis qu'elle s'avance vers moi, les bras tendus.

« Donnez-le-moi. Je peux l'aimer plus que vous. » Elle se penche en avant.

Je recule, serrant Toby contre moi. Elle l'encercle de ses mains et tente de me l'arracher et, avec la vigueur que lui donne le chagrin, je ne sais pas si je vais pouvoir continuer à le tenir, si j'aurai la force de ne jamais le lâcher. Ses doigts s'enfoncent davantage dans les langes, tandis que ma prise se desserre, et qu'il commence à m'échapper.

L'espace d'un instant, avec mes paumes glissantes, la légèreté de Toby, j'envisage de le laisser passer dans ses bras. Ce serait comme de lâcher un souffle, ou un éternuement, quelque chose qui nous échappe involontairement, de le remettre à ses mains douces, plus douces que les miennes, à ses ongles plus adaptés à un bébé que les miens, rongés jusqu'au sang, que la peau de mes doigts sèche et craquelée. Elle saurait le tenir plus étroitement, plus facilement, ainsi que le devrait une mère, d'après moi.

Ma mère. Elle me tenait étroitement lorsqu'elle s'est enfoncée dans les ténèbres. Je me rappelle ses bras me pressant contre sa poitrine qui refroidissait. Elle a voulu m'emmener avec elle. Pour une raison inconnue, je ne l'ai pas suivie. Je suis restée en vie. Et en dépit de tout, j'ai continué de choisir la vie. Alors même que je restais incertaine de ma capacité à être différente d'elle, j'ai décidé d'avoir un bébé. Mes doutes sur mes aptitudes à être mère subsistent. Mais je sais que je ferai tout ce qui est en mon pouvoir, que je ferai n'importe quoi pour m'assurer de ne jamais faire de mal à mon fils.

Les doigts de Brigitte cherchent à l'attraper, s'agrippent à ses langes. Je presse Toby fermement contre moi. Même si pendant tout ce temps j'ai été incapable de l'aimer, même si je ne l'ai même pas considéré comme mon fils, je sais que je lui ai donné ce que j'ai pu. Je peux seulement prier pour qu'il me pardonne un jour mes manquements.

Une vision de Toby apparaît, nette, devant mes yeux : son regard si profond, son froncement de sourcils imperceptible, la manière dont il a refermé la main sur mon petit doigt.

Je suis sa mère. Elle l'a abandonné.

« Il est à moi ! » Ma voix est forte et claire, elle retentit dans toute la nursery. Avec une secousse, je m'écarte de Brigitte.

Son étreinte se défait, ses mains ne tiennent plus Toby, mais le vide devant elle.

Mon bébé, enfin dans mes bras.

Je le serre contre moi, si chaud contre ma poitrine. Son cœur bat au même rythme que le mien ; nous sommes synchrones.

Mark prend Brigitte par les poignets. Elle tourne la tête vers Ursula, qui se tient toujours devant le bureau des infirmières. « Au secours, Ursula ! lance-t-elle. J'ai encore besoin de votre aide. » Ursula secoue légèrement la tête et prend le téléphone. Un code d'urgence résonne dans le haut-parleur et, presque immédiatement, les agents de sécurité s'engouffrent dans la nursery. Ils encerclent Brigitte qui s'effondre par terre. Ils l'emmènent, tandis qu'elle pleure et se débat.

Dans mes bras, mon bébé se met à pleurer, et ses hurlements palpitent dans ma poitrine. Je le berce. « Chut, chut. » Je chuchote à son oreille, caressant son dos de haut en bas, de bas en haut. « Tout va bien. »

Au bureau des infirmières, le Dr Green parle frénétiquement au téléphone. Mark hurle après Ursula, agitant les bras dans tous les sens tandis qu'elle se blottit contre le mur. Je n'entends pas ce qu'ils disent, ni l'un ni l'autre.

J'éprouve de la compassion pour Brigitte, pour ce qu'elle a vécu, pour le désespoir qui l'a poussée à abandonner son enfant. Je sais qu'elle cherchera la rédemption, un jour. Pour ma part, j'ai ma propre rédemption à chercher.

Les hurlements de Toby commencent à s'apaiser. Il s'interrompt de plus en plus longtemps entre ses cris, puis se met à gémir doucement, puis à renifler. J'étudie son visage en traçant délicatement des cercles sur sa poitrine, retrouvant des traits que j'avais remarqués lors de moments calmes, cachés, et que j'avais oubliés jusqu'à aujourd'hui. La courbe entre son nez et ses yeux. La forme de ses sourcils, plus épais au milieu, qui s'affinent au bord. Le mince pli sous sa lèvre inférieure.

Je le presse contre ma joue et l'embrasse, sur le sommet de la tête, le pli de son oreille, le haut de sa pommette, toutes les parties de lui qui se fondent pour former un tout. « Je suis tellement, *tellement* désolée », dis-je. Il se calme et s'adoucit dans mes bras, ses yeux brillants et clairs levés vers moi, cherchant par son regard à faire que je sois sa mère, à faire que je l'aime, et après tant de jours, d'heures, de minutes, je crois finalement que je le peux.

SIX MOIS APRÈS LA NAISSANCE

MARK

Les essuie-glaces remuent de gauche à droite, à un rythme saccadé qui endort Toby. C'est un bébé facile, encore plus facile pour Sash que pour moi. Souvent, il s'endort dans nos bras, ou dans la poussette lorsque nous l'emmenons se promener autour du lac.

Dans le rétroviseur, je le vois attaché dans son siège bébé à l'arrière. Ses paupières se baissent, puis se ferment. Contre le pare-brise, la pluie tombe à verse ; elle forme de profondes flaques sur la route.

Je lui jette un bref coup d'œil. Son nez, long et fier. Ses cheveux, ramenés d'un côté, qui soulignent son large front. Son cou, un peu de côté, qui laisse voir le lobe de son oreille attaché à sa tête.

Impossible.

C'est le portrait craché de Simon.

Je me tourne de nouveau vers la route, où un cacatoès à huppe jaune picore à côté d'une carcasse de kangourou en décomposition. Frappé par cette image, je rate un virage et mords sur le bas-côté, à pleine vitesse. N'ayant pas le temps de freiner, je tourne, les roues dérapent dans la poussière, et le volant m'échappe des mains. Je perds le contrôle du véhicule et je me demande si nous allons nous arrêter, et quand, et ce que ça pourrait me faire d'en finir ici, maintenant, mais la voiture s'arrête brusquement dans un grincement.

La pluie tambourine sur le toit. Toby se met à gémir, une plainte douce qui emplit l'habitacle dans le silence du bush. Je me retourne pour voir comment il va. Apparemment, nous ne sommes blessés ni l'un ni l'autre. Le cacatoès traverse la route en battant des ailes et en poussant des cris perçants. Tout ira bien.

Sauf que non. Pas vraiment.

Il y a tant de choses que je ne peux pas dire à Sash. Je ne pourrai jamais mentionner cet accident, pour commencer. Ni lui avouer que Bill m'a dit il y a des années ce qu'a fait sa mère, ce qu'elle a tenté de faire à Sash. Ou mon regret mortel de n'avoir jamais connu Gabriel.

Comme j'ai eu tort ! Au sujet de Sash. Au sujet de tout.

J'ai lu les résultats des analyses ADN lorsqu'ils sont arrivés à la maison mais, pensant que Sash avait délibérément mélangé les échantillons pour confirmer ses soupçons, j'ai refusé de les croire. Je n'ai deviné ce qui s'était passé que dans la nursery, quand j'ai pris les poignets de Brigitte dans mes mains, quand elle m'a griffé pour récupérer ce que je croyais être mon fils biologique. Sash le berçait, l'aimait de cette nouvelle façon avant que j'en sois capable. J'ai immédiatement su que mon silence valait mieux pour nous tous. Je ne peux pas dire que je comprends la décision de Sash, mais qui suis-je pour juger, après tout ce qu'elle a enduré ? Le premier soir, une fois qu'elle a revendiqué la maternité de Toby, je lui ai dit en quelques mots ce que j'avais conclu à part moi. Je ne lui ai rien demandé de plus. Je n'avais pas besoin de savoir les détails. J'en avais déjà assez dit et fait.

D'ailleurs, tout ce qui s'est produit est au moins en partie ma faute.

Le matin de la naissance de Toby, j'ai menti à Sash. Je suis rentré. Je me suis dit qu'après la nuit qu'on avait passée, j'avais besoin de repos. J'étais épuisé. Rétamé. De retour dans le cocon de notre maison, j'ai essayé de préparer quelque chose à manger pour elle. C'est le détecteur de fumée qui m'a tiré de mon coma. J'ai ôté le ragout brûlé de la gazinière, pris une douche pour me débarrasser de la puanteur du bébé kangourou, et, en rentrant à l'hôpital, j'ai acheté des roses et un plat tout prêt pour Sash.

Elle dormait encore lorsque j'ai déposé les fleurs à côté de son lit. Je suis parti pour la nursery, dans l'intention de voir notre fils. Mais mes membres étaient comme des barres d'acier. Je n'ai pas pu me résoudre à entrer. L'idée de voir notre bébé pâle et nu sous des lumières artificielles, bardé de tuyaux qui le maintenaient en vie… c'était trop semblable à ce que j'avais vécu avec Simon. Je n'étais pas prêt à voir notre fils s'en aller.

Peut-être que si j'étais resté avec lui, comme je l'avais promis à Sash ; si je ne l'avais pas trahi, le premier jour de sa vie ; si j'avais dit la vérité à Sash dès le départ, avant que la machine s'enclenche ; peut-être que là, tout se serait arrangé.

Simon, Gabriel, je n'ai pas pu les sauver. Maintenant j'ai Toby. Lui, je peux le protéger.

Je me penche sur le siège arrière, détache Toby et le prends dans mes bras. Il me donne de petits coups de pied, sans ouvrir les yeux. Je le serre contre moi tandis que la pluie s'abat sur le toit, dissolvant la saleté accumulée sur la route, emportant nos erreurs dans le bush où j'espère qu'avec le temps elles se transformeront en terre fertile.

NEUF MOIS APRÈS LA NAISSANCE

Une volée de ballons jaunes plane au-dessus de l'attroupement autour du stade ovale. Mark s'avance vers moi, Toby attaché sur son torse. Il s'est occupé de lui pendant mon entretien d'embauche. Il s'est engagé à être père au foyer. Le restaurant et le café ne sont plus d'actualité. Notre famille passe en premier, dit-il.

« Comment ça s'est passé ? » Il me tend sa propre petite grappe de ballons, que je puisse les tenir par leurs fils luisants, puis me dépose un baiser sur la joue. Je lui fais un sourire encourageant.

« Très bien. Je pense que je vais l'avoir. » Le centre d'analyses médicales de la capitale ne connaît pas mon passé. C'est anonyme, plus sûr que de travailler dans une petite ville, après tout ce que nous avons traversé.

Les gens se regroupent en un cercle distendu sur l'herbe humide. Comme toujours, je parcours la foule du regard, en quête de longs cheveux tressés, d'yeux perçants, de dents de devant écartées. Partout, désormais, je la cherche des yeux. Elle reviendra, un jour, pour essayer de le reprendre. Je ne lui en voudrai pas. C'est ce que je ferais à sa place.

Ursula m'a prise à part une fois qu'ils ont emmenée Brigitte.

« Ne dites rien à personne, a-t-elle recommandé avec un sourire contrit, et je m'assurerai que Brigitte ne recommence jamais. »

Je savais, même sur le coup, qu'il n'y avait pas de garanties.

Mark se débat avec le clip pour détacher le porte-bébé de sa poitrine. Je m'occupe du fermoir. Tandis que Mark desserre les sangles, Toby se réveille un instant et tend un bras vers moi. Mark le soulève et me le donne.

Il est plus lourd maintenant. Chaud, aussi, malgré la fraîcheur de la fin d'après-midi. Il est vivant, tellement vivant. Il pousse un petit soupir, de son haleine sucrée par le lait maternel. J'essuie une trace blanche au-dessus de sa lèvre supérieure puis caresse le duvet sur sa tête. Un enfant appartient-il jamais vraiment à une mère ? Pour l'instant, du moins, il est à moi.

« J'ai pris cinq ballons. » Mark retire le porte-bébé de sa taille, l'applique sur mon ventre et l'attache correctement.

« Cinq ? »

Son visage s'adoucit. « Les deux qu'on a perdus avant. Puis un pour Simon. Un pour Damien » – je n'avais pas réalisé qu'il se souvenait de son nom – « et un pour... » Il laisse sa phrase en suspens, sans prononcer le nom. Ce n'est pas nécessaire. Nous savons tous deux ce qui s'est passé ; ce que j'ai fait ; ce que j'aurais dû faire.

J'enveloppe la main osseuse de Mark, étreignant les ballons. « Merci. » Ce que je veux dire, c'est : merci d'avoir finalement pris mon parti, après tout ce qui s'est passé à l'hôpital. Merci de n'avoir pas remis en question ma décision d'élever Toby comme notre enfant. Merci d'avoir laissé une autre chance à notre couple. Tant de choses demeurent non dites entre nous. Mais *merci*, pour l'instant ça suffit.

Il regarde en direction des poteaux de buts à l'autre bout du stade, leurs ombres étirées qui s'inclinent telles des pierres tombales sur l'herbe couverte de rosée tandis que la lumière commence à baisser à la lisière de la ville.

C'est vrai, ce qu'a dit Bec. Mark est un type bien. J'ai de la chance, j'imagine. Au moins, il n'est pas parti quand la crise a frappé. Adam, par contre, a quitté Bec il y a six mois, juste après qu'elle est enfin tombée enceinte, disant qu'il ne voulait rien avoir à faire avec l'enfant. Après s'être effondrée un petit moment, elle a choisi de revenir s'installer en Australie. Bec est décidée à être mère célibataire, et à expliquer au bébé qu'elle s'est servie de l'ovocyte d'une donneuse.

« Quand elle sera assez grande pour comprendre. Je suis en paix avec l'idée maintenant. Un enfant est un enfant ; qu'est-ce que ça change, l'identité de sa mère biologique, hein ? De mon point de vue, mieux vaut n'importe quel bébé que pas du tout. »

J'ai failli lui dire, à ce moment-là. Au dernier moment, j'ai tenu ma langue. Mais je l'assisterai au fil de son parcours dans la maternité, comme Lucia l'aurait voulu pour nous deux.

Un silence s'abat sur la foule. C'est l'heure.

Nous formons un immense cercle. Les autres commencent à lâcher leurs ballons jaunes dans l'air : d'abord un, puis un deuxième, libérés par leurs propriétaires, tourbillonnant dans les courants d'air, s'élevant de plus en plus haut dans le crépuscule.

Mark cueille un fil de sa grappe, ferme les yeux et murmure quelques paroles inaudibles. Le ballon quitte sa main, et diminue à nos yeux, devient un petit œuf, puis une pointe d'aiguille.

« Avant, je pensais que c'était une infamie de le libérer. Comme s'il allait être oublié, je crois. Maintenant je sais que je peux dire au revoir. » Il me tend un ruban jaune. « À toi. »

Damien. Je pense de moins en moins à lui ces derniers temps. Il n'occupe plus mes cauchemars. C'est un bébé onirique ; une pensée après coup ; un regret que les choses n'aient pu se passer autrement, il y a toutes ces années.

J'ouvre la paume et le laisse aller. Il s'élève dans l'air, vers les nuages, jusqu'à n'être plus qu'un petit point dans le ciel qui s'obscurcit.

Les deux ballons suivants sont plus faciles. Je me rappelle les voix que j'ai entendues dans ma tête : Harry et Matilda. Leurs petits cris de joie, leur bavardage en sourdine. Leurs esprits sont déjà libres. Je récite une prière silencieuse tandis qu'ils s'échappent au-dessus de nous : *Puissiez-vous trouver une famille qui vous aime comme je vous ai aimés. Puissiez-vous trouver un foyer heureux.*

Le visage d'Ondine surgit dans mon esprit. Maintenant qu'elle vit de nouveau avec son mari et leur fils, elle a récupéré sa famille heureuse, elle aussi. Une fois que son traitement a enfin commencé à faire effet, elle a pu éviter le calvaire des électrochocs. Nous nous retrouvons réguliè-rement pour bavarder autour d'un café, dans notre propre version du Groupe des mères malades mentales ; on s'appelle les Mères cinglées, pour rire.

Mark me tend le dernier ballon. Il plane au-dessus de nos têtes dans l'espace qui nous sépare. Les yeux de Mark, plissés, peinant à croiser les miens, disent tout.

Je prends sa main et l'incite doucement à tenir la ficelle avec moi. Il acquiesce, baisse la tête. « Pour Jeremy », dit-il.

« Gabriel. » Mon sourire s'efface. Un sanglot m'échappe. « Son bébé. » Je passe un bras autour de Toby et le serre contre moi.

« C'était *le nôtre*, Sash. »

Mark a raison. C'était le nôtre, pendant un si bref moment.

« Sash, regarde. »

358

Le ballon s'est libéré tout seul de ma prise et flotte au-dessus de nous, phosphorescent dans un rayon de soleil couchant, comme éclairé de l'intérieur.

Mark passe un bras autour de mon épaule et m'attire contre lui. Nous regardons le ballon s'élever dans le ciel, vers les étoiles, jusqu'à ce qu'il ne soit plus visible.

Il me prend la main et la presse, ni trop fort ni pas assez.

« Viens, Sash. Il faut y aller, maintenant.

— Vas-y, toi. Laisse-moi une petite minute. »

Il retourne à la voiture, laissant des traces dans l'herbe derrière lui. La foule commence à se disperser, jusqu'à ce qu'il ne reste que Toby et moi, seuls, sous le bleu de plus en plus foncé du ciel.

Toby s'agite contre moi. Je regarde son beau visage et me rappelle les fois où je n'étais pas certaine de jamais parvenir à l'aimer ; la fois où j'ai cru qu'il n'allait pas survivre ; la manière dont nous avons finalement pris possession du cœur l'un de l'autre, à la toute dernière minute.

Un courant d'air se fait sentir. Je tire sur son pull en laine rouge, celui qui est enfin à sa taille, et j'ajuste bien sa couverture sur lui.

Il renifle et se blottit contre mon cou. J'embrasse le haut de son front, et ses cheveux duveteux me chatouillent le nez. Je lui chuchote : « Je suis tellement heureuse qu'on se soit trouvés. » Puis, le pressant tout contre moi, je souffle des mots d'adoration dans son oreille. Il tourne la tête, sourit, serre fort mon doigt. Je lui rends son sourire et, imperceptiblement, je murmure son prénom.

Toby.

Mon bébé, Toby Gabriel.

Pour suivre l'actualité
de vos auteurs préférés
et découvrir de nouvelles lectures,
retrouvez-nous
sur les réseaux sociaux :

 @fleuve.editions

 @Fleuve_Editions

 fleuve_editions

Composition et mise en pages
Nord Compo à Villeneuve-d'Ascq

Imprimé en France par CPI
en décembre 2018
N° d'impression : 3030906

Fleuve Éditions
12, avenue d'Italie
75627 Paris Cedex 13

R11802/01